# Contemporánea

**Juan Marsé** nació en Barcelona en 1933. Hasta los veintiséis años trabajó en un taller de relojería. De formación autodidacta, su primera novela, *Encerrados con un solo juguete*, apareció en 1960, seguida por *Esta cara de la luna*, en 1962. *Últimas tardes con Teresa* (1966), que obtuvo el Premio Biblioteca Breve, constituye junto a *La oscura historia de la prima Montse* (1970) el punto de arranque de un universo narrativo que estará presente en toda la producción literaria del autor: la Barcelona de la posguerra y el contraste entre la alta burguesía catalana y los emigrantes. *Si te dicen que caí* (1973), considerada como su gran obra de madurez, fue prohibida por la censura franquista, publicada en México, y galardonada con el Premio Internacional de Novela México 1973. *La muchacha de las bragas de oro* (1978) le valió el Premio Planeta. En *Un día volveré* (1982) recupera algunos de los temas y escenarios más recurrentes de su narrativa. En 1984 publicó *Ronda del Guinardó*, en 1986 la colección de relatos *El teniente Bravo* y en 1990 *El amante bilingüe*. *El embrujo de Shanghai* (1993) fue galardonada con el Premio Nacional de la Crítica y con el Premio Europa de Literatura 1994. En 2000 publicó *Rabos de Lagartija*, Premio Nacional de la Crítica y Premio Nacional de Narrativa. Su novela más reciente es *Canciones de amor en Lolita's Club* (2005). En 2008 ha recibido el premio Cervantes.

# Juan Marsé
## Un día volveré

**DEBOLS!LLO**

Primera edición con esta portada: febrero, 2009

© 1982, Juan Marsé
© de la presente edición:
  1998, Random House Mondadori, S. A.
  Travessera de Gràcia, 47-49. 08021 Barcelona

Printed in Spain – Impreso en España

ISBN: 978-84-9793-031-4
Depósito legal: B. 8133 - 2009

Impreso en Liberduplex, S.L.U.
Sant Llorenç d'Hortons (Barcelona)

P 83031A

*A Pep Marsé, mi padre,*
*que me enseñó a combinar*
*la concienciación con la escalivada*

arrisal
awakening

platter of
grilled vegetables

# PRIMERA PARTE

# CAPÍTULO PRIMERO

*Yace ahora sobre su destrozado capote, con un*
*viento firme entre sus tranquilos cabellos…*
*Parece un jardín abandonado por los pájaros,*
*parece un canto en la tiniebla…*

ODYSSEUS ELYTIS

## 1

Néstor tenía dieciséis años y aún llevaba la armónica sujeta al cinturón como si fuese una pistola.

La noche que supo que su tío iba a salir de la cárcel birló una botella de anís en el bar Trola y agarramos la primera trompa de nuestra vida tirados en la acera, en medio de un olor dulzón a basuras y a ramas de laurel tronchadas. Ya era muy tarde y el barrio dormía envuelto en una perezosa neblina a ras de suelo. La luz de la farola centelleaba como un alacrán de plata en el contrachapado de la armónica mientras Néstor tocaba, la botella pasaba de mano en mano y gemía a lo lejos la sirena de un buque. Pegada al cristal de la farola, una salamanquesa proyectaba su sombra en el muro, por encima de nuestras cabezas. Luego nos levantamos a mear juntos en la esquina de las basuras, codo con codo, las tres mingas apuntando al mismo sitio. Entonces, a nuestro lado, la negra silueta de un hombre con sombrero y gabardina se encaramó lentamente por el muro, y se oyó una voz ronca y desgarrada:

—¿Quién os dio permiso para ensuciar esta pared?

—Picha española no mea sola.

—Eso no es una respuesta.

—¿Quiere un trago, forastero?

—Tú, el de la armónica. ¿No has visto el retrato pintado ahí?

—Yo no, ¿y usted?

—No me hables en ese tono, chaval.

—Pues déjenos en paz. Circule.

—Quiero hacerte unas preguntas. Date la vuelta.

Néstor no se movió.

—Qué pasa. ¿Es usted un poli?

—Podría ser. ¿Dónde vives, mocoso?

—En esta misma calle.

—Entonces sabes muy bien lo que tienes delante.

—Aquí sólo hay un montón de porquería, señor.

—Hay una cara y te estás meando en ella.

—¿Sí? Está muy oscuro, yo no la veo.

—¿Quieres que te la haga ver a bofetadas? Termina de una vez y vuélvete.

—¿Para qué?

—Te voy a enseñar modales, muchacho.

Néstor se volvió, despacio, abrochándose la braqueta. No las tenía todas consigo, pero por lo menos había aguantado hasta terminar lo que empezó. A nosotros, la meada se nos había cortado hacía rato.

El desconocido apareció de pronto bajo la luz macilenta del farol como surgido del mismo asfalto o de una grieta en la noche. Llevaba una trinchera color caqui con muchos botones y complicadas hebillas, las solapas alzadas y la mano derecha en el bolsillo. Bajo la sombra del ala del sombrero sus ojos emitían un destello acerado. Teníamos la sensación de lo ya visto, de haber vivido esta aparición en un sueño o tal vez en la pantalla del Roxy o del Rovira en la sesión de tarde de un sábado… El hombre miraba el garabato negro estampillado en la esquina, el borroso busto regado de orines que parecía asentado en el maloliente montón de desperdicios y pensé apresuradamente en una excusa: no lo hacemos expresamente, señor; sólo con que lo hubiesen pintado un poco más arriba en la pared, aunque de hecho él es bajito y rechoncho, y no es por ofender, ni las basuras ni las meadas le llegarían nunca a la nariz…

Pero el tipo ya se estaba metiendo otra vez con el hijo de Balbina:

—¿Sabes que podría denunciarte? ¿Cómo te llamas?

—Néstor.

—¿Néstor qué más?

—Julivert.

—¿Cuántos años tienes?

—Diecisiete, casi…

—¿Te parece bonito andar golfeando a estas horas?

—Yo me he criado golfeando a estas horas, señor.

—No te hagas el gracioso conmigo o te parto la boca.

—Si cree que me va a asustar porque sea de la bofia…

—No he dicho que lo sea. ¿Trabajas?

—En aquel bar –indicó con la cabeza calle abajo, en la acera contraria–: El toldo naranja.

—¿Cómo se llama tu padre?

Néstor reflexionó antes de contestar.

—No tengo padre.

—¿Y tu madre?

—Balbina.

—¿Está ahora en casa?

—No. Trabaja de noche.

—¿Dónde?

—¡A usted qué le importa!

—No me levantes la voz.

Encendió un cigarrillo inclinando la cabeza. Vimos sus puños al trasluz de la llama de la cerilla, fuertes y delicados a la vez, como de alabastro. Miró a Néstor y dijo:

—¿Cómo se llama tu tío, el que está en la cárcel por atracador?

*banditry*

Néstor tragó saliva.

—Se llama Jan Julivert Mon.

—¿Cuántos años lleva preso?

—Trece años menos cuatro meses…

—¿Sabes que está a punto de cumplir?

—Sí.

El desconocido tardó unos segundos en hacer la siguiente pregunta:

—¿Te acuerdas de él? —Mirándole fijamente a los ojos—. ¿Crees que podrías reconocerle, si le vieras ahora?

Por poco se me para el corazón, nos confesaría Néstor más tarde. El hombre retrocedió un paso y, como el telón de un teatro, la sombra del ala del sombrero remontó lentamente su cara hasta la mitad de la nariz. Vimos el <u>mentón</u> duro y la boca musculosa, los pliegues muy marcados bajo las comisuras, los pómulos altos y <u>terrosos</u>. *olor y textura del tierra*

Néstor no contestó. Luchaba, nos diría luego, con una repentina náusea y un pataleo en la boca del estómago, como si el mono del anís que habíamos mamado estuviera allí dentro haciendo cabriolas.

—¿Quién es usted? —dijo por fin—. ¿Qué quiere?

Por segunda vez, el hombre pareció dudar. Se llevó el cigarrillo a la boca con el pulgar y el índice, con la parsimonia de los viejos, le dio una chupada y la brasa iluminó fugazmente su cara.

14

–Darte un buen consejo. Cuando quieras mear en la calle, arrímate a un árbol. Te evitarás problemas.

–Ya. Como los perros.

–A no ser que prefieras dormir en la comisaría.

–Me da igual.

El hombre señaló el retrato en la pared.

–Déjate de bromas con este señor, ¿entendido?

Néstor sonrió displicente:

–Hace años que venimos a mear aquí y el señor nunca se ha quejado.

–No te pases de listo. Lo digo por tu bien. Y ahora marchaos.

–¿Por qué? ¿Quién se ha creído usted que es?

–Largo, a mear a otra parte.

–Mi tío no me habría reñido por eso…

–¿Estás seguro? –El desconocido se le quedó mirando y añadió algo muy extraño–: Vete a dormir y abre bien los ojos, muchacho.

Cruzamos la calle pateando una alpargata vieja y bajamos por la otra acera hacia la plaza Rovira. Néstor iba haciéndose el remolón. La botella de anís estaba casi vacía y la tiramos a la cloaca. Al fondo de la cloaca se oían débiles maullidos de gatitos recién nacidos, y Pablo y yo nos agachamos a mirar.

Cuando volvimos la cabeza, el hombre ya no estaba bajo el farol. Desde el ángulo más sombrío de la esquina, siempre con la basura hasta el cuello y meado hasta el gorro, el Caudillo nos miraba.

2

La primera vez que oímos hablar de él yo era un chaval que no tenía ni media hostia. Fue en el verano del cincuenta y uno, en la barbería de Riembau, mientras a Eloy le trasquilaban el cogote y los mayores que espe-

raban su turno para afeitarse intercambiaban ensaliva-
dos comentarios sobre la viuda Balbina y su ceñido suéter negro. Por aquel entonces, el pistolero ya debía llevar cuatro o cinco años preso y nadie en el barrio creía
volver a verle, suponiendo que algún día saliera de la
cárcel y sintiera deseos de regresar a casa para vivir con
una fulana... La conversación de los parroquianos,
aquel sábado en la barbería, fue haciéndose tensa y cautelosa, llena de sobrentendidos y erizados silencios en
torno a la madre de Néstor, y, de pronto, el nombre de
Jan Julivert Mon surgió en medio de una fantástica
constelación de violencias: un atraco a mano armada en
las oficinas de una fábrica de automóviles, una sombra
desesperada fugándose con un balazo en el hombro, dos
grises acribillados en el Puente de Marina, Balbina inte-
rrogada y abofeteada en una comisaría y Jan Julivert
desplomándose en el comedor de su casa frente al inspector Polo... Alguien mencionó que en su juventud
había sido pintor de paredes y boxeador, que se exilió
y combatió con los maquis, que conocía todos los pasos clandestinos de la frontera y que había atracado
bancos y meublés, y que la noche que fue detenido en
su casa, en octubre del cuarenta y siete, llevaba una semana escondido en el dormitorio de su cuñada. Yo paré
la oreja, sobre todo, a ciertos confusos pormenores sobre una pistola enterrada al pie de un rosal.

Un par de años después, cuando teníamos poco más
de once, volveríamos a encontrarle ocasionalmente en
nuestras convulsas y atrafagadas aventis de los domingos en el vestíbulo del cine Rovira o en el jardín de Las
Ánimas. Ensoñaciones que trazaban un amplio arco de
refinadas venganzas y brutales ajustes de cuentas y que
se elevaba muy por encima de aquellos comentarios que
oímos una tarde en la barbería, para luego volver a in-
sertarse, más allá de la versión auténtica y completa que
aún se nos escamoteaba, en la pequeña crónica del ba-

16

rrio: curiosamente, en esas ficciones atrabiliarias persistía el rosal y la pistola enterrada, la bala en el hombro y el ajustado suéter de luto de Balbina, que ya empezaba a frecuentar el barrio chino. Porque nos faltaban datos sobre el atracador, sus intervenciones eran escasas y ambiguas, no siempre celebradas por el corro de oyentes: Jan Julivert no era todavía de los nuestros, por decirlo así, ignorábamos por qué había luchado y contra qué, no sabíamos aún qué papel otorgarle. Hasta que se nos juntó Néstor –que ya había sido expulsado de la escuela del parque Güell por robarle a un chaval del Carmelo unos destrozados guantes de boxeo y una navaja, después de marcarle la cara–, aportando a las aventis lo que su madre y el viejo Suau le habían contado, que no era mucho, pero sonaba a verdad verdadera: se trataba de su padre –ya había decidido que lo del tío era una mentira piadosa, que Jan Julivert tenía que ser su padre y que algún día él lo iba a demostrar–, y un hombre con semejantes atributos, ex boxeador y ex pistolero, era una combinación invencible y fascinante.

Ciertamente, ahora nos parecía ya lejos el tiempo feliz de las aventis, en las que todo había resultado siempre inmediato y necesario como la luz, duro y limpio como el diamante. Ahora, a la distancia de seis o siete años, cuando ya habíamos cambiado la escuela por el taller, el colmado o la taberna, sentíamos algo así como si el barrio hubiese empezado a morir para nosotros; mayores para seguir invocando fantasmas sentados en corro, pero no lo bastante todavía para dedicarnos plenamente a ligar chavalas en el baile del Salón Cibeles o el de La Lealtad –en el verano, el largo balcón sobre la calle Montseny abarrotado de chicas con sus vestidos estampados de sobacos húmedos, sofocadas por las apreturas y los achuchones, y nosotros piropeándolas groseramente desde la calle–, no sabíamos muy bien qué hacer los días de fiesta, excepto jugar al billar y al do-

17

minó en el bar o machacarnos salvajemente las narices
con viejos guantes de boxeo en algún terrado. Y entonces, cuando el vecindario ya estaba sustituyendo su ca-
pacidad de asombro y de leyenda por la resignación y
el olvido, y el asfalto ya había enterrado para siempre el
castigado mapa de nuestros juegos de navaja en el arroyo de tierra apelmazada, y algunos coches en las aceras
ya empezaban a desplazar a los mayores que se senta-
ban a tomar el fresco por la noche; cuando la indiferencia y el tedio amenazaban sepultar para siempre aquel
rechinar de tranvías y de viejas aventis, y los hombres
en la taberna no contaban ya sino vulgares historias de
familia y de aburridos trabajos, cuando empezaba a fla-
quear en todos aquel mínimo de odio y de repulsa ne-
cesarios para seguir viviendo, regresaba por fin a su casa
el hombre que, según el viejo Suau, más de uno en el
barrio hubiese preferido mantener lejos, muerto o encerrado para siempre. Volverían a discutirse en la barbería y en la taberna su ideal político y sus supuestas trai-
ciones al grupo activista que había comandado, su
pasión oculta por su cuñada y su última fechoría, pero
a nosotros seguía interesándonos lo mismo que la primera vez que oímos su nombre: su truncada carrera de
púgil, en qué peso o categoría había peleado, cuál era su
golpe favorito o la marca de su pistola.

Antes de saber que era un peligroso forajido, un
hombre con varios muertos en la conciencia, ya sabíamos que era zurdo.

3

El viejo Suau escupió en la acera y dijo:

—Jan Julivert Mon estaba escondido en el lavadero
de su casa, bajo un montón de ropa sucia y olfateando
con su nariz de águila alguna delicada prenda íntima de

Balbina. Ironías de la vida, Polo: la de veces que yo le vi en ese lavadero de la galería durante aquel verano del cuarenta y siete, los domingos que venía de incógnito a visitar a su madre y a su cuñada y se divertía jugando al escondite con su sobrino… Pero lo de esta noche no era un juego. Seguramente ya debía figurarse las penalidades que habrían de pasar las dos mujeres de la casa sin su ayuda, las humillaciones que sufriría Balbina por traerles cada día algo de comer a la vieja y al niño; quiero decir que ya no debía pensar en sí mismo, mientras permanecía allí oculto, sino en su cuñada y en esa manera que ella ya tenía entonces de atraer a los hombres, en el olor a furcia que no tardaría en pegarse a las sábanas que tenía ante la nariz en aquel lavadero… Porque también en su casa, dicen, ella recibió a hombres, y ni siquiera es seguro que Néstor sea hijo de Luis Julivert. Pero ésta es otra historia… Así que estaba allí quieto, con una bala en el hombro y empuñando la pistola que acabaría oxidándose años después en una caja de galletas, enterrada debajo de un rosal…

—¡Y un cuerno! —gruñó de impaciencia el viejo Polo—. Llevaba una Astra del nueve corto que le había quitado a un agente después de asesinarlo. La suya, la que está pudriéndose bajo tierra, probablemente en algún jardín de por aquí cerca, era una Walther del 7,65. Debió desprenderse de ella poco antes de su detención. Si entonces me entero que sabías eso, te enchirono.

—Siempre me ha costado mucho —prosiguió el viejo Suau sin hacerle caso— imaginar a Jan, un hombre que no pestañeó jamás ante ningún peligro, acurrucado en aquel rincón de la galería mientras llovía, oyendo llorar a su anciana madre en el comedor y sabiendo que a su cuñada la estaban interrogando en comisaría. No tiene sentido. A no ser que los años ya le pesaran demasiado, que ya estuviera cansado de luchar… Por cierto, ese día todo le salió torcido, o él mismo lo torció. Asaltó la fábrica Eucort de coches con un cómplice llevándose cien mil pesetas, eso dijeron los diarios, y al salir se topó con los guardias y encima el que debía recogerle en una furgoneta no se presentó; pero consiguió escapar y por la noche se reunió con su hermano Luis, y entonces, fíjate, hizo la cosa más extraña: en vez de ponerse a salvo cruzando la frontera con su hermano, tal como habían convenido, le entrega el dinero y regresa malherido a esta calle; no a un lugar seguro de los que sin duda disponía, sino a la casa de su madre, aquí, al 132 segundo segunda, para desangrarse agazapado en un lavadero mientras olfatea una combinación de su cuñada... La cosa tiene su intríngulis, tú.

—No dices más que animaladas —bramó el viejo Polo frotándose la calva sudorosa con el pañuelo.

Era un hombre de ancha faz macilenta, gordo, de movimientos desasosegados y trémula voz gutural, malsana. Llevaba colgada al cuello una cadena de perro con el extremo metido en la empuñadura a modo de nudo corredizo sobre el pecho, para no perderla. Estaba sentado en una banqueta junto al bordillo de la acera, irritado por el calor y con los pies doloridos, pero no se decidía a irse dejando a este loco charlatán con la palabra en la boca, como había hecho otras tardes. En el fondo, a un policía jubilado no le gusta dejar a nadie con la palabra en la boca: siempre es mejor obligarle a tragársela, había pensado alguna vez, mejor para todos. Miró distraídamente calle abajo y en la esquina del bar vio al *Nene* recostando chulescamente la cadera en el cuadro de su flamante bicicleta amarilla, el pulgar engarfiado en el cinturón de gruesa hebilla dorada y la visera del gorrito alzada sobre los rizos negros. Se hurgaba la oreja con una cerilla, según su costumbre, mientras hablaba con los hermanos Bonna y el hijo del barbero, que admiraban la bici. Matrícula robada, pensó maquinalmente el viejo policía.

Balanceó su robusto trasero sobre la frágil banqueta, miró a Suau, que seguía divagando sentado frente a él, y soltó otro gruñido purulento.

–¿Es que nunca podré pararme a descansar un rato contigo sin que me recuerdes esta condenada historia de hace mil años?

–Su hermano Luis –prosiguió Suau, tanteando la punta del caliqueño pinzado en la oreja– había llegado clandestinamente de Toulouse para llevárselo con él. Pero Jan lo mandó al infierno…

–Me sé de memoria el historial delictivo de los hermanos Julivert. Qué me vas a contar, gamarús –previno Polo. Guardó silencio unos segundos y luego, como si quisiera zanjar la cuestión de una maldita vez, resoplando, precisó–: Luis era un presumido y un mequetrefe que sólo quería mangonear desde el exilio. Enviaba a los demás a morir aquí, él no se mojaba el culo. Ya vivía de puta madre con una francesa rica en Tarascón y hasta creo que tenían un hijo. De su legítima, de esa infeliz de Balbina, ni acordarse. Sí, es verdad que quería terminar con las fechorías de su hermano y que vino a eso, a convencerle de la necesidad de un cambio de táctica… Pero no porque la organización hubiese dejado de alentar y subvencionar bajo mano ese tipo de terrorismo por libre, como os hicieron creer a los panolis. ¿Desde cuándo los anarcosindicalistas no son partidarios del asesinato, del atraco a mano armada o de cualquier otra forma de subversión? ¿A quién quieren engañar? Desde el año cuarenta y cinco las consignas eran otras, dices tú. Tal vez… Pero este desalmado nunca acató consignas, o nunca quiso enterarse de ellas. Siempre anduvo a la greña contra el régimen y presumía de eso en plan libertario, a su aire… Cuando su hermano quiso meterle en cintura ya llevaba más de un año cometiendo toda clase de desmanes. Había empezado a tirar los ideales a la cuneta y se dedicaba simple y llanamente al robo y a

21

la extorsión, a parar coches en la carretera de la Rabassada y a limpiarles la cartera a sus dueños, honrados trabajadores que volvían de la fábrica...

–Claro. Honrados trabajadores al volante de su Mercedes.

–... lo recuerdo muy bien, nos llegaban montones de denuncias.

–Bah. Caca de la vaca.

Suau manoteó en el aire estos amañados recuerdos, como si espantara una mosca incordiante. Polo alzó la mano derecha hasta el bolsillo de su camisa azul pálido, donde se transparentaba un sobre de carta. Pareció que iba a sacarlo, pero no lo hizo.

El viejo Suau vio el gesto remiso y sonrió maliciosamente. Tenía una cara agarbanzada, cejas hirsutas y ojos taimados, de parpadeo lúbrico y astuto. Al reírse, el mentón se le encogía hasta casi desaparecer. Ocupaba una silla totalmente pintada de rosa con margaritas verdes y se echó hacia atrás apoyando el respaldo contra la pared, junto a la puerta del taller. En la acera, al alcance de su mano, había un lustroso cubo de cinc con trozos de hielo donde se enfriaba un porrón con cerveza y gaseosa mezcladas. Un desabrido olor a aguarrás y a pintura salía del taller, en cuyo interior sombrío, en medio de atribuladas figuras estáticas y rostros de crispada retórica fijados en colores toscos, deambulaba un enorme collie de lánguido pelaje y trote afeminado.

–¿Has mirado si tiene agua en la lata? –dijo Suau.

–Tiene –farfulló roncamente Polo–. Y aún se atrevió, ese maleante, a poner una bomba en un consulado y a colgar una bandera separatista en la montaña del Tibidabo, para contentar a los tontos del culo que aún creen en estas cosas... ¡Menuda cara tenía! Asaltaba una empresa llevándose el jornal de los obreros, y a eso le llamaba dar un golpe económico. Fue de los primeros en implantar con amenazas el impuesto revolucionario.

–Tengo entendido –dijo el viejo Suau aviesamente– que eran aportaciones voluntarias de separatistas ricos, patriotas...

–¡No seas burro! Iba a los industriales cagados de miedo y de buena fe, les ponía la pistola en el pecho y, hala, a cobrar. Tuvo la desfachatez de decir, cuando por fin le trincamos, que ese dinero era para las viudas y los hijos de compañeros muertos. Y quiero recordarte, viejo pelma, que Jan Julivert engañó a Dios y a su madre... Cuando en octubre del cuarenta y siete vino su hermano para frenarle, él estaba ultimando un plan para asaltar la fábrica Eucort con dos sujetos. La discusión entre ellos fue violenta y sabemos que finalmente Jan se avino a razones, mejor dicho, lo simuló; regresaría a Francia con Luis y acataría las órdenes de la Central, pero con una condición: antes daría ese último golpe, lo había estado preparando durante un mes y según él no ofrecía el menor riesgo. Su hermano comprendió que si quería llevárselo no tenía más remedio que acceder, y dijo que le esperaría, manteniéndose al margen del asunto. Concertaron una cita para una noche, después del asalto, y si todo salía bien se largarían juntos a Andorra con el dinero. Y le salió bien al cabrón, a pesar del tiro que encajó al salir de la fábrica y de fallarle en el último momento el compinche de la furgoneta. Iban tres; el otro era un ex componente de su antiguo grupo, un tal *Mandalay*, al que también engañó como a un chino: le prometió la mitad del botín, y el *Mandalay*, que por entonces ya se había convertido en un chulo de putas y no quería ni oír hablar de la causa, le acompañó en la aventura creyendo poder enviar ese dinero a sus padres, que estaban en el exilio pasándolo mal. Jan se comprometió en entregarles personalmente la parte del *Mandalay*, pero esa gente no tocó jamás un céntimo...

–Quién sabe –dijo Suau–. Jan se vio con su hermano esa noche, tal como habían quedado, y le dio todo el dinero. Lo que no tiene sentido es que no se fuera con Luis, sabiéndose buscado. ¿Por qué decidió quedarse? ¿Nunca te has preguntado por qué, guripa?

—Nunca me interesó. Lo raro para mí es que renunciara a las cien mil pesetas, entregándolas para una causa en la que ya no creía...

—Porque nunca llegaste a conocerle bien.

—¿Ah, no? Conozco a ese pistolero como si le hubiese parido.

—Era pintor de oficio y de joven trabajó a mis órdenes, no lo olvides. Era una buena persona.

—¡Le llamo pistolero porque eso es lo que era y no me vengas con puñetas! Un hombre que recibía la orden de matar y la cumplía ciegamente. Un hombre que alquilaba su pistola...

—Eso no es verdad, Polo.

—Un profesional. Recuerdo cómo mató al inspector Porcel, aquel mallorquín tan pavero y lameculos de la comisaría de Sants. En plena calle, al mediodía, de dos tiros en el flequillo...

—Nunca se probó que fuera él.

—¡Pero yo sé que fue él, coño! —bramó el viejo Polo—. ¿Acaso no querían aplicarle la pena máxima, en consejo de guerra? Tuvo suerte. Le metieron treinta años y ahora saldrá con trece, o ya salió, si es verdad eso que dicen, que le han visto por aquí... Bien, que le aproveche. Si de mí dependiera, aún estaría pudriéndose en una celda.

El viejo Suau guardó silencio un rato y luego dijo:

—Yo te estaba hablando de Balbina Roig y de sus combinaciones negras, capullo. Que eres un capullo.

—Nunca se interesó por su cuñada, si es eso lo que insinúas. Y en cuanto a esconderse en el lavadero, lo hizo para tranquilizar a su madre, y porque ya no debía importarle lo que pudiera pasar. —Su habitual tono gruñón se suavizó, pero no su expresión agria—. En cir-

24

cunstancias normales nunca lo habría hecho, lo admito; ese criminal tenía agallas. Pero había llegado su hora, estaba acorralado.

–Sí. Yo me encontraba allí de casualidad… –Se interrumpió al ver a Polo contraer la cara–. ¿Qué te pasa? ¿No te encuentras bien?

Polo tosió un par de veces. Desplegó el pañuelo y lo volvió a plegar cuidadosamente, con una atención obsesiva. Roído por una íntima conmiseración, murmuró con voz casi inaudible:

–Estoy mal, Suau. Muy mal.

Se quitó los zapatos, estiró las piernas, apoyó los hinchados pies en el bordillo y se quedó absorto mirando sus pobres calcetines morados, translúcidos como telarañas. Suau lo observó en silencio. Sin saber por qué, se preguntó quién le lavaría la ropa y le haría la comida y pensó en el pequeño bar de policías jubilados que frecuentaba en la Travesera, en su solitario piso de la calle Cerdeña, en su úlcera incurable y en su vieja pistola. Por fin el cáncer había puesto sordina a su intolerancia y a sus famosas brutalidades, y él había puesto silenciador a su pistola para seguir divirtiéndose con sus jóvenes centuriones azules en la ladera desierta de la Montaña Pelada disparando contra botellas vacías y latas de conserva. En algo tenía que entretener su mala leche.

El perro apareció en el umbral del taller y se encogió sobre las patas traseras arqueando el lomo, esforzándose por soltar su cagarruta. Polo volvió a ponerse los zapatos, luego tanteó con los dedos la carta que llevaba en el bolsillo de la camisa y murmuró:

–He recibido otra, maldita sea…

–Sí, aquella noche yo me encontraba casualmente en su casa –dijo tranquilamente el viejo Suau, pero Polo ya se había levantado despotricando por lo bajo y se disponía a ponerle la cadena al collie. Suau dijo–: ¿Ya te vas?

–Volveré más tarde, a ver si has cambiado el rollo.

Y sujetando firmemente al perro, traicionándole un poco las torcidas piernas de trapo, se alejó por el centro de la calzada.

## 4

Suau siguió sentado, escrutando la calle en pendiente con sus ojos de agua. El sol, que había brillado a ratos, se ocultaba ahora tras una masa tumultuosa de nubes grises cuya proa apuntaba al parque Güell. Era la hora de la siesta y la calle seguía desierta.

El viejo llamó a su nieta mirando las nubes:

–¡Paquita, ¿estás ahí?!

–Sí –respondió una voz juvenil desde el terrado sobre el taller.

–¿Has preparado el gris plata?

–Sí.

–Luego irás al cine Verdi a buscar los programas.

–Bueno.

–Y ya está bien, baja, que no hace sol…

–Un ratito más, abuelo.

Suau se levantó trabajosamente de la silla, entró en el taller, se plantó frente al cartel que recibía la luz de un ventanuco alto, escogió un pincel fino y terminó de pintar el revólver plateado que empuñaba el vaquero de rubios cabellos agitados por el viento. Observó que la llama roja que vomitaba el cañón del revólver era demasiado grande para ser verdad, pero no pensó siquiera en corregirla, ya no le importaban esos detalles.

Más tarde volvió a salir a la puerta del taller, se sentó en la silla y echó un largo trago del porrón. Fue entonces cuando vio pasar por la otra acera al doctor Cabot. Caminaba como siempre muy despacio pero con expresión apurada y la puntiaguda barriga por delante. Su elegante y sedoso pelo blanco con raya en medio se ondulaba airosamente hacia atrás, sus ojos negros brillaban y también sus zapatos marrones de puntera blanca calada. Tampoco esta vez aceptó el trago del porrón que le ofrecía Suau, pero se paró y, sin bajar de la acera, con la cartera de mano pinzada entre las rodillas, aflojó el nudo de su vistosa corbata color miel y dijo:

–¿Cómo está Paquita?

–Igual. Se queja mucho de la cadera…

–Que se ponga el bálsamo que le di.

–Ya lo hace, ya.

–Es esta puñetera humedad, Suau.

Pugnaba todavía con el nudo de la corbata, que no quería aflojarse más. Suau carraspeó y dijo:

–Qué, ¿ya sabe la noticia?

–¿Qué noticia?

–Jan Julivert ha salido de la cárcel. Los chicos dicen que le vieron la otra noche, que incluso hablaron con él.

–¿En serio? ¿Dónde?

–Aquí, en la calle.

–No me digas.

Sus manos sonrosadas se habían inmovilizado sobre la corbata y miró el balcón del piso de Balbina, unos treinta metros más abajo en la misma acera de Suau; como siempre, estaba cerrado herméticamente y con los mismos geranios sedientos y raquíticos.

–¿Y ya está en su casa?

–No que yo sepa –dijo Suau–. Todavía no. Seguramente tendrá que resolver algunos asuntos por ahí, antes de venir…

–¿Crees que vendrá?

–¿Adónde va a ir si no? Aquí está su casa.

Con la cartera de mano entre las rodillas, el médico dio un fuerte tirón al nudo y la corbata quedó colgando en sus manos. La miró un instante como si no fuera suya ni supiera qué hacer con ella, y luego se la metió de mala manera en el bolsillo.

–Pues no sabía nada –dijo–. Unos quieren volver y otros quieren irse. Así es la vida, Suau.

–Bueno, yo no me fiaría mucho de estos chavales.

–¿No? ¿Por qué?

–Parece que habían agarrado una buena trompa. Por lo que pude sacarles, cada uno lo vio a su manera; ese grandullón de la señora Anita jura que llevaba una gabardina y Néstor que no, que iba a cuerpo pero con sombrero… No se ponen de acuerdo.

–Vaya una pandilla. –El doctor Cabot encajó la cartera bajo el sobaco y siguió su camino–. Me voy, que aún tengo que comer. Mañana pasaré a ver a tu nieta.

Se fue cabizbajo y pensativo, la corbata colgando de su bolsillo, y Suau le siguió con un destello burlón en los ojos.

5

Media hora después, Polo remontaba la calle paseando al majestuoso collie de la señora Grau. Como cada día, antes de ir a devolverlo a su dueña, recaló de nuevo a la puerta del taller sentándose en la banqueta y echó un buen trago del porrón. Luego colgó la cadena de su cuello y observó la caca que el perro había soltado en la acera.

Como si el policía jubilado no se hubiese movido de la banqueta en todo el rato, el viejo Suau prosiguió tranquilamente:

–Yo me encontraba allí de casualidad, pintando el techo del pasillo. Lo hacía por afecto a la pobre vieja, sin cobrarle un duro, y de noche, porque entonces yo tenía mucho trabajo. Y desde lo alto de la escalera veía al chico, que no tendría cinco años, de pie en un rincón del comedor. Tú acababas de llegar de la comisaría con Balbina, después de interrogarla durante dos horas, y el chico miraba la sangre en el labio partido de su madre con esos ojos furiosos que al crecer se le han comido la cara...

–Este animal va estreñido.

–Y la vieja limpiaba un plato de lentejas sentada a la mesa. Y al ver lo que le habían hecho a su nuera, empezó a llorar; o tal vez lloraba por su hijo escondido en el lavadero. Balbina estaba de pie a su lado, muy pálida y asustada y con su jersey que le estaba pequeño, y tan recomido en los puños que podían verse sus muñecas despellejadas...

–Hala. Ya será menos.

–Estuvo sangrando una semana.

–Yo no tuve nada que ver con eso.

–Y le quemaron la cara con puntas de cigarro. Pregúntale al doctor Cabot, él la curó.

Polo sonrió irónicamente:

–Lo que le hizo Cabot todo el mundo lo sabe. ¡Se la ventiló!

–Y allí estaban también unos cuantos de la brigada social, con sus chubasqueros mojados y cara de sueño... Llovía mucho y el viento silbaba en la galería. El piso ya lo habíais registrado aquella misma tarde, pero el comisario, no recuerdo cómo se llamaba, mientras se sentaba amigablemente a la mesa para interrogar a la madre de Jan, ordenó registrar de nuevo. Simple rutina, dijo. Erais siete, por lo menos, y todos armados. ¿O erais más de siete?

–Dos –gruñó Polo–. Dos y el comisario Arenas. ¡¿Es que vamos a estar siempre con la misma cantinela?!

–Eso, cinco –dijo Suau sin inmutarse–. Y el más bruto abrió de una patada la puerta vidriera del dormitorio de Balbina, que daba al comedor. Ese cuarto, que Balbina ocupaba desde las navidades del cuarenta y dos, cuando estaba embarazada y llegó pidiéndole cobijo a su suegra, había sido una especie de biblioteca del difunto Sisco Julivert, que fue un hombre instruido, viajante de comercio. Tú no llegaste a conocerle. Era de un pueblecito de la provincia de Tarragona, Sant Jaume dels Domenys…

–¿No fue donde llevaron a Balbina, para que pariera a ese bastardo…?

–Néstor no es ningún bastardo –le cortó Suau–. Decía que el registro se hizo de mala manera y la vieja se quejó al comisario. El comisario le dijo que fuera a acostarse y se llevara al niño, pero ella se negó tercamente y entonces él, un poco nervioso, no era mala persona, ordenó que la sacaran de allí. La pobre mujer se aferró a su plato de lentejas y no se movió de la silla. Y en este momento intervienes tú.

Suau hizo una pausa mientras raspaba con la uña del meñique la colilla apagada del caliqueño. Polo le miraba hacer eso como aquejado por una súbita miopía, y tosió un par de veces. Suau prosiguió:

–Movido por un exceso de celo, digamos, empezaste a zarandear la silla de la vieja, y te inclinaste a decirle algo al oído y ella tuvo que apartar la cara, porque ya entonces tu aliento olía a perro muerto y no se podía aguantar, perdona los detalles pero así es, Polito. Y le gritaste: No le vuelvo a usted la cara del revés porque es una anciana. Y de un manotazo tiraste al suelo su plato de lentejas… Aquellos días un plato de lentejas era un plato de lentejas, y la mujer se agachó con intención de recogerlas, y también Balbina con sus muñecas descarnadas, pero ya no hubo tiempo para nada.

Se oyó como un silbido de serpiente, recordó Polo, o como si de pronto un viento afilado como un cuchillo circulara por el piso, y entonces le vimos en el umbral de la galería abierta, de pie, muerto de sueño y de fatiga y con una barba de tres o cuatro días. Llevaba un traje negro a rayas con la americana echada jovialmente sobre los hombros, como cuando volvía del trabajo, muchos años atrás, y se paraba un rato a bromear con los amigos delante del bar. Empuñaba la pistola a la altura del cinturón, con la mano izquierda, recordarás que era zurdo, precisó Suau, y clavó los ojos brillantes de fiebre en el entrecejo del comisario, en el punto exacto donde metería la bala si alguien movía un dedo.

*L handed*

–No era zurdo –dijo Polo.

–Sí que lo era.

–Pues yo no lo sabía.

–Pues ahora ya lo sabes.

El viejo Suau escupió a su derecha y lejos, con cierta urgencia, y, por un instante, la ruina de su rostro se animó con el pasado esplendor que evocaba. A pesar de la sarcástica e implacable precisión en los detalles, cuya finalidad no era por supuesto amenizar la historia, sino removerla en la espesa conciencia del viejo policía, seguía siendo en el fondo el mismo relato que contara por vez primera en la barbería años atrás, hoy archisabido y ya desgastado por la liturgia bisbiseante del vecindario, pero en el que aún fulgía serenamente, como en los viejos crucifijos de plata desfigurados por el roce y apenas sin relieve, el garabato abstracto de la violencia. Aún no había encendido la apestosa punta del caliqueño; seguía escarbando la ceniza con el dedo meñique y Polo le miraba hacer entre sugestionado y furioso, como si ese dedo hurgara en su propia memoria –por cierto no menos calcinada ni apestosa, según el mismo Suau le dio a entender en más de una ocasión.

–Si alguna vez en mi vida he visto a un hombre dispuesto a matar, fue ese día –recordó Suau–. Dio un paso al frente, sin fuerzas, y las lentejas crujieron bajo sus zapatos. El comisario os dijo quietos, no se tiene en pie, no aguantará, ¿te acuerdas? Pero Jan aguantaría lo bastante como para hacer algunas cosas, seguramente no todas las que le habría gustado hacer, sobre todo contigo, aunque en mi opinión fueron suficientes. Primero miró las muñecas ensangrentadas de su cuñada y su labio partido y comprendió; luego miró a su madre arrodillada sobre las lentejas, y luego te miró a ti...

—A mí de qué —masculló Polo—. Si no podía ni abrir los ojos. En fin, ¿has terminado por hoy?

—No señor.

—Va a llover.

—Que llueva. Su madre le miró mientras él la ayudaba a levantarse, y comprendió que el fin se acercaba. Y entonces él se desplomó, cayó como un saco a los pies del comisario, sin soltar la pistola ni apartar los ojos de ti. Así fue.

—Te has vuelto loco pintando esos cartelones de películas, Suau. Un día me vas a cabrear.

Los dos viejos se quedaron unos segundos expectantes, mirando en direcciones opuestas y como si oyeran llover. Dos golondrinas planearon sobre la acera rozando la esmirriada hierba que crecía en las grietas, doblaron la esquina de la calle Martí y desaparecieron. Un poco más abajo ya había niños jugando a la pelota y de la plaza Rovira llegaba el chirrido prolongado, casi musical, de un tranvía virando en la curva frente al cine. También la calle parecía hoy expectante bajo la sombra de los nubarrones bajos, con las banquetas vacías en la acera del bar Trola, cuyo viejo toldo naranja no tardaría en cobijar el crispado aburrimiento juvenil de la tarde del sábado. Aunque transcurría la primera semana de junio, el calor ya era agobiante; la calle soltaba, le pareció de pronto al viejo Suau, un olor a musgo y a tierra húmeda igual que en los tiempos en que aún no estaba asfaltada, y su ajetreo cotidiano, su pulso, era distinto; pero los ojos rapaces del pintor no captaron ninguna señal, el menor síntoma de aquello que esperaba con ansiedad desde hacía días sentado a la puerta del taller.

A su lado, el hielo del cubo se derretía en torno al porrón.

—Cuando se repuso lo sacaron esposado a la calle y llovía a cántaros, y al subir al coche se volvió un momento a mirar el portal de su casa y la calle desierta e inundada, aquella riada de agua fangosa que no podían absorber las cloacas... Y ésa fue la última vez que le vi.

Polo alcanzó el porrón, bebió con calma y lo dejó caer ruidosamente en el agua del cubo. Se quitó del cuello la cadena del perro y se levantó entrando en el taller. Mientras sujetaba al collie, tras él, desde las sombras, Edward G. Robinson le sonreía con su tensa boca de seda dolorida y su abrigo de solapas de terciopelo, erguido sobre un fondo nocturno de rascacielos. Polo estaba rodeado de botes de pintura, listones de madera y estrujados retales de grueso papel marrón. Espiándole con el rabillo del ojo, Suau pensó que, a pesar de la desdeñosa indiferencia que Polo mostraba en el trato, a pesar de sus fanfarronadas y sus insultos, también su recuerdo de aquella noche de lluvia debía estar contagiado por el miedo; y que la presencia de los coloreados monigotes que ahora le rodeaban, estos pobres fantasmas de cartón condenados a perpetuarse en la fachada de un cine en el acto de disparar, de besarse o de morir, aquí y ahora debían hacer mucho más real, en su ánimo exasperado, la presencia de aquellos otros fantasmas que poblaban su sucia memoria de policía.

—Has recibido otra carta, ¿verdad? —dijo Suau cuando Polo salía con el perro, tocándose otra vez el bolsillo de la camisa—. Trae, a ver.

Polo chasqueó la lengua.

—Para qué. ¿Para que te lo tomes en coña...?

—Si has venido por eso, hombre. Anda, dámela.

Polo sacó el sobre y de dentro un papel doblado que entregó a Suau. Éste lo desdobló con sus dedos manchados de pintura y empezó a leer. Era una hoja rayada que había envejecido en algún cajón, con los bordes amarillentos y salpicada de diminutas cagadas de mosca. Estaba escrita con letra clara y suelta, elegante.

*Maldito ex policía ha llegado tu hora. No me das lástima por viejo yo no olvido ni perdono. No eres nada sin tus matones y pronto pagarás todo el mal que has hecho. En esta barriada hay personas que todavía tienen en la piel la marca de tus torturas. Morirás como un perro rabioso. Es el último aviso tus días están contados cerdo. Shane.*

–Igual que las otras –dijo Suau–. Yo no haría caso.
–¿Qué diablos es eso de Shane?
–De una película. Tonterías. La última iba firmada por El Coyote de Las Ánimas, o sea que es un bromista o un chalado.
–Me cago en su padre.
–Podría ser el pobre Bibiloni…
–¿Desde cuándo escriben los ciegos?
–No está tan ciego como parece, Polito. Tiene eso que al salir a la calle necesita media hora para acostumbrarse a la luz, y al entrar en un sitio oscuro igual…
–No me llames Polito, viejo bandarra.
–Vete a tomar por el saco. *[tell him] to get stuffed*
–No me gusta recibir anónimos. No me gustan las amenazas.
Se guardó la carta y Suau dijo:
–No sé por qué las guardas, sólo conseguirás que empeore tu úlcera. ¿Cuántas van?
–Tres.
–Bah, no es más que una broma. Olvídalo. Desarrugó el ceño y en sus ojos ladinos chispeó una luz afectuosa–. ¿Qué hay de tu nuevo trabajo? ¿No te ofrecían un empleo de guarda en una torre, por la noche…?
–No acabo de decidirme. La noche es para dormir.

–Siempre sería mejor que pasear perros de señoras. –Suau advirtió por su cara enfurruñada que seguía rumiando el asunto de los anónimos y dijo–: Yo no me lo tomaría en serio. Parece una chiquillada.

–¿Dónde está Paquita?

–No lo sé.

–Dile que venga.

–No me da la gana. Y estás loco si piensas que mi nieta…

–¡No he dicho que sea ella! Podría ser alguno de esa pandilla de descarados que vienen por aquí, cualquiera de estos holgazanes amigos suyos que no respetan a nadie… Quiero que la chica vea la letra.

–¿Y cómo va ella a saber de quién es esa letra? –se encrespó Suau–. ¿Crees que los chavales le escriben cartas de amor, a una pobre coja, o qué? Estás viejo, Polo, ya no eres aquel sabueso.

Polo reflexionaba sujetando la cadena del perro. Dio un fuerte tirón y el animal le siguió.

–No hay prisa –dijo–. Ahora tengo todo el tiempo del mundo. Veremos quién es el gracioso. Le cogeré y a guantazos le quitaré las ganas de jugar al justiciero enmascarado… Me voy, se hace tarde.

Cuando Polo se marchó, Suau pensó de pronto en las lejanas montañas azules que cerraban la verde pradera barrida por el viento, en las altas cumbres que se erguían en el horizonte a espaldas de Shane, y le entró el deseo imperioso de pintar las crestas de nieve.

Se levantó con parsimonia y volvió al trabajo.

*bromas con amenazas común entre amigos*

# CAPÍTULO II

## 1

–¡Eh! –exclamó Tito Raich admirado–. ¿De dónde has sacado esa venda? *bandage*

–Toca –dijo Néstor extendiendo la mano izquierda–. Era de la abuela.

Pablo le vendaba la mano a Néstor. Era una venda antigua con ribetes de hilo rojo y cintas en los extremos. Eloy le ataba los guantes a Tito, que parecía algo nervioso. Estaban los cuatro en un ángulo del terrado guiñando los ojos al sol y al viento. La colada tendida en los *washing* alambres soltaba trallazos y de vez en cuando salpicaba *whip-cracks* sus caras con finas agujas de agua. Pablo terminó de vendar la izquierda de Néstor, le puso los guantes y empezó a atarlos.

–Despacio –dijo Néstor–. Y tú prepárate, Tito, voy a machacarte el hígado. *maul*

–Ya será menos, fanfa. Cuidado tú con tu nariz.

–Oye, Pablo –dijo Eloy señalando a Néstor–, si vuelve a sangrar por la nariz, paras el combate. El burro es capaz de dejarse matar con tal que le rompan la napia. *nose*

37

–Cuando está roto el hueso, ya no vuelve a sangrar, ¿no lo sabías? –dijo Néstor–. Así que cuanto antes me lo rompan mejor.

–Eso es mentira.

–Listo –dijo Pablo–. Atentos. Cuando yo diga.

Se apartó y Néstor flexionó las rodillas un par de veces, restregó las suelas de sus zapatos en la arenilla del terrado y acomodó los puños en los guantes golpeándolos entre sí. Tito Raich se acercó a él resoplando y con la guardia muy alta. Ambos habían dejado la camisa en sus respectivos rincones, sobre el cajón de cervezas que les servía de taburete, y se enfrentaban con el torso desnudo.

–¡Combate a la distancia de cuatro asaltos de tres minutos! –anunció Pablo con detonante voz nasal–. ¡Entre los pesos welter Sugar Néstor y Boby Raich! ¡Seguuundos fuera!

Se tocaron los guantes y al bajar Tito las manos Néstor lanzó la derecha rozando su oreja y luego se desplazó a un lado, la barbilla clavada en el pecho. Era alto y delgado, tenía un sereno y casi elegante juego de piernas, los brazos largos y el torso prieto y suave, infantil: una buena estampa de peso ligero que en cierto modo se veía contrariada por la trivial brutalidad del rostro, los pómulos mongólicos y la nariz ancha y el denso pelo lacio que le engarfiaba las sienes como las alas de un cuervo. Tito le golpeó los flancos, dejó las manos bajas y Néstor colocó dos golpes consecutivos de izquierda en su barbilla. El defecto de Tito era la guardia baja y por eso recibía siempre el doble que los demás. Pero era más fuerte que Néstor y su derecha en el estómago era terrible, y con ella una vez incluso llegó a doblegar al *Nene,* el año pasado, aunque acto seguido le cayó encima una manta de hostias… El *Nene* no se juntaba con ellos desde entonces, con gran desesperación de Néstor, que llevaba casi un año preparándose en el terrado de la Paqui y en éste de Pablo para ganarle, y por eso le insultaba y le provocaba en todas partes. Ahora Néstor boxeaba quieto, girando sobre el pie derecho, exponiendo mucho: parecía buscar, en efecto, que le rompieran la nariz. Tito consiguió conectar la izquierda en su costado y, durante una fracción de segundo, Néstor dejó las manos bajas esperando el directo en la napia. Pero Tito se desconcertó o se entretuvo, y Néstor, enrabiado, le sorprendió atacando con ambas manos, maldiciéndole entre dientes. Tito se cubrió la cara cruzando los brazos y Néstor se preparó el gancho: le apartó los brazos golpeándolos hacia afuera y cuando vio el hueco se agachó y lanzó el puño desde abajo. Se oyeron los dientes haciendo clac y la cabeza de Tito se fue hacia atrás. Entonces Néstor le colocó un golpe bajo que Pablo no vio.

Cayó como un saco, pero, extrañamente, se incorporó en el acto y como más espabilado. Pablo gritó: ¡Dang!, y los dos púgiles volvieron cada uno a su rincón.

—¿Habéis visto? ¡Me cago en su puta madre! —dijo Tito y escupió un poco de sangre de las encías—. ¡Árbitro, ¿es que no guipas?!

—¡¿Por qué te quedas parado cuando puedes darme?! —dijo Néstor—. ¡Así aprenderás, capullo, mamón, hijo del chivato de tu padre!

Tito Raich escupió más fuerte y más rojo.

—No sé qué tienes contra mí, chaval…

—Soy «el hijo de la furia», ¿no lo sabías?

—El hijo de la furcia, quieres decir.

Era el chiste ya viejo y gastado en la calle que precisamente Néstor esperaba oír. Se levantó de la caja y clavó la barbilla al pecho, detrás de los guantes. Tito añadió:

—Y no sabes boxear, eres un bailarín de mierda.

—Y tú un Boby Ros que no pega ni sellos.

—¡Bang! —anunció Pablo—. ¡Segundos fuera!

Néstor podía enfurecer de veras a cualquier contrincante, y no sólo a base de golpes. El único que siempre le pudo, por peso y por técnica –había ido a un gimnasio de la calle Riera San Miguel–, era el *Nene*, pero ahora ya no quería pelear con nadie y solamente le interesaba hacer músculos, como un maricón de playa que era.

El asalto siguiente fue parecido. Néstor empleaba algunos trucos sucios que Tito, macizo y cuellicorto, lento, aún no había aprendido a contrarrestar. De pronto, al final del tercer asalto, Tito se quedó blanco como la cera.

–Me duele mucho la barriga.

En el cuarto, Néstor le castigó el estómago de una manera astuta, pero concediéndole frecuentes respiros al tiempo que le gritaba:

–¡Ahora, dame ahora! –Y se quedaba quieto y con la guardia caída, dando la cara. Encajó así varios golpes en la nariz y cuando esto ocurría se la tocaba con el guante, comprobando decepcionado que el hueso seguía allí. Entonces arremetía furioso y apabullaba a Tito con golpes de todas clases. Lo empujó hasta una sábana que el viento hizo revolotear en el alambre y que les envolvió a los dos. Los enrojecidos pómulos de Néstor parecían de seda. Saliendo del enredo de la sábana, Tito se abrazó a Néstor y fue resbalando hasta caer de rodillas.

–Tira la toalla, Eloy –dijo Pablo–. No quiero ni contar.

Eloy corrió a sostenerle por los sobacos y Néstor se había vuelto apretando los dientes, el pecho agitado, hacia la puerta abierta de la caseta que daba acceso a la escalera.

Allí, con un pie todavía en el último peldaño y agarrándose con ambas manos a la jamba, resoplando, sudoroso –había subido a pie los cinco pisos tirando del monumental trasero– el viejo Polo les miraba. Llevaba botas negras de media caña y una sahariana de hilo del color de la canela que Néstor envidiaba secretamente. Pablo cambió una mirada burlona con Néstor y dijo:

–Hola, inspector.

–¿De dónde habéis sacado esos guantes?

Polo avanzó hasta ellos. Apenas dirigió una mirada a Tito, que se incorporaba gimiendo.

–Eran de mi tío –dijo Néstor.

–Parecen de reglamento.

–Son de reglamento, señor Polo. Toque.

–Está bien. –El viejo policía se llevó la mano al flato y contuvo la respiración un momento–. Supongo que, además de partiros la cara, sabréis escribir. Hace ya tiempo que dejasteis de ir al colegio, pero seguro que os acordáis... ¿Dónde están los demás?

–En el Trola jugando al billar –dijo Eloy–. No, han ido al cine.

–Quitaros los guantes. Necesito comprobar algo.

–Cuesta mucho volver a ponerlos –protestó Néstor.

–A obedecer enseguida o le parto la jeta a alguno. Ayudad a éste –señaló a Tito–. A ver quién tiene la letra más bonita.

Había sacado del bolsillo una estilográfica y un papel doblado, que apoyó en el pretil de la terraza sujetándolo con la mano para que el viento no se lo llevara. Pablo ya le quitaba los guantes a Tito y Néstor seguía inmóvil, sudoroso, mirando al viejo Polo con los brazos rendidos. Los guantes parecían pesarle como plomo. Mientras, Polo le ofreció la pluma a Eloy.

–Escribe algo.

–Qué.

–Cualquier cosa, venga. Buenos días.

–Para qué.

–¡Haz lo que te digo!

–¿Nos va a poner deberes, inspector? –bromeó Pablo.

–Yo tengo letra de médico, no se me entiende...

–¿Y se ha dado usted la paliza subiendo hasta aquí sólo para eso –dijo Néstor–, para ver si hacemos buena letra?

–Alguno de vosotros se cree muy listo –gruñó Polo–, pero se ha metido en un buen lío.

–¿Qué ha pasado, inspector?

–¡Escribe! –ordenó a Eloy–. Dos palabras. Vamos.

Eloy cogió la pluma y, con la frente tocando casi el papel, muy aplicadamente, escribió buenos días. Le salió una letra grandota e insegura. Mirando por encima de su hombro, Polo se dijo que no era ésa, pero dejó la comprobación para luego. Eloy notó el vaho a cloaca y se apartó.

–Ahora tú –dijo Polo dirigiéndose a Pablo.

–¿Qué pongo, inspector?

–Da lo mismo.

Pablo escribió da lo mismo con una caligrafía armoniosa y segura. Había sido un alumno aplicado del Colegio Divino Maestro, en la calle Laurel, y ahora llevaba las cuentas de la ferretería de su padre en la calle Tres Señoras. Luego le tocó el turno a Tito, a quien Néstor había estado masajeándole el estómago, y puso este terrado es muy alto y hace viento, y firmó. Ni su letra ni la de Pablo se parecían remotamente a la del anónimo, constató el ex policía en el papel mientras le decía a Néstor:

–Tú, malparido, ¿sigues gastando navaja?

–Regístreme.

Polo buscó su mirada insolente.

–He oído decir que tu tío ha salido de la cárcel.

–Quién sabe.

–¿No ha ido a tu casa?

–No.

–Lleva varios días vagando por ahí, según parece. Estará buscando trabajo…

–¿Trabajo? Tiene otras cosas más importantes que hacer.

–¿Ah, sí? –Polo sonrió por un lado de la boca–. ¿Arreglar viejas cuentas, tal vez? ¿Es eso lo que dice tu madre?

–Mi madre no dice nada.

–Pero lo está esperando.

–Tampoco.

–Bueno, coge la pluma.

–Yo no puedo escribir.

–Venga, venga, ahí tienes el papel.

–Que no puedo, mire.

Con los dientes deshizo el nudo del cordón del guante derecho, puso éste bajo la axila y tiró fuerte. Apareció la mano enrojecida y húmeda, sin el dedo pulgar.

Polo miró la cicatriz. Reflexionó y dijo:

–Con cuatro dedos también se puede escribir.

–Yo no, señor.

–Prueba.

Néstor sujetó la pluma entre el índice y el corazón, manteniéndola a duras penas en un difícil equilibrio, y garabateó algo.

–¿Lo ve? Ni jota.

El viejo Polo recuperó el papel, pero no se interesó por el garabato. Bufando por la nariz, Néstor se hizo a un lado y empezó a boxear con su sombra, bailando. Luego se paró y se apoyó en el pretil, contemplando el paisaje de azoteas grises que se extendía hacia la Travesera de Gracia. A unos cien metros, en el pequeño terrado sobre el taller del viejo Suau, vio a Paquita echada sobre el colchón de listas verdes manchado de herrumbre; trenzaba los brazos al sol y a su lado en el suelo tenía las muletas pintadas de amarillo canario, el cubo lleno de agua, en la cual metía de vez en cuando la mano y salpicaba su cara y sus piernas, y el descolorido parasol de playa con algunas varillas rotas. A pesar de la distancia y de la reverberación del sol, Néstor pudo observar una vez más la singular anomalía: la pierna de la muchacha que ahora debería estar fortaleciéndose con baños de sol, la izquierda, la pierna flaca y encogida y con la rodilla como un muñón y el pie torcido para adentro, permanecía a la sombra, vergonzante y oscura como un garabato, mientras se beneficiaba del sol la pierna sana y esbelta, dorada hasta más arriba de la mitad del muslo. Ella alzaba ante sus ojos esa pierna perezosa y mimada y la mantenía vertical, asombrosamente inmóvil, y las manos evolucionaban a su alrededor como lentas mariposas brillantes frotándola con una pomada, y a ratos la salpicaban con agua, hasta que la piel brillaba como el cobre...

El viejo Polo se había marchado con su papel y su pluma y Eloy y Pablo también miraban a Paquita acodados al pretil del terrado. Tito se ponía la camisa y se lamía las encías.

—Te has portado, gordo –dijo Néstor sin mirarle, sin quitar los ojos de la muchacha bajo el parasol–. Te regalaré un paquete de Camel.

—Tu padre.

—Mírala, Néstor –dijo Eloy–. Así nunca se curará.

—No lo hace para curarse –dijo Pablo–. Es sólo por el dolor, chaval.

—Todos los paralíticos tienen una musculatura de míster universo –comentó Pablo pensativamente–. ¿Os habéis fijado?

—La Paqui tiene el culo como una piedra –dijo Tito.

Ya no pensábamos que no podía correr, no podía bailar, no podía sentir nada allí si un chaval la tocaba allí. Ya no pensábamos casi nunca en nada de eso; solamente en su duro y respingón, encabritado culo de cojita y en su único muslo bronceado que al atardecer se volvía de color violeta, el mismo color de sus ojos tristes, de huérfana.

—Oye, ¿y qué estará tramando el poli? –dijo Eloy.

—Quién sabe –dijo Pablo–. Está majara.

Néstor se echó al hombro los guantes atados entre sí y recogió su camisa.

—La boca le huele a rata muerta.


2


No había nada en toda la calle que tuviera un aspecto tan desolado como el balcón de Balbina Roig; ni la mohosa fachada verde de la vecina tienda de loza, en cuyo ruinoso escaparate se exhibían seis platos rajados y cubiertos de polvo desde hacía quince años, ni los cables eléctricos que colgaban despellejados y amenazantes frente a la barbería, y que nadie venía a reparar o a cambiar. Ni siquiera la ominosa tiniebla del taller del viejo Suau, con sus acartonadas figuraciones de una vida más intensa que nunca alcanzaríamos, mostraba aquella desesperada tristeza de vida familiar clausurada tras la persiana rota y descolorida, desplegada siempre sobre la barandilla como si aún quisiera proteger del sol la desvanecida intimidad del balcón, la silla baja y las cuatro macetas desventradas. Los geranios colgaban descuidados y polvorientos sobre la calle y no había vecino que al pasar, si se dignaba alzar los ojos, no experimentase un vago sentimiento de culpa. ¿Alguien se había ofrecido a ayudar a la viuda mientras su cuñado estaba en la cárcel? ¿Alguna alma piadosa le había preguntado nunca si podía pagar el colegio del niño, o si aceptaría un jersey viejo o un abrigo? Y los que un día se habían acercado a ella con aparente ánimo de socorrerla, de procurarle algún trabajo o recomendación, como en su día hicieron el simpático doctor Cabot o aquel joven acomodador del cine Roxy, ¿acaso no habían sido precisamente los que acabaron de empujarla al fulaneo y a la mala vida?

Era el 9 de junio, sábado, un día que hizo un calor pegajoso y de pronto se nubló y comenzó a caer sobre la calle una llovizna de barro. Néstor ya llevaba algunos meses trabajando de repartidor en el bar Trola, después que una laminadora se le llevara el pulgar de la mano derecha en el taller de Montes; la Paqui ya nos dejaba subir a su terrado mientras tomaba el sol para fortalecer su pierna raquítica, según los consejos del doctor Cabot, y el *Nene,* que con sus casi dieciocho años ya se había desmarcado de nosotros, empezaba a frecuentar el piso de Balbina y le iba a la compra pavoneándose con su bici nueva, y hasta se decía que era el despertador de la viuda y que le servía el desayuno en la cama... Todo estaba ocurriendo muy deprisa, de cara a aquel verano.

Hacia las tres de la tarde la llovizna de barro quedó suspendida en el aire como una telaraña pegajosa. Estábamos sentados en la mesa de billar del Trola, frente a la ventana, cuando le vimos por primera vez. Se había parado en la esquina de la barbería y miraba calle arriba, más allá de la tienda de loza, seguramente el balcón de Balbina; llevaba una vieja gabardina clara echada sobre los hombros, traje oscuro y camisa color tabaco, sin corbata; apretaba bajo el sobaco un flojo paquete envuelto en hule gris y en la mano traía una maltrecha maleta negra. El perro del señor Riembau husmeaba sus gastados zapatos marrones de punta, estrechísimos y anticuados. Tenía el aire distraído de estar de paso y no había en su expresión la menor señal de impaciencia ni de curiosidad, como si llevara horas allí de pie y lo que estaba viendo, el triste abandono del balcón de su casa, no fuera sino la confirmación de lo que ya esperaba. Remontó la calle despacio, caminando por la acera. No le vio casi nadie; dos vecinos que conversaban vivamente delante del quiosco-librería de la señora Carmen se callaron cuando pasó por su lado, mirándole a hurtadillas. Entró en el portal de su casa, pero no había de tar-

46

dar un minuto en volver a salir: Néstor no estaba y su madre, cuando dormía la siesta, jamás oía el timbre sin fuerza, un zumbido de abeja. Le vimos reaparecer enseguida, sin la maleta, y se paró en el portal a encender un cigarrillo. Luego cruzó la calle y se situó en la acera opuesta. Frente a él, a lo largo de las fachadas emborronadas de llovizna, su mirada buscaba signos familiares, la marca del tiempo; por un instante creímos que entraría a saludar al viejo Suau en su taller, en cuyo portal asomaba la silla de chillones colores, pero volvió a descender la calle viniendo directamente hacia el bar.

Había pocos parroquianos a esta hora y al principio no se fijaron en él: los hermanos Bonna, estibadores del muelle, el quiosquero de la plaza Rovira y un taxista, los cuatro jugando a la garrafina, y el *Nene* en plan mirón sentado tras ellos con el gorrito decantado sobre la oreja, kilos de brillantina en el pelo ensortijado, su muñequera de cuero repujado y toda la pesca. Paco limpiaba anchoas bajo el grifo del fregadero y tampoco le vio entrar.

Jan Julivert avanzó hasta el mostrador.

–¿Trabaja aquí el hijo de Balbina?

–Ha ido a un recado.

–¿Tardará mucho?

–Pues no sabría decirle. –Paco levantó su mirada insípida, de besugo, pero no se fijó en la cara del hombre, sino en su gabardina sobada y en su traje raído–. Ya debería haber vuelto, pero cuando sabe que hay que preparar anchoas… Es un cara.

Jan Julivert dejó el paquete sobre el mostrador y, con un hábil gesto de los hombros, se acomodó la gabardina y se volvió paseando la mirada por el local. Debió ver algo más que la pequeña taberna que había frecuentado en su juventud, umbría y olorosa, con los barriles a un lado, al otro cuatro mesas de mármol rodeadas de banquetas y el billar al fondo: vería también la miseria de Néstor, y su encerrona desde niño, su adolescencia marcada por la humillación y la rabia.

El *Nene* le dio con el codo al quiosquero, éste miró al recién llegado y sus manos se inmovilizaron sobre las fichas del dominó. Estaban en la mesa más próxima al mostrador y el mayor de los Bonna deslizó algo al oído de su hermano. Le habían reconocido. En cuanto al *Nene*, seguro que habría visto alguna foto suya en casa de Balbina.

–Un día de éstos el señor Sicart le echa a la calle –decía Paco con los ojos bajos y las manos en el fregadero–. ¿Ha ido usted a su casa? Vive ahí mismo...

Él no dijo nada. Se había vuelto y nos miraba con sus ojos fríos y delgados como cuchillas. Cogió un palillo del vasito sobre el mostrador y se lo llevó a los dientes con su mano parsimoniosa, oscura y flaca, y miró las anchoas lavadas que Paco iba alineando en una pequeña bandeja. Paco interpretó a su modo esa mirada, y, después de observar otra vez el aspecto del hombre, y como era muy burro, el pobre, dijo:

–Aquí no se fía, ¿sabe?

–Dame un vermut con anchoas.

–No sé si me ha oído...

–Te he oído perfectamente. Un vermut y anchoas.

Por la floja cabeza de Paco debió cruzar entonces, de pronto, la idea de quién podía ser este hombre y se apresuró a servirle lo que pedía. De hecho, Paco no estaba empleado en el bar; era un chaval resabiado y pelotilla, atendía el mostrador en ausencia de Néstor por ganas de mangonear y el tabernero le dejaba hacer, sobre todo cuando tenía trabajo en el almacén o subía al piso a atender a su mujer, que siempre estaba enferma.

Ahora, un poco asustado, Paco nos dirigió a través del local una mirada de complicidad:

–¿Habéis visto a Néstor?

Sabíamos que estaba en el terrado de Pablo, pero no dijimos nada. Sin embargo, poco después, Eloy salió en su busca.

–No puede tardar –dijo Paco mirando al tío de Néstor por el rabillo del ojo–. Si quiere sentarse...

–Este sifón no pita. work

–¿No...? A ver éste. Lo más seguro es que esté haciendo guantes con alguno de la pandilla. Hace poco le rompieron la nariz, fue sin querer...

Jan Julivert recorrió las estanterías con la mirada y se detuvo en una vieja fotografía de calendario donde se veía al equipo del Europa F. C., temporada 1946-1947. Se bebió la copa de vermut de una tirada, pidió otra y entonces, por vez primera, le vimos hacer un gesto que se acordaba vagamente a nuestros sueños: llevó su mano izquierda, moviéndola como si estuviera yerta, pero con cierta rapidez, hacia el bolsillo trasero del pantalón, apartando los faldones de la gabardina, para tantear algo con la punta de los dedos, comprobar que aquello, lo que fuese –la cartera probablemente, tal vez un pañuelo, pero no pudimos evitar el pensar en otra cosa– seguía estando allí.

Por cierto, no era el tipo extraordinario que habíamos imaginado, no era tan fornido ni tan pistonudo como Néstor lo había descrito en las viejas aventis o como la medrosa memoria del barrio lo había deformado, no tenía las espaldas tan anchas ni la mandíbula tan cuadrada, aunque sí la boca dura y despectiva, y tampoco era especialmente guapo ni altivo a la manera que eso puede gustar a las mujeres, no vimos en él nada excitante; quizá los pómulos altos de furor, los ojos grises y largos como rajas, el pelo negro y liso peinado hacia atrás y una cualidad de hielo en la cara, una palidez tensa y pasada de moda. Tenía en general el aspecto de un hombre común y corriente, de estatura regular, estirado más que esbelto, un welter un poco más alto de lo

normal, seguramente no muy fajador, pero ágil y con
reflejos, un técnico. Lo que más llamaba la atención era
cierto voluntarioso envaramiento en los hombros y en
la nuca, una sugestión de afilada peligrosidad.

Poco después llegaron Eloy y Néstor, que dejó la
carretilla de reparto frente al bar, llevaba los viejos guantes de boxeo colgados al hombro, los párpados inflados
y sangre en la nariz. A juzgar por los cabellos mojados y
repeinados, debía haberse parado en la fuente de la calle
de las Camelias para acicalarse un poco. Sabíamos cuánto había soñado el chaval con vivir este momento.

–Hola.

El hombre se volvió y Néstor le tendió la mano. No
solía ponerse colorado por nada, pero esta vez no había
forma de saberlo porque ya venía rojo a causa de los
guantazos. Parecía enrabiado.

–Hola –dijo Jan Julivert, y le miró fijamente unos
segundos–. Conque tú eres Néstor.

–Sí.

–¿Y tu madre?

–En casa. ¿Cómo sabías que trabajo aquí?

–Alguien me lo dijo. –Y en un tono que podía contener, tal vez, un leve matiz de afecto, añadió–: Te han
zurrado bien.

–Me estaba entrenando. ¿Cuándo has llegado? Hace
días que te esperamos… ¿Has ido a casa?

–Tu madre no está.

–Sí está. –Lanzó una rápida y ponzoñosa mirada al
*Nene* y agregó–: Pero duerme. Yo tengo llave.

En la mesa del dominó no hacían más que remover
las fichas para una partida que no empezaba: estaban
todos pendientes de Jan Julivert y su sobrino. El ex
presidiario sacó un pañuelo del bolsillo y lo ofreció a
Néstor.

–Límpiate la nariz.

Le volvió la espalda y se dispuso a pagar. En este momento salía el tabernero de la trastienda detrás del mostrador con una caja de refrescos al hombro. Era un hombre robusto y afable, narigudo y calvo, llevaba un pantalón de pana de tranviario, camiseta azul y alpargatas. No reconoció al tío de Néstor porque nunca le había visto: hacía apenas cinco años que vivía aquí, desde que compró la taberna y dejó su empleo de cobrador de tranvía; seguramente por eso rebautizó la taberna y le puso Bar Trole, aunque todo el mundo lo llamaba Trola.

–¿Dónde te has metido? –preguntó a Néstor mientras llevaba la caja a la nevera.

–Me entretuve un poco…

–¿Has ido a comer, por lo menos?

–No.

–Hablaré con tu madre. Si no puedes cumplir, a la calle.

Néstor no apartaba los ojos del perfil de su tío, que recogía el cambio del mostrador, cuando dijo:

–Deje en paz a mi madre. Y váyase usted a la mierda.

El tabernero se volvió a mirarle.

–¿Qué has dicho?

–Y este bar también, y su roñosa clientela, y esa carretilla que es un trasto. ¡Todo a la mierda!

Jan Julivert todavía le daba la espalda. Habló en un tono suave, casi afectuoso:

–¿Qué te pasa? ¿Tan duro es el entrenamiento, que vienes sonado? –Se volvió despacio guardándose las monedas del cambio y se encaró con Néstor, pero sin mirarle a los ojos, aparentemente interesado en su sucia camisa mal abrochada, en un botón que estaba en un ojal que no le correspondía y que de pronto soltó moviendo el dedo como un garfio–. No querías decir eso. A que no.

–Ya está dicho.

–Pero tú no querías. Y te vas a disculpar.

Le abrochó la camisa hasta el cuello y alzó bruscamente su barbilla con un golpe enérgico del índice y pudimos observar, otra vez, aquella fulgurante reacción de la mano antes de ensimismarse de nuevo en la parsimonia, en la sangre fría de una antigua autoridad. Fue entonces que el tabernero intuyó su identidad y, quizá por zanjar el incidente –solía no hacer caso de estas barrabasadas de Néstor– se adelantó a saludarle. Por cierto fue el único en todo el barrio que se atrevió a hacerlo, además del viejo Suau.

–Usted debe ser su tío. –Estrechó su mano toscamente, con un solo movimiento de arriba abajo–. Pues me alegro de verle por aquí, este sinvergüenza necesita que alguien le meta en cintura... Me llamo Sicart, para servirle.

A todo eso, Néstor parecía atontado. Buscó con ansia la mirada de su tío y le vio coger del mostrador su envoltorio de hule y dirigirse hacia la puerta sin más, como dando por seguro que iba a disculparse. Pero Néstor tenía que digerir todavía su desconcierto y su primera decepción: un hombre así, debía pensar, carne de presidio ya para toda su puta vida, como quien dice, un forajido, y viene con lecciones de urbanidad... Se mordió el labio y tragó un amasijo de mocos y sangre, antes de mascullar entre dientes, la cabeza gacha:

–Perdone, señor Sicart. –Y se precipitó a la puerta que su tío mantenía abierta, esperándole.

Salimos tras ellos y juntos caminamos un trecho por la acera, sin hablar. Íbamos Eloy, Tito, *L'Oreneta*, Paco... Volvía a lucir el sol y la calle empezaba a animarse. Jan Julivert se paró en la esquina y Néstor permaneció a su lado en silencio; le habría gustado decirle, y a nosotros también, si reconocía los guantes que llevaba colgados al hombro, preguntarle cuántos combates había ganado con ellos, contra quién y cómo. Pero de pronto aquel hombre ya no parecía tener un pasado y ni siquiera estar allí; parado en la esquina, miraba absorto los neuróticos aspavientos de un tipo larguirucho y con boina vestido con un mono azul que, erguido en medio del cruce de calles, ordenaba el tráfico de invisibles automóviles moviendo los brazos como aspas de molino. Tenía una extraña mirada glauca y había en su frenético braceo una decidida consideración urbana, una descabellada voluntad de servicio. Cuatro chavales, apoyados en la pared de la barbería con las manos en la espalda, se burlaban de él jaleándole. Otro chico corría describiendo círculos en torno a él con los puños apretados delante del pecho e imitando el ruido de un motor. No circulaba ningún coche, pero de vez en cuando el improvisado agente simulaba pararlos alzando la mano y hablaba cortésmente con el conductor. Entonces se producía un choteo entre los chavales.

–Es Bibiloni –dijo Néstor, buscando entablar conversación otra vez–. Está pirado. Cada verano lo sacan de Sant Boi y pasa tres meses con la familia, no es peligroso. Vive en el piso debajo del nuestro.

*crazy*

Su tío no hizo ningún comentario. Caminaron hacia casa, y Néstor añadió:

–El pobre está casi ciego, además.

–Vaya. Un loco con suerte.

Lo dijo sin alterar el tono de voz y Néstor no supo si era una broma.

–¿Por qué me has esperado en el bar? Podías pedir la llave en la portería. El *Nene* también tiene llave, pero algún día se la quitaré…

–Tengo la maleta en la escalera –dijo Jan Julivert–. Cuando entré, ese infeliz estaba sentado en el suelo del rellano, hablando solo. Pensé que era mejor esperarte y que me acompañaras.

Néstor sonrió.

–No irás a decirme que Bibiloni te ha dado miedo. Tú nunca le has tenido miedo a nada…

–No estés tan seguro. –Le miró de soslayo, volvió a

sacar el pañuelo del bolsillo y se lo dio–. Límpiate bien
esa nariz.

–Ya no tengo sangre.

–Tienes mocos.

## 3

Sentada al borde de la cama, Balbina se abrió de
piernas, inclinó la despeinada cabeza sobre la cara inter-
na del muslo, que alzó un poco con ambas manos, y
observó de cerca la marca rosada de los dientes. Animal,
pensó. Mojó el dedo con saliva y frotó el escozor muy
despacio, como en sueños. Mientras lo hacía, con la
punta de la lengua se hurgó las comisuras agrietadas de
la boca. Llevaba un trocito de papel de fumar pegado al
labio inferior. Volviendo la cara, su nariz respingona
esquivó el pestucio del cenicero en la mesilla, luego se
levantó y se ciñó la bata sin mangas. Descalza y medio
adormilada, mientras se atusaba con los dedos la corta
melena castaña y miraba sin ver el gato negro ovillado al
pie del lecho, con la otra mano tanteó a ciegas en la mesilla de noche el paquete de cigarrillos y el encendedor
de níquel. Pero esos objetos no estaban allí, y Balbina
sintió de pronto el aguijón de la angustia: el *Nene* había
venido, seguramente se había sentado en la cama como
otras veces, con los clips de ciclista ciñendo los bajos de
sus pantalones, y habría registrado su bolso y encendido un Chester mientras rumiaba la forma de despertarla
sin sobresaltos –cosquillas en el pie con la botella de
coñac, lamerle un pezón, soplarle los párpados–, pero,
por alguna razón, hoy dejó que siguiera durmiendo y se
había ido llevándose los cigarrillos y el mechero. Un
hábito afectivo de meses acababa de romperse.

En una mujer de treinta y ocho años y con un oficio
como el suyo, la rutina doméstica había acabado por

convertirse en la expresión de una nostalgia. Pasaba demasiadas horas fuera de casa. Por lo general, si no se ocupaba para toda la noche, en cuyo caso llamaba por teléfono y se lo hacía saber a Néstor, volvía a las tres de la madrugada y dormía hasta las once de la mañana sin preocuparse de su hijo, que desayunaba en el bar. Se duchaba y daba cuenta de un desayuno-almuerzo, a veces en compañía del *Nene*, que a esa hora le traía el pan y algún encargo del mercado, luego ordenaba un poco la cocina, dejaba preparada la comida de Néstor y volvía a acostarse un par de horas, hasta que el ciclista recadero volvía para despertarla. Casi nunca veía a su hijo a la hora de comer; si el chico decidía venir, comía solo y con la radio en la cocina, para no despertarla, y enseguida escapaba al taller de Suau o al bar, evitando siempre encontrarse con el *Nene* cuando éste volvía a las tres.

El dormitorio de Balbina, en la trasera del piso, tenía una puertabalcón que daba a un extremo de la galería, colgada sobre un abigarrado conjunto de pequeñas terrazas, viejos cobertizos de uralita y descuidados patios llenos de humedad donde crecían hierbajos, rosales trepadores y algún magnolio, encerrado todo ello por edificios altos con viejas galerías acristaladas idénticas a la suya. Ahora, mientras descolgaba del alambre una toalla no muy seca todavía y un sostén negro, Balbina vio tenderse bajo sus ojos soñolientos la sábana amarilla del sol, y, casi en el acto, la explosión de luz le obligó a cerrar los ojos. A esta hora, al llegar el verano, el reflejo del sol en las galerías de enfrente era como un incendio repentino, puntual y familiar. Y recordó la primera vez que su cuñado Jan le hizo ver el fenómeno desde este mismo sitio, una tarde del verano del cuarenta y dos, mientras intentaba convencerla de que Luis no corría ningún peligro yendo con él, y que si llevaba revólver era por si acaso y que Luis la seguía queriendo, y ella se echó a llorar...

La cinta negra del sostén resbaló de sus dedos y cayó blandamente, pasó entre la colada del principal y se detuvo en la diminuta terraza del entresuelo. Dos enormes gatos grises se acercaron a husmear la prenda. Balbina maldijo en voz baja y entró en su cuarto, calzó las zapatillas, se ajustó la bata y salió del piso dejando la puerta entornada. Bajó las escaleras hasta el entresuelo y pulsó el timbre de la puerta izquierda.

Abrió una cincuentona gorda y bajita, con mantilla de lana morada sobre los hombros y rulos en la cabeza.

–Perdone que la vuelva a molestar –dijo Balbina.

–¿Qué se le ha caído ahora?

–Un sostén.

–Ya. –La vecina frunció la boca con desdén–. Alguna vez se le podría caer algo decente.

Balbina apoyó el brazo en el quicio, arqueó la firme cadera y esbozó una sonrisa maligna:

–Mire a ver, señora Folch, se lo ruego. Es negro, calado, con puntillas y agujeritos para los pezones…

–No hacen falta tantos detalles.

–Lo necesito para trabajar, ¿sabe?

–No me diga. Yo creía que se los quitaba, para eso.

Y dando media vuelta se internó por el pasillo, dejando la puerta medio palmo abierta.

Balbina oyó a la bruja discutiendo con su marido al fondo del piso. Abrió un poco más la puerta para ver, a un lado del pequeño recibidor, adosado a la pared, el artístico paragüero de caoba con espejo y percha y apliques de marfil representando escenas de caza. La hermosa cabeza del zorro mostraba una oreja rota. En la repisa debajo del espejo había una figura de porcelana representando un perro dogo montado por un niño desnudo que se abrazaba a su cuello.

Siempre que veía esta figurita pensaba en su suegra; volvía a verla vestida de luto, una mañana de abril de 1940, deslizando la mano con el pañuelo por el borde de la mesa del comedor de su casa como si quitara el polvo, cuando en realidad buscaba un apoyo, esforzándose por no llorar; volvía a ver a los dos agentes del Servicio de Recuperación de Bienes expropiados por los rojos examinando la máquina de escribir de su difunto marido, y a su lado el señor Folch con zapatillas de felpa y la cara falsamente compungida, como extrañado de que alguien –él mismo, como luego se sabría– hubiese podido denunciar a una pobre viuda con un hijo en el exilio y otro muerto o desaparecido.

–¿Tiene algún comprobante de esta máquina? –había preguntado uno de los agentes. Era pariente de la mujer de Folch, un hombre encorvado, con caspa o ceniza en las solapas de la americana gris y la voz engolada–. ¿No me oye, señora?

–Pertenecía a mi marido desde hace treinta años.

Balbina se puso a su lado y cogió su mano y se la apretó. Había venido a visitarla y se quedó un rato más a esperar a Luis, que entonces trabajaba en la plaza Lesseps.

El otro agente repasaba una lista escrita en un folio. Habló como si declamara:

–En los meses de febrero y marzo del treinta y ocho ustedes se incautaron y ocuparon un piso en Rambla de Cataluña esquina Diputación cuyo dueño, un respetable industrial y funcionario del Estado, había tenido que escapar a Francia con su familia acosado por los anarquistas…

–No es verdad. Haga usted el favor de mirar lo que dice –respondió la señora Julivert–. Era amigo de mi marido y nos dio la llave del piso precisamente para evitar que lo ocuparan otros.

El hombre sonrió burlonamente.

–Ya. Pero a este señor lo mataron. Tengo aquí una lista de muebles y objetos que desaparecieron del piso, y entre ellos están esos dos sillones de tijera con asiento y respaldo de cuero, el paragüero con la percha y el espejo del pasillo, un sofá de cuero negro y esta máquina de escribir.

Hablaba con la burocrática impertinencia del vencedor. Balbina buscó los ojos del señor Folch, el procurador de la casa, el buen vecino que había subido por si hacía falta una ayuda…

–No es verdad, señor –repetía su suegra una y otra vez–. Todo lo que ve usted aquí ya estaba en nuestra casa de Sants… Del piso del señor Fisas sólo nos llevamos la vajilla de plata y fue porque él mismo nos lo pidió por carta, cuando los bombardeos afectaron a la casa. Y esa vajilla le fue devuelta al año siguiente…

–Hay una denuncia, señora, y nosotros cumplimos órdenes. Tenemos que llevarnos todo eso.

Balbina no pudo contenerse más.

–Esto es un robo y el que ha puesto la denuncia es un ladrón…

–Por favor, señorita, estamos trabajando.

El procurador había cogido la figurita del perro y el niño que estaba en el buffet y la examinaba. Siempre, el desgraciado, con sus zapatillas de felpa y su pestilente fijador en el sucio pelo amarillento, recordó Balbina, había codiciado secretamente aquella chuchería que tal vez imaginaba de gran valor. Según el propio Jan, era un regalo que le había hecho una primera novia que tuvo, cuando empezaba a boxear… Balbina no recordaba que Folch hubiese mirado al agente de ninguna forma significativa, pero éste se interesó de pronto por la estatuilla y simuló consultar su lista y dijo:

–Esto también.

Balbina volvió a protestar, pero notó la presión de la mano de su suegra y leyó la súplica en sus ojos: deja que el procurador se lo lleve, le debo cuatro meses de alquiler…

Esa misma mañana, los muebles y la máquina de

escribir fueron depositados provisionalmente en un cuartucho desocupado del entresuelo que pertenecía a Folch, desde donde mañana o pasado serían trasladados, dijo uno de los agentes, a los locales del Servicio de Recuperación. Pero dos años después, cuando Balbina ya vivía con su suegra y criaba a Néstor, el paragüero y la figura de porcelana estaban en el recibidor del piso de Folch, y, aunque ella nunca había pasado de la puerta, suponía que los demás muebles estaban dentro.

La mujer del procurador volvió a salir con el sostén y la sonrisa torcida.

—Los gatos se han ensuciado encima. —Sostenía la prenda con los dedos como si estuviese infectada—. Oiga, dicen que su cuñado ha salido de la cárcel. ¿Es verdad?

—Yo qué sé. Pero no creo que vuelva por aquí.

—Oh, seguro que le han cambiado mucho. En presidio les regeneran. —Volvió a sonreír con desmesura de rojas encías y goloso desdén—. Ojalá encuentre un trabajo enseguida, pobre hombre. ¿Él ya sabe que hace usted digamos de camarera en esa clase de bares...?

Balbina arqueó todavía más la cadera y amplió la sonrisa.

—El que lo sabe muy bien es su marido, señora Folch.

Y dando las gracias le volvió la espalda para no ver cómo se encendía su cara de luna. Antes de cerrar la puerta de golpe, la vecina aún dijo:

—Sí, vaya, vaya. ¡Y lávese bien la patata, marrana!

4

Ya en casa, mientras cambiaba la toalla del baño, Balbina pensó que ciertamente sería mejor que Jan no volviera nunca; le esperaba un hogar deshecho y encima eso, lo que había insinuado esa bruja... Probablemente él ya lo sabía. Recordó que en todos estos años ella sólo le había escrito una vez, con motivo de la muerte de su madre. No fueron buenas noticias las de aquella carta, pero al menos eran verdad; para contar sólo desgracias o mentiras, mejor no escribirle más, pensó entonces. En medio de sus temores, Balbina se aferró a la idea de que su cuñado no vendría, y que si venía no iba a ser para quedarse durante mucho tiempo en una casa donde sólo le esperaban amargos recuerdos y humillantes novedades...

En el recibidor sonó el teléfono.

No era la misma voz espesa de ayer ni de la semana pasada, pero sí era la misma pregunta y la misma desconsiderada brusquedad, el mismo tono de amenaza, y Balbina sintió un escalofrío.

–¿Ha llegado Jan Julivert?

–¿Quién es usted...?

–Un amigo.

La voz guardó silencio un instante y añadió:

–¿Ha tenido noticias suyas?

–Dígame con quién hablo.

–Usted no me conoce...

–Ni ganas.

Colgó con fuerza y regresó al cuarto de baño. Recogió la ropa sucia, la llevó a la galería y de allí pasó al dormitorio, retiró la botella de coñac de la mesilla de noche y fue a la cocina, llenó un vaso pequeño y se lo bebió de un trago. El viejo gato negro la había seguido y maullaba restregándose contra sus tobillos. Con el vaso vacío en la mano rumiaba todavía acerca de aquella voz, que ciertamente no le recordaba a nadie –pero eso no la tranquilizaba–, cuando oyó la llave en la cerradura del piso y enseguida a su hijo diciendo madre, mira quién está aquí, y sólo entonces sintió en el pecho el calor retardado del coñac, de la vergüenza y de la dentellada babosa del borracho que anoche le había tocado en suerte.

# CAPÍTULO III

## 1

–Lo peor ya pasó –dijo Balbina con la voz dulce–.
Dios aprieta, pero no ahoga

–Dios no hace nada de eso –gruñó Jan Julivert.

–Quiero decir que hubo de todo. Algunas personas
me ayudaron, otras se portaron mal… Ya te contaré.
Todo ha cambiado mucho por aquí, yo misma he cambiado.

–Y quién no, cuñada.

Estaban en el comedor, él sentado a la mesa y con
aquella tensión expectante en la nuca de repeinados cabellos un poco largos, densos y negros, y la americana
colgada en el respaldo de la silla, que había girado un
poco para situarse frente a Balbina. Sobre el hule azul
pálido de la mesa, sus dedos jugueteaban con un paquete de cigarrillos.

–Pero es que yo –dijo Balbina– he cambiado mucho
más de lo que te figuras.

–Sé que lo has pasado mal.

–Bueno, si te contara…

–Hay tiempo. –Jan Julivert hizo una pausa y añadió–: Seguimos teniendo el mismo número de teléfono, supongo.

–Es lo único que no ha cambiado –sonrió tímidamente–. Eso no.

Ella ocupaba una butaca arrimada a la pared, bajo la repisa con la radio y las novelitas baratas, y estaba descalza, las piernas recogidas y el brazo desnudo sobre la cadera. Su cuñado la observaba con una parsimonia afectuosa, reflexiva. La encontraba blanda, sentimental, vulnerable; ella, que había sido dura y fría como el mármol.

–Cuando murió tu madre –añadió Balbina–, pensé que el chico podía ocupar su cuarto. Supongo que no te importa. Tu habitación…

–Habla un poco más alto, por favor.

–Tu habitación está igual que la dejaste, como quería tu madre. Ni el balcón he vuelto a abrir… Bueno, alguna vez para regar. ¿Has comido? ¿Quieres un café?

Él no la oyó. Intuyó una presencia a sus espaldas y volvió la cabeza mientras sacaba un cigarrillo del paquete.

Néstor, que venía de la cocina mordisqueando una pera, recostó el hombro en la pared y observó la manera con que su tío golpeaba la punta del cigarrillo en la uña del pulgar.

–Oye, ¿te has vuelto sordo? –dijo Balbina medio en broma.

–Un recuerdo de Carabanchel. –Se pellizcó el lóbulo de la oreja izquierda, casi oculta bajo el mechón de cabellos–. Dame algo de beber, anda. ¿Tienes ginebra?

–Es de la barata. La compro a granel en el bar donde trabaja éste. –Hizo un gesto a su hijo, que se despegó de la pared con indolencia y abrió la puerta inferior del buffet–. Antes bebías coñac –recordó ella–. Hijo, trae también el coñac, está en la cocina. Y dos vasos.

Mientras ponía la garrafa sobre la mesa, Néstor pudo ver de cerca la oreja magullada y amoratada, como una coliflor. Jan Julivert encendió un cigarrillo y preguntó:

—¿Has recibido alguna ayuda de mi hermano?

—No. —Balbina se encogió de hombros—. Era de esperar, después de la putada que le hiciste. Pensaría que aquel dinero nos iba a durar mucho, a tu madre y a mí…

—Era bastante, hace trece años.

—Casi todo se fue en médicos y medicinas. Duró lo que duró la enfermedad de tu madre.

—¿Quién la visitaba? ¿Cabot?

—Sí.

—¿Cómo se portó?

—Bien, mientras se le pudo pagar.

—¿Y después?

Balbina parecía buscar algo en los bolsillos de su bata; sacó un dedal de coser, un botón, luego un pintalabios, que tiró sobre la mesa, y siguió hurgando. Néstor trajo la botella de coñac y dos vasitos diminutos.

—Para mí un vaso más grande y otro con agua —dijo su tío. Y sin apartar los ojos de Balbina repitió—: ¿Y después?

—Después no me acuerdo. Tu madre estuvo bien atendida y cuando murió tuvo un buen entierro, si es eso lo que te interesa.

Jan guardó silencio. Néstor trajo el vaso de agua con la rapidez del rayo y volvió a su sitio en la pared, acariciando con dedos distraídos la armónica sujeta al cinto. Observando a su tío, sus ojos cobraron un sesgo adulto, reflexivo. Le veía fumar, veía cómo se deslizaban sobre su cara impasible las espirales de humo, las sombras de un furor dormido; se daba cuenta que sus comentarios, ahora, mientras mezclaba un dedo de agua en cuatro de ginebra en el vaso grande, eran expresamente triviales, una estrategia coloquial para no alarmar a su madre. Dijo, con una repentina pereza en la voz, que allí dentro se había acostumbrado a la ginebra de garrafa y que desde que se había apeado del tren en la estación de Francia, hacía una semana, no bebía otra cosa. Balbina le preguntó dónde había estado estos días, pero él se mostró evasivo: se había presentado al juzgado, visitó a un viejo amigo, se paseó por las Ramblas y el puerto.

Balbina llenó su vasito de coñac.

—¿Por qué no has avisado?

—No tenía intención de volver a casa —dijo él mirando el sofá renegrido y las dos butacas de felpa carcomida, las paredes ocre y la vieja lámpara de flecos rojos, demasiado descolgada y un poco torcida sobre la mesa. La clara pupila inexpresiva no acusó las ausencias, el expolio del tiempo; pero ya no estaban en la repisa las porcelanas y las cerámicas amorosamente coleccionadas por su padre, ni el esbelto jarrón de cristal tallado con apliques de plata y tampoco el tresillo en la galería ni la mesa camilla con el brasero de cobre, la mesa donde enseñó a su hermano Luis a desmontar y a engrasar su primera pistola.

Balbina había seguido la trayectoria de su mirada.

—Tuve que vender algunas cosas cuando murió tu madre.

—Está bien.

—Lo demás está igual. No se debe ningún alquiler, ni la luz ni el gas. Una vez me cortaron el teléfono, pero...

—No tienes que explicarme nada.

—Quiero hacerlo, Jan. Este piso no es mío; estoy aquí porque un día tu madre me acogió. Y ella ya ha muerto...

—¿De qué me estás hablando?

—Si quieres que me vaya. Tendrás tus planes.

—No tengo ningún plan. —Sonrió por primera vez, más con los ojos que con los labios—. Tú y el chico por supuesto que tenéis que seguir aquí. Mi madre lo deseaba. Quería hablar con el procurador y dejarlo todo resuelto, me lo dijo en su última carta. No sé si tuvo tiempo de hacerlo... ¿Tuviste problemas con el procurador, ése... cómo se llama? ¿Folch?

Balbina tardó unos segundos en contestar.

–No. –Bajó los ojos y se cogió la punta de la bata–. Fue muy comprensivo.

–Mentira –dijo Néstor–. Nos quería echar a la calle, el hijoputa.

–Tú cállate –ordenó su madre–. Y vete a comer a la cocina, mira qué hora es.

–Y además aún tiene los muebles que le robó a la abuela. Suau dice que este cabrón no tiene en su casa nada que sea suyo...

Balbina lo miraba con ojos furiosos. Se levantó para llenar otra vez su vasito, el puño en la cadera, una pierna en reposo. Algo todavía noctámbulo en su postura, en sus ancas pesadas de sueño, afrontaba una batalla que sabía perdida de antemano. Néstor no se movió de la pared. Momentáneamente su tío permanecía en silencio y el chico acechaba este silencio en su perfil de hielo: su manera de entornar los ojos entre el humo del cigarrillo, la extraña tensión de sus pómulos altos y la vida estática del mentón.

Cuando se volvió para hablar con Néstor, lo hizo con una voz neutra:

–¿Qué pasó?

Néstor iba a contestar, pero Balbina lo fulminó otra vez con la mirada y se le anticipó:

–Nada; me costó un poco convencerle, eso es todo. Fue por culpa de su mujer, ya conoces a esa bruja. Me había retrasado un par de meses en el pago del alquiler, pero Folch se avino a esperar... Dame un cigarrillo.

Se sentó de nuevo y apuró su coñac. Jan le pasó los cigarrillos y se inclinó hacia ella pulsando el mechero de lata, ruidoso, que se negó a funcionar. En los cuarteados labios de Balbina el cigarrillo colgaba como una afrenta. Al encoger las piernas en la butaca, en un movimiento perezoso que él recordaba muy bien, se abrió un poco la bata y apareció una espada de piel soñolienta, morena y áspera. La llama brotó por fin, y, al bajar ella los ojos, mientras acercaba el pitillo al mechero, Jan Julivert envolvió su despeinada cabeza con una mirada sin luz, pero afectuosa; ya casi no podía recordar aquella muchacha bajita de apretadas nalgas y carita de gato enfurruñado, respondona y arisca, no muy inteligente, pero endiabladamente lista, que conoció una noche colgada del brazo de su hermano Luis junto al tablado de la orquesta de Mario Visconti, en una calle de Sants adornada durante la Fiesta Mayor… Entonces ella tenía veintiún años y la rutina un tanto resabiada de ser bonita, dulces hoyuelos en las mejillas y una risa contagiosa, y también algunas ilusiones tontas que habían de frustrarse –como la de ser vocalista y triunfar en concursos de radio: chica popular en su barriada, había actuado en algunos entoldados y bailes de domingo hasta que su novio la obligó a dejarlo, aunque a veces, en sus correrías juntos por aquellos pobres festejos callejeros del verano de la posguerra, subía espontáneamente al tablado de la orquesta y cantaba: tuvo siempre la ingenua ilusión de gustar mucho a sus amigos, un atrafagado empeño en calentarles… Ahora Jan observaba el pedacito de papel de fumar pegado al labio, los párpados hinchados, los morenos sobacos sin depilar que dejaba al descubierto la bata sin mangas; veía a una mujer que había renunciado a gustar, pero que si ocasionalmente y por la razón que fuese quería gustar, disponía aún para ello de su espíritu animoso y su especial manera.

–La última vez que te vi –dijo él señalando su boca–, en este mismo comedor, también lucías una marca.

—Quién se acuerda de aquello... No habrás vuelto buscando jarana, después de tantos años. Aquí vivimos ahora tranquilos.

—Las muñecas —dijo Néstor—. En la comisaría la ataron a un radiador de la calefacción con las esposas, después de interrogarla, y se desmayó y la dejaron allí tirada...

—He dicho que te vayas, Néstor. —Balbina miró a su cuñado y agregó—: No le hagas caso, tenía cuatro años, no sabe nada.

—¿Volvieron a molestaros?

Ella suspiró con fastidio. No tenía malditas las ganas de hablar de eso.

—Siempre que creían que tu hermano podía estar por Barcelona, vigilaban esta casa. Una vez me siguieron hasta el pueblo... Pero tu querido hermano nunca vino a vernos.

—Pensé que vendría, sobre todo al principio.

Balbina sonrió burlonamente.

—¿De veras creíste alguna vez que me llamaría para ir a vivir con él a Francia...?

—¿Tú no?

—Nunca.

Jan Julivert bebió un sorbo del vaso y luego dijo:

—Y con mi madre, ¿cómo se portó la policía?

—El comisario volvió días después para hablar con ella. Estuvo muy amable. Se disculpó por lo que había hecho aquel bestia y se fue enseguida. No se metieron mucho con ella.

—¿Y contigo?

Balbina apretó en la mano el vasito de coñac.

—Tuve que ir a la comisaría de la Travesera dos o tres veces más... Pero yo no sabía nada, así que no me hicieron nada.

—A los que no saben nada tampoco suelen tratarlos bien.

Ella evitó su mirada: con los años había conseguido olvidarlo casi todo, excepto el dorso peludo de la mano del inspector Polo atornillando el cigarrillo encendido junto a su boca; y de la otra mano que sujetaba su nuca desde las sombras también se acordaba ahora… y tal vez, también –de pronto, como una herida cerrada que se abriera de nuevo– el olor dulzón de sus mejillas chamuscadas. La voz calmosa de su cuñado la distrajo:

–Comprendo que no te guste hablar de eso. –Había cogido distraídamente la botella de coñac y parecía leer la etiqueta–. A mí tampoco. Pero me gustaría saber qué te hicieron, y quién lo hizo.

–No me acuerdo. ¿Dónde has dejado la maleta del tío, Néstor?

–En el recibidor.

Néstor hacía rodar vertiginosamente la armónica entre sus dedos, como una hélice. Balbina alargó el brazo para alcanzar la botella y Jan captó el perfume envejecido del sobaco. Ella llenó otra vez su vasito, pero calculó mal y derramó el coñac sobre el hule.

–Encuentro el agua muy mala –dijo Jan–. Deben ponerle mucho más cloro que antes.

Se sirvió otro trago, pero esta vez no lo rebajó con agua.

–La ginebra es mala para la memoria –dijo Balbina–. ¿Por qué no pruebas el gin-fizz? Se pueden hacer muchas combinaciones… En Los Julepes hay una chica amiga mía que hace maravillas con la ginebra y el limón…

–No soy muy exigente con la bebida. Ya no –murmuró él, pensando ya en otra cosa. Encendió otro cigarrillo y Balbina miraba sus manos lentas y oscuras, pensando también en la pregunta que llegaba–: ¿Qué es eso de Los Julepes? ¿Un bar?

–Sí. En el barrio chino. Trabajo allí, soy camarera de alterne… Ahora lo llaman así. Luego te contaré.

–No hace falta, si no quieres.

–Sí quiero.

Néstor se removió a espaldas de su tío, haciendo señas a Balbina con los ojos. Dijo con la voz tomada:

–Deberías contarle lo que te hicieron en la comisaría, madre.

–Termina de comer y vuelve al trabajo –dijo Balbina.

–Tío, dile que te lo cuente...

–Tú y yo hablaremos otro día –dijo Jan suavemente. El vaso, en su mano, había quedado inmóvil a medio camino de sus labios–. ¿De acuerdo?

–Bueno.

–Y quítate de mi espalda, me pones nervioso.

Por primera vez Néstor obedeció de buena gana, porque de algún modo esa orden se correspondía a un sueño. Se desplazó hasta la mesa, cogió un cigarrillo del paquete, lo encendió con sus propias cerillas, dio media vuelta y salió del comedor.

Balbina se ajustó la bata y se acomodó en la butaca. No habló hasta oír el golpe de la puerta del piso:

–Tiene mal carácter.

–Ya veo. –Jan Julivert se levantó y echó un vistazo a la galería. En la vidriera polícroma había dos pequeños vidrios rotos, los azules. Estaba todo abierto, pero el calor era agobiante–. ¿Su padre le ha escrito alguna vez?

–Si te refieres a tu querido hermano –dijo ella con sorna–, para nosotros está muerto.

–Está bien vivo, cuñada. Y se ha convertido en un personaje importante. Vive en Montpellier. –Hizo una pausa, la miró a los ojos y agregó–: Casado y con tres hijos.

–¿Cómo lo sabes? ¿Te escribió?

–Claro que no. En la cárcel se entera uno de todo. ¿Por qué te haces pasar por viuda?

–En el barrio creen que Luis murió hace tres años en

69

un enfrentamiento con la Guardia Civil, cerca de Berga, junto con otros dos. Yo nunca lo desmentí.

—¿Por qué?

Ella se encogió de hombros.

—El negro me sienta bien.

—¿Y qué piensa Néstor de su padre? ¿Qué le has contado?

Balbina soltó una breve risa tabacosa.

—¿Qué padre? –dijo con fingida obsequiosidad–. Si te refieres otra vez a tu hermano, nunca le he hablado de él. Pero sé que le odia. A ti en cambio te adora. Lo sabe todo acerca de ti, y lo que no sabe creo que lo inventa. Se te parece mucho… Pero no esperes de él ninguna muestra de afecto, es un cardo. Nunca dice lo que siente y lo único que le gusta es andar por ahí peleándose con quien sea. No sé qué hacer con él. Ha sido aprendiz de todo y de nada; de joyero, de pintor, de mecánico… El chico no podía salir de otro modo. Un auténtico Julivert, en lo malo y en lo peor.

Se había levantado y con un pañuelo frotaba enérgicamente la mancha del coñac derramado en la mesa. Jan volvió a sentarse y recuperó el vaso.

—Pero la culpa es mía –prosiguió Balbina–. Desde un principio. Yo necesitaba creer en los dos juntos porque nunca tuve fe en ninguno de los dos… no sé si me explico. Sin coña. Acuérdate de aquel invierno, cuando mi tía ya había muerto y yo vivía sola en Sants, y venía cada noche a ver a tu madre y nunca sabía a quién encontraría escondido, a cuál de los dos haciendo solitarios en la mesa camilla, desmontando una pistola o esperando una llamada por teléfono. –Dejó de frotar con el pañuelo y se sentó juntando las rodillas, la mirada en el vacío–. Llegó un momento en que extravié mi cariño, eso es lo que pasó, no sabía a quién había querido ni por qué y todo me daba igual. Tan cojonudos, los dos hermanos Julivert, tan igualitos en la clandestinidad y en el peligro,

70

tan echados palante los dos, con la misma pistola y la misma sobaquera. En cualquiera de ellos yo veía la misma furia y el mismo miedo, la misma loca determinación... Ninguno de los dos sintió por mí el menor afecto, nunca. Tu madre lo entendió muy bien.

–Nadie tuvo la culpa.

–Seguramente –suspiró Balbina–. Hace años que ya no me importa nada de eso. Pero el chico ha heredado algo, no sé..., como si realmente fuese hijo de los dos. Muchas veces, durante la enfermedad de tu madre, lo comenté con ella. Era buena. Me decía: el niño es tuyo y de nadie más.

Él no dijo nada y Balbina estiró el brazo sobre la mesa; otro vasito de coñac, otro cigarrillo.

–Pero hablemos de cosas serias. Te preguntarás por qué no te he escrito en todos estos años, excepto para comunicarte la muerte de tu madre.

Porque nunca me has perdonado que convenciera a Luis, pensó él, cuando aún erais novios, para que se uniera a mi grupo; porque cuando Luis ya había decidido abandonarte, yo lo sabía y no te previne; porque yo te he convertido en esa falsa viuda que eres, con un muchacho sin padre y malviviendo sola en una casa desvalijada que no es tuya... Se quitó la colilla de los labios y observó la brasa con prevención, como si ardiera mal, y dijo:

–Porque hoy podrías ser una esposa y una madre feliz, y no lo eres por mi culpa. Por eso no me has escrito, y no te lo reprocho.

–No. Al principio pudo ser por eso, estaba muy dolida contigo; pero luego no. Sencillamente, no tenía nada que contarte... Mejor dicho, no me atrevía.

–Estoy enterado, Balbina.

Ella no pareció oírle. Dijo:

–Trabajo por la noche en un bar de la calle San Rafael. El dueño alquila habitaciones en un piso que tiene enfrente y me hace descuento. Ya está. Soy una fulana, cuñado. Podía haber sido otra cosa, pero no pude o no supe.

–Está bien.

–Tenía que decírtelo antes de que alguien te venga con el cuento… ¿O ya lo sabías?

–Sí.

–Y lo de Néstor también, seguro. Venga, es mejor dejarlo todo claro de una vez. Tú siempre supiste que el chico no era de padre desconocido, como creía Luis…

–Digamos que lo suponía. Oye, esta ginebra de garrafa está bien porque no le ponen perfume. El perfume estropea el sabor, al menos para mi gusto. –Volvió a examinar la humeante colilla, luego miró fijamente a Balbina y añadió–: Ya te he dicho que en la cárcel se entera uno de todo. Hace un par de años llegó a Carabanchel un tipo que resultó ser de por aquí, de la calle Legalidad. Era mecánico. Había matado al vigilante de unas obras por nada, por querer robar unos kilos de tubería de plomo. Le cayeron treinta años. Una especie de loco peligroso, un esquizofrénico… Te conocía, dijo que había estado contigo un par de veces y que no le gustaron tus remilgos, y que se quedó con las ganas de zurrarte. –Hizo una pausa para beber un sorbo de ginebra–. Bueno, en aquel momento, lo que me dejó preocupado es que te relacionaras con tipos así.

Balbina enarcó las cejas.

–¿Y lo otro…?

–Lo otro es asunto tuyo. –Apagó la colilla en el cenicero y se levantó–. Creo que me daré una ducha. Pero antes quiero ver mi cuarto.

Ella también se levantó, sin poder dejar de mirarle. Tal vez, ahora que lo pensaba, siempre había deseado que volviera a casa sólo para oírle decir eso, con la misma frialdad y la misma indiferencia con que lo había dicho.

Le seguía por el pasillo y en el recibidor se adelantó a coger la maleta y abrir la puerta de cristales ciegos y biselados. Encendió la luz. Había una cama de matrimonio con barrotes de latón, una cómoda, dos sillas y un armario de luna con dos maletas en lo alto. Era una habitación bastante grande con un viejo empapelado de oscuras guirnaldas trenzadas y en el techo un cable retorcido con una bombilla. El balcón sobre la calle estaba cerrado, la cortina quitada y la barra metálica apoyada en la cómoda. Por encima de ésta, en la pared, había una docena de fotografías amarillentas sujetas con chinchetas alrededor de unos destripados guantes de boxeo colgados de un clavo. Expuesta sobre la cómoda, una colección de amargas chucherías que su madre siempre quiso salvar del olvido: la oxidada copa de campeón amateur, unos calzones negros con banda amarilla, la placa y el carnet de agente de la Generalitat (¿cómo lograría ocultarlo en los registros?), una escopeta de balines de cuando era niño…

–Fue Néstor –dijo Balbina–. Pensó que te gustaría.

–Hay demasiadas cosas.

–Luego lo quitaré.

–Déjalo. Tira la ropa, está apolillada. Qué idea.

–Lo demás está como tu madre lo dejó. ¡Uf!

Quería abrir el balcón, pero no podía y desistió. Él revisaba el contenido del armario: un traje cruzado marrón a rayas, envuelto en celofán, una larga chaqueta de cuero negro, con cinturón, cuatro camisas, algunas corbatas, un sombrero gris. Todo parecía nuevo y a la vez inservible. El olor a naftalina le devolvió fugazmente el grave perfil concentrado de su madre cuando guardaba la ropa en este armario. Sacó una camisa y la examinó.

–Necesitarás ropa –dijo Balbina.

–Me ocuparé de eso. Pero tendrás que mantenerme un par de semanas.

–¿Es que no piensas quedarte? –Le quitó la camisa de las manos–. A ésta le falta un botón. Coge ésta. –Y mirándole con cierta inquietud, añadió–: ¿Qué piensas hacer?

–Tengo que pensarlo. ¿Dónde hay toallas?

–Lo digo porque… he vuelto a tener miedo. Han llamado tres veces preguntando por ti. Ya saben que estás en la calle, Jan.

Él se volvió a mirarla.

–¿Quién era?

–No ha querido decirlo. Por la voz parecía Palanca.

–Palanca está muerto. ¿No ha dejado ningún recado? ¿Una dirección?

–No. –Balbina reflexionó–. No te perdonan aquello, estoy segura.

–Ha pasado mucho tiempo. Si me buscan, seguramente será para repescarme, no para pedirme cuentas. Sólo mi hermano podría hacerlo, y está muy lejos.

–Pero tiene gente aquí, siguen con su idea.

–En las fábricas. Sindicalistas, gente de paz, domesticada. –Cruzó una sombra irónica por sus ojos–. Ya no es como antes, cuñada. Pero no se trata de nada de eso… –Mientras escogía un par de calcetines añadió–: Estoy esperando otra clase de llamada. ¿Tenía la voz muy ronca?

–Ése fue el otro día. Hoy me ha dado miedo.

–¿Qué ha dicho?

–Nada. Quería saber si habías vuelto.

Él cerró el armario y dijo:

–Está bien. Dame una toalla.

Balbina se quedó pensando unos segundos.

–¿Qué clase de llamada estás esperando…?

–Nada importante.

–Si tienes algún plan, me gustaría saberlo.

–¿A qué te refieres?

–A tus amigos de antes.

–No. Busco trabajo.

Néstor paró la carretilla junto a la acera y cogió un botellín de limonada de una de las cajas que transportaba. Hizo saltar la chapa con los dientes y se bebió el refresco de un tirón. Luego estrelló el botellín contra la pared; se me ha roto uno cuando descargaba, le diría al señor Sicart.

Estaba en la calle Paseo del Monte, empinada y solitaria, con oscuras acacias y portales con verjas de hierro siempre cerradas. Más abajo, frente a la torre de don Víctor Rahola, donde años atrás su madre había hecho faenas de limpieza, vio venir a Daniel, el hijo del alcalde de barrio, acompañado por Gonzalo Mir y por otro chaval que no conocía pero de la misma camada azul, pensó, no había más que verle caminar. Incluso cuando no iban vestidos de uniforme, como ahora, ponían cara de desfilar con pendones e himnos idiotas de Campamento Juvenil.

Esperó a tenerles cerca y se puso de cara a la pared. Ellos se pararon a mirarle y Gonzalo dijo:

–Si buscas follón otra vez, lo vas a tener.

Néstor sonrió mirándole por encima del hombro.

–¿Es a mí, capullo?

–¿Cómo hemos de decírtelo? Apártate de ahí... ¿Quieres otro escarmiento?

–No te hagas el guapo conmigo, Gonzalito, que te machaco.

Gonzalo llevaba un bote de pintura negra con una brocha dentro y Daniel una placa de metal cuyo vaciado era una cara, la misma que Néstor regaba ahora copiosamente en la pared y que parecía necesitar un repintado. A eso venían ellos, obedeciendo consignas de la Delegación de la plaza Lesseps, lo hacían cada año por esas fechas, remozando también las «arañas» de todo el barrio. El nuevo que les acompañaba era medio rubiales y chato; apoyó el pie en la carretilla de Néstor y le observó mientras meaba. Los otros dejaron sus utensilios junto al bordillo y dieron un paso al frente.

—¿Tienes mierda en las orejas, cabrón? —dijo Dani—. Te han dicho que te largues...

—Ven, acércate más —dijo Néstor trazando en la pared amplios círculos, amarillas filigranas de orina—. Te mearé en un ojo, a lo mejor te gusta.

Su mano izquierda extrajo la armónica del cinturón y la empuñó. Se volvió bruscamente hacia ellos con lo poco que aún tenía en la vejiga y lo soltó, intermitente y sin fuerza.

—Aún queda para ti, Gonzalito. Abre la boca.

—Que no se escape, Dani.

—Aquí me tienes, mamón.

Tranquilamente se sacudió la titola, la metió en la bragueta, abrochó ésta y esperó. Previno al rubiales:

—Tú, gilipollas, quita el pie de mi carretilla.

El aludido seguía mirándole fijamente y con expresión burlona. Dijo entre dientes:

—¿Qué haces tú aquí, desgraciado? ¿Quién eres?

Sin prestar atención a Gonzalo y a Dani, que avanzaban hacia él cada uno por un lado, Néstor se adelantó apoyando la mano en el tronco del árbol, miró al otro y dijo muy despacio:

—Soy amigo de los Starret.

—Estás chalado. Ni siquiera sabes quién es tu padre...

—¿Qué has dicho?

A su lado oyó la voz nasal del hijo del alcalde:

—¿Sabías que mi padre y mi tío fueron los primeros en pintar eso? —Dani señalaba la pared mojada—. ¿Lo sabías, Néstor?

Él vigilaba al otro, al más fuerte, pero contestó a Dani sin dignarse mirarle ni alzar la voz:

—Pues que les den muy por el culo a tu padre y a tu tío, y a tu madre una patada en la figa y a tu hermana que se la folle un bombero y los tres me la chupáis por tiempos…

Se agachó esquivando a los dos y se revolvió lanzando el puño que atenazaba la armónica contra los dientes de Gonzalo, y luego se lanzó de cabeza contra el estómago del otro. Cuando caía le pateó la cabeza. Luego se abrió paso entre una maraña de golpes, vislumbró las prietas mandíbulas de Gonzalo y lanzó de nuevo la izquierda con la armónica, y enseguida la derecha a la bragueta y cuando le vio parpadear, medio sonado, tanteando el vacío en busca de apoyo, le segó las piernas de una patada en abanico y le tumbó. Pero Dani ya le había cogido del cuello por detrás y el otro ya se había levantado y le golpeaba la cara. Brillando sus ojos de júbilo –Gonzalito seguía tumbado, medio grogui– cortó con la punta de la lengua la sangre de la nariz y se deshizo de Dani de dos codazos en las costillas. El rubiales bizqueaba, como si la patada en la cabeza le hubiese descentrado las pupilas, pero seguía pegándole donde podía aunque con golpes imprecisos y sin fuerza, desarbolado por la emoción y los nervios. Néstor lanzó el puño armado de arriba abajo y con el canto de la armónica le desgarró el pómulo.

Un hombrón que casualmente pasaba por allí los separó a guantazos y Néstor cogió su carretilla y se escabulló. Antes de entregar el pedido de refrescos en una torre elegante de la calle Camelias se anudó el pañuelo en la mano izquierda porque le sangraban los nudillos y tocó un poco la armónica. El canto metálico de la armónica era digno de verse.

3

Al día siguiente, un *gris* lo fue a buscar al bar Trola y lo llevó a la comisaría de la Travesera de Dalt. El comisario, un hombre atildado y de maneras suaves, le dijo que llamara a su madre. Balbina se presentó a los cinco minutos. El comisario conocía a Balbina y estuvo amable con ella, que alegó que seguramente el chico no se había fijado en lo que había en la pared, y no lo había hecho a propósito. En cuanto a pegarse con aquellos buenos muchachos, admitió que estaba muy mal, que sí, que Néstor era pendenciero y que ella siempre le estaba regañando por eso... Al comisario no le interesaba la pelea, solamente la meada. Afirmó que orinarse en la calle ya era algo que se podía castigar con multa, pero que, además, hacerlo donde él lo había hecho, era mucho peor: algo que podía llegar a constituir una ofensa grave. Diez años atrás, por mucho menos que eso, explicó, habría enviado al chico al Asilo Durán; y recordó aquel chaval que una noche de verbena, por San Juan, hacía muchos años, le vieron tirando un petardo a la cara del Generalísimo pintada en una esquina y fue encerrado en el correccional. Por esta vez lo pasaría por alto, terminó diciendo, pero si recibía otra queja tomaría medidas muy severas. A orinar a casa, concluyó.

### 4

—A ver esa mano —dijo Jan Julivert.
—Un día tienes que enseñarme un golpe secreto, tío.
—No tengo ningún golpe secreto. Ven aquí.
Néstor había empezado a contarle la pelea, pero no consiguió despertar su interés. Su madre retiró la baraja de la mesa y puso los cubiertos. En el umbral de la galería, mientras examinaba los nudillos pelados de Néstor, Jan preguntó a Balbina:
—¿Cómo se llama el comisario?
—No le conoces. No es el que te...
—Pero tú pareces conocerle bien.

—Antes estaba en el Distrito Quinto.

Jan soltó la mano de Néstor.

—Ponte un poco de yodo.

Néstor esperaba algún consejo técnico, pero no lo obtuvo. Verás cómo ahora me haces caso, pensó.

—Esta mañana un hombre ha preguntado por ti en el bar —dijo Néstor.

—¿Qué quería?

—Saber si ya has encontrado trabajo, y dónde. Habló con el señor Sicart. A mí me ha dicho: tú eres su sobrino, ¿verdad?

—¿Por qué no me has avisado?

—No estabas, te vi salir de casa.

—¿Le habías visto antes?

—No, no es de por aquí.

—¿Y qué le has dicho?

—Yo nada. El señor Sicart cree que es un poli en misión de rutina, de esos que se hacen el longuis para saber qué tal te portas al salir de la cárcel, qué clase de amigos tienes ahora, si te emborrachas, si vas a misa los domingos… A que sí, que preguntan eso.

Creyó advertir que su tío no le oía y rodeó la mesa en pos de su otra oreja.

—¿Cómo era? —dijo Jan.

—Alto y rubio, y muy fuerte. También preguntó dónde trabaja ella —dijo señalando a su madre.

Balbina cambió una mirada con su cuñado.

—¿Se lo has dicho?

—No. A mí la bofia me la sopla.

—Cuidado que no te sople yo una castaña —dijo su tío—. No quiero oírte decir majaderías.

Balbina interrogaba a Jan con los ojos alertados:

—Es normal que hagan eso, supongo —dijo sin el menor convencimiento.

—Puede ser. Pero ese que ha hablado con el chico no es un policía.

—¿Cómo lo sabes?

Él guardó silencio y luego se dirigió a Néstor suavizando el tono:

—Está bien. Si vuelve por aquí me avisas.

—Vale. Oye, que no he terminado de contarte la pelea. Eran tres contra uno…

—Eso ya lo has dicho. Ponte yodo en esa mano y siéntate a la mesa, vamos a comer.

# CAPÍTULO IV

## 1

Los primeros días apenas salió de casa. Según Néstor, esperaba una llamada telefónica –una señal, le gustaba decir, una consigna, tal vez una orden–, haciendo solitarios en la mesa del comedor con la baraja que se había traído de la cárcel. Sabía hacer, afirmó Néstor, más de veinte solitarios diferentes.

En alguna ocasión le vimos paseando solo por el parque Güell y también en el mercado de la Travesera, en cuyos puestos de frutas y verduras se paraba largo rato, como si nunca hubiese visto nada parecido. Un domingo se llevó a Néstor a los Encantes de San Antonio, estuvo hablando con un anciano que vendía monedas antiguas y luego recorrió las paradas de libros usados, llevándose a casa una buena provisión de novelas del Oeste. Cada quince días –después sería cada mes– tenía que presentarse al Juzgado Militar de la Rambla de Santa Mónica y dejar su firma en la sección de libertad condicionada. Cuando iba a eso se ponía el traje cruzado marrón a rayas y una corbata negra y a la vuelta solía parar en el Trola a tomarse una ginebra, sin hablar con nadie.

Por lo demás, cada atardecer podíamos verle acodado al balcón de su casa con la chaqueta del pijama gris, el cigarrillo en los labios y los cabellos siempre bien peinados hacia atrás y brillantes, siempre como si acabara de salir del baño; como si el hábito carcelario del cuidado personal y el aseo intensivo –algo que años después nosotros descubriríamos en la mili, una maniática propensión a la pulcritud y al cuidado de las uñas, por ejemplo, que no era más que una forma de matar el aburrimiento en cautiverio– prolongara en torno a su cabeza aquel tiempo sin orillas ni sentido que se trajo de la cárcel: cierta disciplina muscular regía aún sus nervios y su sangre, un hábito físico de la espera que le tenía inmóvil en el balcón sobre la calle durante horas, viendo pasar a la gente. Más tarde, a veces, bajaba a charlar un rato con el viejo Suau en la puerta del taller, y entonces sí, entonces uno podía imaginar el contenido furor de esa espera y su móvil secreto, su activa memoria llena de costurones registrando la pequeña crónica negra del barrio que el viejo redicho y liante le estaría contando: el trato que su madre y su cuñada recibieron de algunos, de ese cachondo del doctor Cabot y de ese infeliz de Folch, por ejemplo, y también del comportamiento del señor Raich aquella noche lluviosa de octubre del cuarenta y siete que vio a Jan refugiarse herido en su casa, y lo denunció… Podíamos suponer las crispadas conclusiones que de todo ello iba sacando el ex pistolero, pero nunca le vimos alterarse, nunca pudimos captar en su rostro la menor señal de impaciencia. Sentado en la misma banqueta que a lo mejor horas antes había acogido al gordo policía jubilado y a sus baladronadas, cruzaba las rodillas pulcramente y fumaba con calma ofreciéndole a Suau el oído bueno, escuchándole en silencio. A esta hora del atardecer, en el verano, había animación en la calle, se hacía tertulia en la puerta del

Trola y los chavales correteaban e insultaban al pobre Bibiloni en su balcón; el loco les arrojaba desde lo alto aviones oscuros y pesados hechos con hojas de diario, que caían en la calzada como pájaros muertos. Alguno aterrizaba a los pies de Suau y de Jan Julivert y éste lo cogía distraídamente y lo desplegaba, leía las noticias en sus alas pero sin dejar de escuchar al viejo chafardero, lo volvía a plegar y lo arrojaba al aire...

La expectación que su regreso había despertado entre el vecindario empezó a decaer. Tal vez lo que ocurría es que ya no tenía edad ni arrestos para nada, tal vez todo le importaba tres puñetas. Sin embargo, la noche de San Juan pasó algo que estimuló de nuevo la curiosidad de la gente.

Anochecía y los chicos ya se habían adueñado de la calle preparando la fogata, tirando *borrachos* y *piulas* a las piernas de las muchachas que pasaban y acarreando muebles viejos y cualquier cosa que pudiera arder. En el aire pesado y sofocante colgaban aviones de papel como murciélagos, y desde el balcón de su casa –no le dejaban salir en las verbenas– Bibiloni volcaba al vacío su grávida cara de luna y chillaba creyéndose que él iba en esos aviones sobrevolando algún desastre, funestas columnas de humo negro y ruinas que le perseguían desde niño. En medio de la calzada ya se alzaba imponente la pirámide de desechos, cuyo centro era un armario desvencijado de la señora Carmen y encima tres sillas en equilibrio coronadas por un viejo neumático de automóvil, cuando, desde la puerta del bar, vimos a Jan Julivert asomarse al balcón. Estuvo un rato observando en la calle el trajín de los chavales, que llamaban otra vez a las puertas gritando «¡más madera!», y de pronto ese renacuajo de la carnicería alzó los ojos y le preguntó qué daba este año para el fuego. Él se le quedó mirando sin responder, pensamos que no había oído, pero cuando el chico ya se iba le llamó.

—Aguarda un momento –dijo, y se retiró del balcón y antes de un minuto estaba abajo en el portal escogiendo algunos chavales para llevárselos con él, los más fuertes. Ellos le siguieron cuando volvió a meterse en el portal, y Néstor, que había salido del bar y también les miraba, me dio con el codo:

—Vamos a ayudarles. –Y echó a correr.

Les alcanzamos en el rellano del entresuelo, frente a la puerta del señor Folch, en el momento en que éste abría y empezaba a ponerse pálido.

—¿Qué quiere usted...?

—Hola, Folch.

Jan Julivert le concedió unos segundos para que se repusiera del susto y añadió:

—Estos chicos andan recogiendo muebles viejos para su hoguera. Yo no tengo, pero usted seguramente guarda algo por ahí.

—Este año sí que no tenemos nada, nada...

—Haga el favor de mirar bien.

—Se lo digo de verdad, señor Julivert.

—Seguro que tiene usted algo por ahí, Folch. Me gustaría complacer a estos chavales. Mírelo.

Hablaba en un tono neutro y más bien bajo. Empujó la puerta suavemente y el procurador se hizo a un lado dejándole pasar, pero sin soltar la cerradura; la otra mano la tenía entre las solapas del batín, a la altura del corazón, como si le doliera. Era el mismo batín a cuadros color mostaza con que llamaba a las puertas de los inquilinos con el recibo del alquiler.

Se oyeron pasos en el corredor y el golpe de una puerta, y Jan dijo:

—¿Su mujer está en casa? Pregúntele, verá cómo ella se acuerda.

—No se encuentra muy bien. Bueno, en la terraza tengo unas cajas de madera...

—Creí que me había entendido, Folch –le cortó él, y

sus ojos se fijaron en el paragüero-percha del recibidor y más concretamente en la estatuilla sobre la repisa; estaba rajada y el niño que cabalgaba el perro tenía la nariz y un brazo rotos.

El procurador esbozó una sonrisa obsequiosa.

–Hubo un malentendido, con los muebles de su madre, y pensé que aquí estarían más seguros... Fue un error de aquel funcionario.

–Dejemos eso. Vamos a hacer una cosa, Folch... Oiga, ¿se encuentra bien?

–Sí, sí. Mande.

–Haremos una cosa, hombre. Como los muebles ya deben estar muy viejos, se los daremos a los chicos y que los tiren al fuego. Y usted les ayudará a sacarlos a la calle. ¿Conforme?

–Bueno...

Pudieron verlo muchos vecinos. Folch ayudó a los chavales a sacar de su casa el sofá y los sillones y también el paragüero; y lo hizo apabullado, pero servicial y diligente, con una crispada premura, con su batín y sus zapatillas de felpa. Los muebles eran, en efecto, viejos y gastados, pero de ningún modo para ser arrojados al fuego.

Cuando Néstor salía con la figura del perro y el niño desnudo, su tío le dijo:

–Espera. Esto no arde. Dámelo.

Permaneció en la acera viendo cómo acarreábamos todo lo demás ayudados por un Folch apesadumbrado y sin fuerzas. Poco después, en medio del griterío de los niños, las llamas de la hoguera se alzaban en la noche. Había mucha gente asomada a los balcones y a las ventanas. El humo espeso y negro del neumático, un manto tachonado de chispas y pavesas a merced de la brisa, se abatió sobre la calle y durante un rato no vimos nada; luego cambió el viento y le vimos allí todavía, de pie en el bordillo: sostenía con ambas manos la figura de porcelana y el resplandor del fuego iluminaba su cara impasible y arrancaba destellos de las pupilas del perro.


## 2

Néstor nunca comprendió por qué su tío había condenado al fuego los muebles de la abuela y sólo había salvado aquella porcelana rota y anticuada. De todos modos, el susto del puerco de Folch había sido algo digno de verse y además demostraba que Jan Julivert no olvidaba. Pero pasaron los días y nada volvió a suceder.

Un lunes al mediodía, delante del Trola, mientras Néstor partía con el punzón una barra de hielo sobre un pedazo de arpillera extendida en la acera, Paco se lo comentó: no se quedará mucho tiempo, ya verás, esta vida de barrio no es para él. Hostia, qué le dijo. Casi lo mata. Paco intentó razonar su idea:

–Está de paso, chaval, ¿que no lo ves? Si ha venido para ajustar cuentas con alguien, ¿a qué espera?

–Te lo dirá a ti, capullo.

–Está viejo, ¿que no lo ves?, y no tiene amigos y está muy fichado. Y es normal que tenga miedo...

En cierto modo todos pensábamos como Paco. Nada ni nadie puede retener a un hombre así por mucho tiempo: ningún hogar, ningún trabajo, ninguna amistad, ninguna mujer y menos aún la familia.

Néstor le agarró del cuello de la camisa y apoyó el punzón en su entrecejo.

–Si vuelves a decir eso te saco los ojos.

Cualquier duda sobre el coraje de su tío le alteraba la sangre. Pero esta vez era otra la razón de su contrariedad, algo que nunca habríamos podido imaginar. Estaba arrodillado en la acera, sobre el hielo partido, y mantenía a Paco acorralado contra la pared. A esta hora no había nadie en el bar, excepto el viejo Suau charlando con el señor Sicart. No soltó la camisa de Paco, pero apartó el punzón de su cara.

Admitió que su tío no había vuelto solamente por eso, para hacerle desear a más de uno no haber nacido; pero que de ningún modo pensaba irse. Lo dijo con los dientes apretados y una rabiosa convicción, que se acentuó aún más al añadir:

—Ya nunca se irá, mamón. Porque está enamorado… Ahora ya lo sabes.

Si lo hubiese dicho otro nos habríamos muerto de risa. Pero Paco no se atrevió ni a parpadear. Néstor jamás nos había permitido un comentario sobre su madre, y no se sabía de ningún chaval en el barrio que lo hubiese expresado en su presencia sin recibir una manta de hostias. ¿De dónde habría sacado esa idea de bombero? Dijo que, un día, registrando el armario del cuarto de su tío, encontró una carpeta con fotografías en las que se veía a él y a su madre paseando cogidos del brazo por el parque Güell, cuando eran jóvenes. Ahora, después de tantos años de separación, y con tantas cosas que les habían pasado a los dos, el asunto se había enfriado y ya no estaban seguros de quererse ni de querer vivir juntos. Pero él estaba buscando trabajo para quitarla a ella del suyo, y eso era buena señal… Néstor nunca volvió a referirse a ello tan directamente, excepto tal vez con Paquita, pero con el tiempo se le convertiría en una obsesión, una estrategia del cariño o de la venganza, dos sentimientos que en él, lo mismo que en su tío, andaban siempre enredados.

Soltó por fin a Paco y siguió machacando el hielo con el punzón. Ya más calmado, abstraído incluso, como si hablara solo, negó que su tío hubiese vuelto para matar las horas en el balcón viendo pasar a la gente o regando los geranios con el gato entre los pies. No, él tenía un plan y ese plan lo había tramado en la cárcel.

–De momento –afirmó– está esperando una llamada de alguien, un aviso, gilipollas. Tal vez la señal para empezar a actuar.

Fue como si de pronto el destino viniera a darle la razón en forma de hombre bajito y rechoncho. Primero oímos crujir sobre la acera los zapatos marrones y blancos y enseguida la voz de rana, que tardó un poco en hacerse entender. Tenía el pelo oscuro y ondulado, la nariz chata y un bigotito negro; una cara redonda y cálida de cantante de boleros. Vestía americana blanca no muy limpia y camisa color chocolate y llevaba al cuello un pañuelo a topos verdes de nudo ampuloso. Su voz era digna de oírse.

–¿Sabéis dónde vive Jan Julivert Mon?

Era un eructo prolongado y profundo y no nacía en su garganta, sino en su estómago. Como si tuviera una carraca en la barriga. Repitió la pregunta y Néstor dijo:

–Es mi tío. Pero ahora no está.

El gordito sonrió mirándole con afecto.

–Así que tú eres Néstor. Vaya, vaya.

Volvió la cabeza al Dauphine naranja parado delante de la tienda de loza, y le hizo al que estaba al volante una seña con la mano indicándole que esperara. Había otro hombre en el asiento posterior, que salió del coche dejando la puerta abierta y se abanicó con los faldones sueltos de la camisa. El conductor dejaba colgar fuera de la ventanilla un brazo velludo con un nomeolvides de plata de gruesa cadena. Los dos llevaban gafas de sol. No tenían aspecto de policías pero su indolente manera de esperar hacía pensar en ellos. La señora Carmen había salido a la calle a vaciar un cubo de agua y se quedó mirándoles con el cubo en suspenso, como si fuera a darles de beber.

–¿Tardará en volver? –inquirió el ronco mecanismo del ventrílocuo.

–No lo sé.

–Me habría gustado saludarle. Dile que le llamaré por teléfono. –Iba a dar media vuelta pero lo pensó mejor y se quedó mirando a Néstor–. Bueno, ya que estoy aquí te dejaré el recado.

–¿Usted es amigo suyo, jefe?

–Hum. –Le quedaba poco resuello y lo empleó en soltar algo parecido a «como hermanos». Sacó del bolsillo una sobada agenda de tapas negras y un pequeño lápiz, y, mientras anotaba algo, aspiró una bocanada de aire y moduló otro prolongado eructo, en medio del cual pudo añadir–: Dile que ha venido a verle el *Caravana*, él ya sabe. Y le das esto. –Arrancó la hoja, la dobló cuatro veces y se la entregó–. No lo pierdas, es muy importante. Dile que de todos modos le llamaré desde Sant Jaume.

–¿Desde dónde?

–No me digas que no conoces el pueblo donde naciste.

Sonriendo, le despeinó con la mano y se encaminó hacia el coche con un trote ágil.

Paquita cruzaba la calle en este momento, apoyándose en sus muletas de color rosa y lila y llevando sujetos del asa varios botes vacíos de pintura; iba a tirarlos en la esquina de la calle San Salvador, en el solar donde se amontonaban las basuras junto al viejo camión de transporte. Su corta melena rizada oscilaba al ritmo de las muletas. En la esquina mellada por el camión, al darse la vuelta sobre la muleta derecha, un golpe de viento hizo revolotear su falda estampada y el hombre de la rana en el vientre se quedó mirándola un rato, parado junto al Dauphine. Bajo la ondulación de la falda, junto al pálido garabato pendular, fulguró durante unos segundos el otro muslo broncíneo y esbelto. Finalmente, el gordito ocupó el asiento junto al conductor y el coche arrancó desapareciendo tras la esquina en dirección a Lesseps.

–En 1930, a los veinte años, pesaba setenta y dos kilos y su talla era de un metro setenta y cinco. Un peso medio esbelto, largo de brazos, con un estilo muy fino –dijo Suau.

Ocupaba la mesa más próxima al mostrador y estiró el brazo para alcanzar el cubilete de los palillos. Pinchó una anchoa por la punta, la enrolló hábilmente, la mojó en la salsa roja y se la llevó a la boca. Frente a él, el tabernero le escuchaba sentado al revés en la silla, con sus peludos antebrazos colgando en el respaldo. Cuando tenía poco que hacer, le gustaba hablar de deportes, sobre todo de fútbol y de ciclismo.

–Parece que llegó a disputar el campeonato de Cataluña.

–No pudo –dijo Suau agitando el sifón antes de soltar un chorro a la copa de vermut–. Una semana antes se rompió la muñeca por querer presumir delante de una chica… El peso medio es ideal para un boxeador; reúne la rapidez de reflejos y la agilidad del gallo y del pluma con la pegada del peso pesado.

Néstor entró con el hielo partido y lo metió en la nevera removiendo botellas, haciendo un ruido de mil demonios. Nos sentamos a jugar una garrafina, y, mientras hablaba, el viejo Suau dirigió una distraída mirada al bolsillo trasero de Néstor, por donde asomaba el papel que le habían dado.

–Era zurdo y le salía muy bien el rizo.

–¿Qué es eso? –preguntó el tabernero.

–Una forma de golpear que ya no se estila, me parece. Pero desde que empezó como aficionado, cuando se entrenaba en un gimnasio de Sants sin que su madre lo supiera, su mejor arma fue siempre el directo al hígado.

Todo esto ya se lo habíamos oído contar hacía

mucho tiempo, cuando Néstor le mareaba a preguntas, hasta que se aprendió de memoria el historial del púgil. Usaba guantes de nueve onzas y hacía combates de tres asaltos, a tres minutos, casi siempre en el Olimpia del Paralelo. Desde los trece años trabajaba de pintor de paredes y por la noche iba al gimnasio. Su padre era viajante de comercio y sus hermanos trabajaban en Can Elizalde, una fábrica de motores de aviación.

–El mayor, Mingo –prosiguió Suau–, era un cenetista convencido y ejerció una gran influencia en Jan. Y su padre, claro. Pero ésta es otra historia.

–Malo –dijo el señor Sicart meneando la cabeza–. Cuando se mezcla la política, malo.

–Luego la familia se trasladó a vivir aquí y Jan trabajó conmigo –dijo Suau–. Le daba duro a la brocha y era rápido, y buen chico, aunque algo violento… Jesús Blay, un entrenador bastante conocido, le vio boxear y se interesó por él. Pero tuvo que esperar bastante, porque de resultas de aquellos merdés de octubre del treinta y cuatro Jan fue encarcelado en la Modelo; por cierto, allí conoció a Palau, que era muy aficionado al boxeo y amigo de Blay. Al año siguiente dejó el amateurismo y pasó a profesional. Blay se lo llevó a entrenar a su casita de Vallvidrera, donde tenía un cuadrilátero al aire libre, y le enseñó todo lo que sabía. Después de diez combates como profesional, de los que ganó siete por K.O. y dos a los puntos, haciendo uno nulo, en abril del treinta y seis era el aspirante más calificado para disputar el campeonato de Cataluña. El chico empezó a prepararse a fondo y algunos domingos yo iba a la montaña a verle entrenarse; era todo un espectáculo cuando saltaba a la comba. Por la mañana temprano se bebía un vaso de agua azucarada y se abrigaba con la toalla para hacer marchas. Si era una carrera con paradas y ejercicio, tirar piedras por ejemplo, solía acompañarle con mi bicicleta y charlábamos. Estaba muy ilusionado. El combate se iba a celebrar en el Salón Iris, en una velada organizada por el célebre empresario Taxonera.

–He oído hablar de él –dijo Sicart con cierta impaciencia en la voz–. ¿Y qué pasó?

–La cosa más tonta del mundo. Un día le dió por presumir de músculo delante de unas señoritas que jugaban al tenis, en un chalet no lejos de donde él se entrenaba. Solía correr por aquellos parajes con el mono azul y la toalla liada al cuello, para sudar; empezaba a tener problemas con el peso. A las chicas se les fue la pelota por encima de la alambrada y quedó colgada en las ramas de un abeto. El fanfarrón subió al árbol y las dejó boquiabiertas haciendo monerías a lo Tarzán, pero la rama se partió y al caer se rompió la muñeca. Hubo que suspender el combate y tururut, porque después vino la guerra.

–Hostia. ¿Y no volvió a boxear?

–A los pocos meses marchaba al frente de Aragón con su hermano Mingo, en la Columna Durruti. Creo que después estuvo en Madrid. Volvió con metralla en el hombro y al cabo de un tiempo, por mediación de Palau, obtuvo una placa de agente de policía. Tenía veintiséis años y estaba acabado para el boxeo.

–¿Agente de policía? –dijo el tabernero enarcando las cejas–. ¿No era un anarcosindicalista?

–No era nada, todavía. Un gallito de pelea.

–El otro día el señor Polo dijo que era un hombre… ¿cómo dijo?, un sujeto capaz de todo, capaz de odiar a diestra y a siniestra.

–Bueno, es que a su padre lo fusilaron dos veces.

–Hostia. ¿Ha dicho dos veces?

–Dos veces, sí señor.

También esto se lo habíamos oído contar, y no sólo a él; el viejo Polo esgrimía otra versión. En la mellada boca de cualquiera de los dos, sin embargo, el asunto era un buen galimatías y siempre sonaba a quincalla, aunque de distinta calidad. El policía retirado solía tramar sus rabiosas historias en torno a la familia Julivert con los hilos más nuevos y aparentemente irrompibles de la versión oficial, autorizada e indiscutible. Suau, en cambio, construía las suyas con materiales de derribo, en medio de un polvo empreñador y engañoso; trabajaba con el rumor y la maledicencia, con las ruinas de la memoria, la suya y la de los demás.

–Primero le pillaron y lo metieron en una checa; hubo un error en un traslado de presos y un día al amanecer lo sacaron con otros elementos del POUM para liquidarlo. –Hizo una pausa para llevarse a la boca el platito con la salsa picante y añadió–: Pero lo fusilaron deprisa y mal, mira, cosas que pasan; y se salvó. Luego cuando entraron éstos, en enero del treinta y nueve, le detuvieron otra vez y fue a parar a la Modelo, de allí al Campo de la Bota y fusilado de nuevo. Y esta vez lo consiguieron, los cabrones.

–Hostia.

–Lo que oyes. –Suau miró a Néstor, que estaba detrás del mostrador–. ¿No tenías que darle un recado a tu tío?

–Fue a comprarse ropa. No creo que haya vuelto.

–¿Por qué no te acercas a ver, antes de que pierdas ese papel del bolsillo?

El tabernero entendió que quería alejar al muchacho de la conversación y dijo:

–Anda, ve si quieres, ahora no te necesito.

Néstor salió a la calle y golpeó con un uno-dos el fleco del toldo. Luego se encaminó hacia su casa.

Sicart se levantó, se sirvió un vaso de vino blanco de un barril, encendió la radio del mostrador y volvió a sentarse.

–De modo que nunca más se le vio en un ring. ¿Ni siquiera lo intentó, después de la guerra?

–Volvió del exilio casi tres años después –dijo Suau– y no fue precisamente para exhibirse en público. Sé que a principios del cuarenta y uno ayudó a organizar el maquis en el Rosellón... Vino por Irún con la ayuda de unos vascos. Tenía treinta años y todos sus amigos habían muerto, además de su padre y su hermano Mingo. Jesús Blay había desaparecido con José Gironés, un púgil muy bueno, habrás oído hablar de él.

–Dicen que era el mejor.

–El mejor, sí.

–Y después, ¿qué pasó?

–Después, caca de la vaca. Colgó los guantes.

–En cierto modo, Suau, todos lo hicimos –dijo el tabernero suspirando–. No hubo más remedio que colgar los guantes...

Vi cómo lo hacía, recordó Suau, cómo los cambiaba por la Walther: iba con él y con su hermano Luis y Palau en un viejo Ford hacia Sant Jaume aquel tórrido domingo de agosto, en busca de un hombre que había visto matar a los tres primos de Jan cinco años antes, un curandero vagabundo y medio chalado, muy conocido antes de la guerra en la comarca del Baix Penedès, *l'Escanyagats,* le llamaban, porque le gustaba ahorcar gatos en las higueras. Pero ésta era otra historia.

–Sí –dijo Suau sonriendo–, no hubo más remedio que bajar la guardia y taparse los huevos. Joc baix y patada a los collons, que decía Palau.

Hacíamos mucho ruido con las fichas del dominó sobre el mármol, en especial ese manazas del *Oreneta,* y se perdía parte de la conversación. Aparentemente, el señor Sicart seguía interesado en la frustrada carrera deportiva de Jan Julivert. Pero detrás de su interés por la gimnasia estaba la magnesia, por así decirlo, y se vio muy claro cuando preguntó:

–¿Y qué me dices de su cuñada? ¿Él aún peleaba cuando se conocieron?

–Creía que sólo querías hablar de boxeo.

El tabernero sonrió bajando los ojos y restregó la

palma de la mano en la rodillera del pantalón. Parecía algo nervioso.

–Ya sabes que mi mujer está enferma y que la he mandado unos días al pueblo...

–Sí.

–Bueno, pues la otra noche me di una vuelta por el barrio chino. Uno tiene derecho a distraerse un poco, sin que la parienta se entere. –Volvió a sonreír tontamente y se rascó el robusto cogote–. Vi a Balbina en ese bar, cómo se llama...

–Sí. Y qué.

–Nada, yo voy a estos sitios de florero. Pero si no fuera del barrio, habría ido con ella.

El viejo Suau esperó un rato y preguntó:

–¿Eso es todo lo que querías decirme?

–No. También pensé en ese hombre... Se dice por ahí que si abandonó el maquis y volvió, fue por ella.

A Néstor le habría gustado estar allí para oír eso. Suau, con su lengua enrevesada y punzante que no solía detenerse ante nada, como una punta de lanza que hurgara siempre en la medrosa memoria del barrio, podía tal vez haberle aclarado muchas cosas al tabernero. Pero el viejo cantamañanas, cuando no quería oír, no oía. Pinchó la última anchoa y se la comió, descolgó de su oreja el medio caliqueño, lo encendió con una cerilla, y, absorto en la contemplación del hilillo de humo apestoso, pero de un azul celeste purísimo, dijo:

–Caca de la vaca, Sicart.

–No me tomes por un chafardero...

–Caca de la vaca.

–Está bien, sólo vino a lo suyo, a asaltar bancos. Y si te da miedo hablar de eso, por si viniera Polo, pues nada...

–¿Polo? Este pobre carcamal ya no asusta a nadie –dijo Suau–. Tú eres un buen hombre, Sicart, aunque le eches agua al vino. Llevas poco tiempo aquí y todo el mundo te aprecia. Y a mí me da apuro hablar de ciertas cosas con un buen hombre, no sé si me explico.

–Pues nada. ¿Otra de anchoas?

–Venga. Están de primera.

Sicart le trajo otra ración y volvió a sentarse. Durante un rato hablaron del calor y comentaron la discusión de la víspera entre los miembros de la junta de vecinos a propósito de cómo pensaban adornar la calle para la Fiesta Mayor de este año. Pero ni el mismo Suau parecía conforme con el cambio de tema, estaba como distraído. Y casi sin transición, en medio de la chirriante música de la radio, dijo:

–Se fue otra vez y volvió clandestinamente en el cuarenta y dos, pero tardó bastante en dejarse ver. Vivía oculto en alguna parte y hacía un trabajo de topo. Propaganda. Yo sabía que algunas noches visitaba a su madre y a su hermano Luis. Balbina aún no vivía aquí, pero venía con mucha frecuencia y a veces se quedaba a dormir, ella y Luis pensaban casarse muy pronto. Luis trabajaba en un taller mecánico de la calle Salmerón y su jornal era el único dinero que entraba en aquella casa. Pero Luis no tardó en unirse al grupo activista de su hermano y empezó a viajar a Francia... Y un día no volvió más. Balbina estaba embarazada.

–Entiendo.

–No, Sicart, no entiendes. –Chupó del caliqueño hasta juntársele casi las arrugadas mejillas y prosiguió–: Una noche, por fin, pude hablar con Jan en su casa. Era otro hombre. Yo sólo quería saber de mi hija, que entonces vivía en Montpellier con un refugiado y no había vuelto a escribirme ni a interesarse por la niña... Seis meses después ya me tienes trabajando con Jan. Falsificábamos pasaportes, carnets de conducir, certificados de matriculación de coches y toda clase de documentos para aquellos que tenían que pasar la frontera o moverse por el país, miembros de comités regionales casi siempre, que andaban de aquí para allá reuniéndose. Yo no dibujaba mal entonces. Lo hacíamos en un pisito destartalado del Pueblo Nuevo que Jan compartía con un joven matrimonio vegetariano, la casa siempre olía a coles hervidas... Aquello estaba lleno de maletas de doble fondo, de sellos, tintes y remaches. Un trabajo bonito, de artista. Pero él necesitaba acción y empezó a desentenderse; un día le vi con la pistola y la sobaquera y supe que había ido con otros a poner una bomba en no sé qué consulado, y otro día mataron a un inspector de policía... Polo conoce la historia. Era el principio de lo que tres años después, luego de una larga estancia en Toulouse preparándose con un grupo especial, le convirtió en lo que Polo llama un facineroso, un atracador de bancos. Para entonces yo había abandonado toda actividad y no quise volver a mezclarme en nada... –Clavó en el tabernero una rápida mirada suspicaz y bajando la voz prosiguió–: A finales del cuarenta y cinco el grupo fue cercado por la policía y prácticamente deshecho, los detenidos sometidos a consejo de guerra y fusilados. En esa época, dicen que Jan juró matar al juez que los sentenció. Él pudo escapar a Francia y meses después volvió con más gente... y así hasta el final. Caca de la vaca. ¿Que si ahora ha vuelto es sólo por eso, por su cuñada, me preguntas...? Pues mira, hazte la cuenta que sí y no le des más vueltas, te conviene. Y deja de hacer el florero en ese bar de meucas, créeme.

En este momento entró Paquita con el cubo y pidió al señor Sicart una cerveza grande, una gaseosa y una peseta de hielo; dijo a su abuelo que la comida ya estaba en la mesa y luego arrimó la oreja a la radio sobre el mostrador. Llevaba una bata azul sin mangas y la muleta clavada al sobaco ahuecaba la tela y se le podía ver el perfil de un pecho con el pezón y todo, porque debajo no llevaba nada. Nos sonrió con su boca triste mientras esperaba, en el pelo lucía un ramillete de violetas de mentira. El viejo Suau se levantó y pagó, cargó con el cubo del hielo, pellizcó la barbilla de su nieta y se marchó con ella.

Muchos años después, cuando el historial delictivo de Jan Julivert sería enteramente del dominio público y tan contradictorio en su versión completa, yo había de volver mentalmente a este caluroso mediodía en el bar Trola, al dominó, al perfume a carajillo del mármol de la mesa, a la voz carrasposa del viejo Suau y al pechito de limón de la Paqui; quizá porque de muchachos teníamos siempre engatillada la imaginación, alta la mira, quizá porque estábamos más dotados para captar el brillo casi fanático, el fulgor que solía poner Suau en algunos de sus recuerdos, y porque entonces éramos más sensibles al mágico sonido de ciertas palabras, siempre he preferido, entre todas, aquella versión con el piadoso final y el prudente consejo a Sicart que escuchamos allí en boca del viejo liante:

—No le des más vueltas, Sicart. Ha vuelto por ella. Por lo que esa mujer significó en su vida. ¿No es lo que le gusta creer a la gente? Pues eso.

# CAPÍTULO V

## 1

Cuando Néstor llegó a casa, Balbina aún dormía. En un cenicero del comedor vio dos ovaladas colillas de Abdulla y supo que el *Nene* había estado allí. Macarra de mierda, esto se te va a acabar. Fue al cuarto de su tío y encontró a éste sacando calcetines y camisetas de un envoltorio de papel que llevaba el nombre de una popular tienda de la Travesera de Gracia. También se había comprado una tosca camisa azul marino con bolsillos y unos pantalones de saldo, anchos y anticuados.

–Un hombre me ha dado esto para ti –dijo Néstor–. Que no podía esperar y que te llamará. Tenía una voz muy rara...

Jan Julivert cogió el papel y leyó: «Juez Klein Aymerich, calle del Iris, torre, sin número. Cerca Guinardó. Avisa si hago falta. Salud. J. Sansa.»

Guardó la nota en el bolsillo, sacó una percha del armario y colgó los pantalones.

–¿Iba solo?

–Con otros dos –se apresuró a informarle Néstor–. En un Dauphine naranja matrícula de Tarragona.

–¿Conoces esta calle?

–¿Qué... calle?

Ponía cara de no saber de qué iba la cosa. Jan Julivert escrutó su falsa expresión de inocencia.

–¿Vas a decirme que no has leído el recado?

–Bueno, yo...

–Está bien. ¿Conoces la calle?

Néstor tragó saliva.

–Sí... Y la torre también. Casualmente suelo ir a llevar pedidos del bar. –Captó su parpadeo reflexivo, su alertada atención ante el armario abierto–. Es una paliza, con la carretilla cargada, porque todo es subida. Es una casa muy grande en medio de un parque...

Al cabo de un largo silencio, su tío preguntó sin mirarle:

–¿Y dices que vas a menudo?

–Sí. Hay una criada que es parienta...

–Entonces –le interrumpió él, reanudando la colocación de la ropa en el armario– conocerás al dueño.

–Nunca le he visto. Yo me entiendo con las criadas. Pero el tío bebe como un cosaco o en esta casa se dan muchas fiestas, porque las cajas de jerez y de coñac que llegan a liquidar... A la señora sí que la he visto alguna vez, de lejos, paseando por el parque. Siempre lleva unas gafas negras y va descalza... Es muy guapa.

–Debí comprarme otra camisa como ésta.

–Parece de mecánico. A mí me gustan negras.

Vio en el armario un sombrero marrón claro, de tela de gabardina. Ahora su tío le había vuelto la espalda y miraba las fotografías clavadas con chinchetas en la pared, formando una orla alrededor de los guantes de boxeo. En tres de las fotos aparecía muy joven y con la guardia alta ocultándole casi el rostro, agazapado, en una cuidada pose de estudio con el nombre del fotógrafo estampillado en un ángulo; en las demás, borrosas, se le veía entrenándose con el saco de lona, cruzando los guantes con un compañero en un cuadrilátero al aire libre, entre pinos, y rodilla en tierra en primera fila de un ángulo en un gimnasio, cogidos fraternalmente de los hombros. En ésta había varios autógrafos en tinta casi borrada y una fecha, 15 de septiembre de 1930.

Néstor observó un hueco en el círculo; faltaba una foto en la que su tío estaba solo, en el parque Güell, con una indumentaria vagamente militar. Nunca se había fijado muy bien en esa foto porque en ella ya no era un boxeador, sino un pobre soldado de permiso que el domingo va a pasear con un amigo o con la novia, que seguramente fue la que le hizo la foto...

–Creo que sería mejor que te las llevaras todas –dijo Jan Julivert.

–Te las cuidaré bien. Como los guantes.

–Veo que también te has apropiado del punching.

–Lo tengo colgado en el taller de Suau. Mi madre no me deja entrenar en casa.

–¿Por qué no vas a un gimnasio?

–Eso cuesta dinero.

–A ver, ven aquí. –Le aplastó la nariz con el pulgar, a un lado y a otro–. ¿Ya te vieron eso?

–Sí. El doctor Cabot. La primera vez salió mucha sangre y mi madre se asustó. Pero aún no está rota del todo...

–Muy bonito. Le hiciste gastar a tu madre un dinero que seguramente no tenía.

–Ningún dinero. –Los ojos de Néstor chispearon bajo el flequillo rebelde–. Este hijo de perra no le cobró nada, faltaría más, ¿entiendes?

Esperó a que él le animara a seguir, pero fue en vano. Entonces bajó la voz y agregó:

–¿Quieres saber algo cabreante de este jodido medicucho, tío?

—Otro día. Desclava las fotos, si las quieres.

—El hijo de puta ya la buscaba cuando ella fregaba suelos en la clínica, y por su culpa la echaron a la calle...

Jan cerró de golpe el armario y estrujó el papel que había servido de envoltorio a la ropa. Néstor ya desclavaba las fotos de la pared.

—No te enfades conmigo, tío. —Dejó pasar un rato y dijo—: Tío.

—¿Qué?

—A que es guapa Balbina.

—Sí que lo es.

—A que todavía gusta a los hombres.

—Eso a ti no debería importarte.

—¿Tú no crees que alguien se podría enamorar de ella, todavía? Pero quiero decir de verdad... Tendrías que verla cuando se pone elegante, con su vestido negro de tirantes. Me gustaría que dejara ese empleo de camarera y se quedara en casa.

Había en sus palabras un sentimiento que el chico no era capaz de manejar con soltura, y su tío lo notó.

—¿Me regalas también estos guantes? Los otros ya están muy cascados.

—Llévatelos.

—Lo que necesito ahora es un saco de arena para trabajar la pegada.

—Mejor de serrín. Podrías romperte los dedos.

Jan se había sentado en la cama para quitarse los zapatos.

—Oye, ¿no conservas el protector de los dientes? —dijo Néstor.

—No.

—¿Y una bata con tu nombre en la espalda?

—Tampoco. Tenía un albornoz.

—Tío, ¿tú eras un rudo fajador o un fino estilista?

Jan Julivert sonrió con la cabeza gacha.

—No sé lo que era, sobrino.

Néstor observó sus manos tratando el cordón del zapato: lenta y cuidadosamente, sin la menor afectación, como cuando hacía solitarios con la baraja o pasaba la hoja de un libro mientras leía, o como cuando se afeitaba cada mañana... Sin embargo, ahora, al sacarse del bolsillo el papel con el nombre y la dirección anotados, al desdoblarlo para leerlo otra vez, le pareció captar un leve temblor.

Advirtiendo que el muchacho le miraba, Jan alzó la mano abierta a la altura de la cabeza y dijo:

—Vamos a ver, Max Baer. Pega con fuerza. Vamos.

Néstor se agazapó, amagó el golpe un par de veces y soltó el puño izquierdo cargando hacia adelante todo el peso del cuerpo. La mano paró el golpe sin moverse apenas.

—No está mal. Te conseguiré un saco si no le dices nada a tu madre. —Se incorporó de la cama y volvió a guardarse la nota en el bolsillo—. Ni siquiera debes decirle que me has traído un recado, ¿entendido?

Néstor tardó unos segundos en reaccionar: creía entender que sí, que algo importante y enigmático había empezado, por fin, a ponerse en marcha.

—Seré una tumba, tío.

—Ahora vete a comer y no despiertes a tu madre. Yo comeré con ella cuando se levante, ahora no tengo hambre. Lárgate.

2

Tumbado en la cama con las manos bajo la nuca, trataba de imaginar la torre donde vivía el juez Klein Aymerich. Por el balcón entornado entraban rumores de la calle, el calor húmedo y pegajoso y el miedo. Trataba de analizar este miedo mientras rompía la obsesiva nota de Sansa en trocitos diminutos, cuando oyó ruido de platos en la cocina y pensó que Néstor había terminado de comer.

Enseguida oyó sus pasos en el recibidor. El chico se había parado ante la puerta del dormitorio, pero no la abrió. Parecía que escuchara a través de la puerta. El miedo de saber, tal vez...

—Tío, ¿estás durmiendo?

—Qué quieres.

—Hay un dragón en el cuarto de mi madre, en el techo. Y no sé qué hacer.

—¿Cómo dices? ¿Un qué?

—Un dragón.

—Será un lagarto. Una salamanquesa.

—Bueno, pues eso.

—Son inofensivas.

—Está encima mismo de su cabeza, agarrada al techo, y se puede caer y darle un susto. He probado a espantarla con la escoba, pero no se va... Y ella está dormida.

—Prueba otra vez.

—El techo es muy alto y no llego ni subido a la silla. Además, me tengo que ir... Prueba tú, por favor. No quiero despertarla. ¡Hasta luego!

—¿Tan pronto a la taberna?

—Todavía no. Voy a hacer un poco de muñeca con el punching. No te olvides del dragón...

Jan oyó la puerta del piso cerrándose despacio, sin apenas ruido. Todo quedó en silencio.

El miedo, tal vez, de saber que todo acabó y al mismo tiempo sentir que debería volver a empezar... Cuando se adormilaba pensó en el dragón del muchacho. Media hora después se despertó, encendió un cigarrillo, cogió una toalla del armario y se encaminó a la ducha. Antes de entrar decidió servirse una ginebra con agua en la cocina y mientras bebía allí el primer trago se acordó del dragón y decidió ir a ver.

Abrió la puerta-vidriera del dormitorio y al principio no vio nada. El gato saltó de la cama y se escabulló entre sus piernas. Descalzo, con la toalla al hombro y el vaso en la mano, avanzó un poco mirando el techo. La oscuridad fue quedando en penumbra. No vio la sala-manquesa o lo que fuera ni en el techo ni en las paredes. Balbina dormía desarropada y bocarriba, un poco girada sobre la cadera izquierda, un brazo doblado por encima de la cabeza y el otro sobre los ojos, como protegiéndo-se de una luz o de un viento. Parecía dejarse resbalar de espaldas por el tobogán de un sueño, con el viso negro subido en un costado y medias negras hasta la mitad de los muslos. La sábana estaba arrugada a los pies del le-cho. Todo parecía en orden, incluido el capricho o la dejadez de acostarse con medias, y se disponía a dar media vuelta para salir. Entonces, repentinamente, algo retuvo su atención, como si acabara de captar una ter-cera presencia en el cuarto; no era el maldito bicho, dondequiera que se hubiese escondido, y tampoco era la alegre disposición del vaso encapuchando el cuello de la botella de coñac en la mesilla de noche, una costum-bre, que él ya conocía, del joven ciclista amigo de su cuñada; ni siquiera lo chocante que resultaba verla dur-miendo con medias negras. Era otra cosa que no se de-jaba ver, como la conciencia suspendida de algo que aún no había pasado…

Más tarde, después de ducharse y cambiarse de ropa, encontró a Balbina sentada a la mesa del comedor frente a una taza de café frío. Se había puesto la bata y quita-do las medias, que enrollaba con aire soñoliento, entre desconcertada y divertida:

–No lo entiendo. Juraría que al acostarme me las quité… Y no recuerdo haber bebido anoche. ¿Me oíste llegar, hice mucho ruido?

–No.

–Entonces es que me estoy haciendo vieja –suspiró.

–¿Cómo puedes llevar medias con este calor?

–Sólo los domingos. Es por complacer a un cliente... –Vio a su cuñado con la americana echada sobre los hombros y mirando el reloj–. ¿Vas a salir?

–Quiero hablar con Suau.

–¿Para un trabajo? Él ya no puede ayudarte en lo suyo... ¿Has pensado en alguna otra cosa?

–No. Lo que salga.

–No será fácil, a tu edad y saliendo de la cárcel.

–Lo sé.

De nuevo consultó su reloj. No parecía interesado en el tema, no en este momento. Pero Balbina insistió al recordar algo:

–¿Por qué no vas a ver a tu tía monja? Está en la clínica Santa Fe, aquí mismo... Siempre sabe de algún trabajo eventual para jubilados, de jardinero o vigilante de obras, de cobrador a domicilio... A mí me ayudó hace años. Bueno, tuve que matarme fregando pasillos y lavabos y me harté de hacer camas, pero entonces no tenía más remedio. A veces lamento no haber sabido aguantar... ¿Tienes tabaco? Siéntate y hablemos un rato, hombre.

Él le ofreció un cigarrillo y lumbre, pero no se sentó.

–Habría terminado de criada en una casa de ricos –prosiguió Balbina– y tal vez habría sido mejor, sobre todo para el chico. La Madre Teresa está muy relacionada y conoce a mujeres de médicos que a veces necesitan criadas. Ya será muy vieja, pero seguro que aún anda en eso. Ha hecho algunos favores a gente del barrio. –Su cuñado se abrochaba los puños de la camisa y no parecía oírla–. A una chica que fregaba el cine Rovira la colocó de sirvienta en casa de una señora que estuvo enferma en la clínica. Esa gente a veces busca un chófer o... yo qué sé, podrías probar. Yo no quiero acercarme por la clínica, quedé muy mal con ella.

–No sabía que aún vive –dijo Jan–. Apenas la he

conocido. Y no creo que una monja recomiende a un ex presidiario.

–No lo sabe. Tu madre siempre le dijo que estabas en Francia. Quería mucho a tu madre y estoy segura que hará por ti lo que pueda. Con probar no se pierde nada.

–Está bien. Ya veremos.

–Espera –dijo Balbina levantándose. Había visto un hilo que colgaba de la solapa. Lo enrolló con el dedo índice, se puso de puntillas y con los dientes cortó el hilo–. Ya está.

Él se volvió mientras encendía un cigarrillo, se acomodó la americana sobre los hombros y se encaminó hacia el pasillo.

–¿Llevas dinero? –dijo Balbina.

Él no la oyó.

3

En todo caso tenía suficiente dinero para pagarse las muchas ginebras con agua fría que consumió a lo largo de cuatro días en el bar Trola, de donde apenas se movió para ir a casa a comer. Sentado en una mesa del fondo, cerca del billar, el pitillo humeando en los labios y la espalda apoyada contra la pared, se pasaba las horas leyendo el diario y novelas baratas que Néstor le cambiaba en el quiosco-librería de la señora Carmen. No parecía interesarse por nada de lo que pasaba a su alrededor, ni siquiera en las horas de más afluencia de parroquianos, y no hablaba con nadie, y sin embargo todos sus sentidos parecían alertados.

Sobre aquellos pómulos como de piedra pulida por el agua, malignos como una infección detrás del apacible humo del cigarrillo, los ojos se entrecerraban absortos en la lectura, aparentemente: nunca su aspecto, ni siquiera cuando se entretenía limpiándose las uñas con un palillo o haciendo un crucigrama, era el de un hombre que ha salido de casa para matar su aburrimiento en la taberna de la esquina. Néstor nos lo había de aclarar todo algún tiempo después, y sólo entonces, en la visión retrospectiva de aquellos cuatro días de misteriosa y paciente espera, todos creímos recordar –o tal vez sólo lo imaginamos precisamente para adecuar el deseo a la realidad, como había de sucedernos en tantas cosas– un detalle significativo: cada vez que el tabernero, después de atender algún pedido por teléfono, llamaba a Néstor y le ordenaba ir a entregarlo con la carretilla, Jan Julivert suspendía imperceptiblemente la lectura y permanecía atento a la dirección del particular que había hecho el encargo. Convinimos en que podía haberse ahorrado molestias con sólo decirle a Néstor que le avisara si iba a casa de Klein. Podía, pero no lo hizo; tenía otro plan y prefirió atenerse a él. Casualmente, durante cuatro días, en el Trola no se recibió ningún encargo desde la torre de la calle del Iris.

La ocasión se presentó un viernes al caer la tarde. El viejo Polo entró en el bar y pidió una cerveza negra en el mostrador. Venía de pasear al collie de la señora Grau y lo llevaba sujeto a la cadena, y le acompañaba Gonzalo Mir, que estaba emparentado con él y solía visitarlo una vez a la semana a instancias de su padre, un jefecillo de Falange que trabajaba en la Delegación del distrito. Desde que vivía solo y andaba mal de salud, el policía jubilado recibía como una asistencia gremial y hasta un callado homenaje, una admiración obsequiosa e idiota por parte de Gonzalito y sus jóvenes secuaces de la plaza Lesseps, casi todos ellos hijos o sobrinos de antiguos compañeros de Polo, funcionarios del cuerpo de policía.

Al ver a Jan Julivert sentado en la mesa del fondo, apoyó el codo en el mostrador, el vaso de cerveza en la mano, y se le quedó mirando con talante profesional, inquisitivo.

—¿Algún problema, Sicart? —dijo sin mirar al tabernero y en tono rutinario.

—Todo va bien, señor Polo.

—Mejor así.

Se llevó un palillo a los dientes y empezó a triturarlo. Jan apartó los ojos del diario que estaba leyendo y le miró durante una fracción de segundo. Ya debía saber por Néstor, aunque no le hubiese preguntado nada al respecto, que Polo estaba retirado del servicio, que durante dos años trabajó como detective en los Almacenes El Águila y que ahora paseaba perros de ancianas ricas... En este momento el collie tiró de la cadena y le hizo derramar a Polo un poco de cerveza. Le atizó una patada en las costillas y el animal aulló, olfateó ansiosamente un hueso de aceituna, se echó en el suelo y empezó a lamer su picha afilada y carmesí. Volvió a levantarse y a tirar de la cadena hacia la calle, y Polo volvió a patearle.

—No debería tratarle así, hombre —dijo Sicart.

—Sé cómo tratar a los animales —gruñó mirando la mesa del fondo—. Cualquier clase de animales. ¿Entendido?

—Tiene ganas de mear.

—Que se aguante. También me aguanto yo.

Medio en broma, el tabernero se apresuró a advertirle:

—Pues si el perro se mea aquí y mi mujer se entera, verá usted la que se arma.

Entonces entró Bibiloni y saludó muy ceremoniosamente con las manos unidas sobre la barriga y entornando suavemente los párpados de ternura asiática:

—Caballelos del Si-Fan...

—¡Honolable Señol! —coreamos desde el billar.

—Un calol de muelte, hostia. ¡Uff!

Hizo el avión con los brazos extendidos y recaló en el mostrador y pidió una grosella con mucho hielo. Estaba sofocado y parecía feliz con sus grandes ojos líquidos llenos de Messerschmitt y de Heinkel. Al ver a Polo se cuadró ante él. El joven *flecha* se acercó en actitud preventiva, pero Polo le hizo señal de que lo dejara estar. Bibiloni, muy serio, hizo el saludo militar:

—Mi general, el Messerschmitt está tocado del ala, pero estos cabrones de alemanes son buenos pilotos. ¿Qué hacemos?

El viejo policía ni le miró.

—Tú sí que estás tocado del ala. Por cierto... Me vas a escribir una cosita aquí.

Sacó del bolsillo un pequeño bloc de espiral y la estilográfica. Bibiloni aún no había bajado la mano y Polo tuvo que decirle, de mala gana:

—Descansa. Tú sabes escribir, ¿no?

—Sí señor.

—Pues toma. Pon lo que quieras. El perro es bonito.

—No me gusta.

—Pon otra cosa. —Sonrió burlón—. Una bomba cayó en mi casa de la calle Hospital...

—No le recuerde eso al pobre chico, no sea usted así —le reprendió Sicart.

—Qué más da. Si está lelo, no puede acordarse —dijo Polo—. Porque oye, no eran aviones alemanes los que bombardearon su casa en mayo del treinta y ocho, sino italianos. Trimotores Savoia.

—Para él es lo mismo —dijo el tabernero.

—Anda, Bibiloni, escribe lo que se te ocurra.

El loco se lo pensó. Iba a apoyarse en el mármol de una mesa, pero lo vio mojado y escogió el billar. Tenía la letra más bonita que jamás habíamos visto; pero no era por supuesto la que Polo buscaba. Entonces fue cuando éste ordenó a Néstor:

—Tú, sinvergüenza, ven aquí. El otro día me liaste

con eso de que te falta un dedo. Me han dicho que eres zurdo. Así que ven.

Néstor, que había estado barriendo malamente debajo de las mesas y las sillas, se le acercó arrastrando la escoba con aire de chunga. No hizo caso de la sonrisa lechosa de Gonzalito –tenía una dentadura blanca y perfecta, el fanfa– y con el rabillo del ojo vio a su tío golpeando el extremo del cigarrillo en la uña del pulgar; había suspendido la lectura del diario y parecían entretenerle bastante esas pesquisas caligráficas del viejo Polo.

–Ahí tienes –dijo Polo ofreciéndole a Néstor el bloc y la pluma–. Despacio y buena letra. Con la izquierda.

–Le han engañado, inspector –dijo Néstor–. Con la izquierda no hago ni palotes.

–Lo vamos a ver.

Mientras Néstor escribía, Gonzalo se asomó a mirar por encima de su hombro. Néstor se volvió despacio y le dedicó una sonrisa todo dientes y además sucios:

–¿Se te ha perdido algo, chaval?

–Podría ser.

–Vale. ¿Sabes una cosa? Se está rifando una hostia y tú tienes todos los números...

–¿Sí?

–Déjale, Gonzalo –ordenó Polo–. Quita de ahí.

El joven *flecha* se apartó sonriendo y Néstor escribió me cago en tu padre, pero lo que salió de la pluma era ilegible, un garabato que hizo reír a Bibiloni. Polo miró un rato la hoja del bloc, luego la arrancó y la estrujó, tirándola al suelo. Entonces se fijó en nosotros y escogió al *Oreneta*.

–A ver, tú, acércate. ¿Cómo te llamas?

El chico avanzó como una tabla. Era delgado y oscuro y las manos largas y guarras le colgaban más abajo de las rodillas.

–*Oreneta*. Juan *Oreneta*.

–Ah. Vasco.

–Golondrina… Es un mote.

–Bueno –dijo Polo confuso–. Veamos si tienes buena letra.

Tampoco era ésa la que buscaba, a juzgar por la cara que puso al verla. Fue cuando sonó el teléfono y Sicart atendió la llamada, anotando algo en una libreta. Colgó y dijo a Néstor:

–Saca dos cajas de Estrella Dorada, una de sifones y dos botellas de jerez y lo llevas a casa del señor Klein.

–¿Ahora mismo?

–Ahora mismo.

Polo se había sentado resoplando de calor y sujetaba al perro. Gonzalo le trajo otra cerveza negra. Mientras cargaba las cajas en la carretilla, delante del bar, Néstor vio a su tío pagando las ginebras en el mostrador. Pero cuando salió de la trastienda con la última caja, Jan Julivert ya no estaba allí.


4


Le vio un minuto después, parado en la esquina de la calle Sors. Estaba atándose el cordón del zapato apoyado en la pared.

–Te acompaño. Charlaremos un rato.

–Bueno.

Fueron por Escorial en dirección Travesera. Era subida, pero Néstor empujaba la carretilla sin aparente esfuerzo. Después de un silencio, su tío dijo:

–¿Te gusta este trabajo?

–Me da lo mismo.

–Tu madre dice que has sido aprendiz de todo y de nada.

–Yo qué sé.

–Creo que deberías buscarte algo mejor que eso de ir por ahí repartiendo cajas de cerveza.

–Estuve de aprendiz en un taller de joyería y luego fui mecánico. La joyería me gustaba, es una cosa artística... Pero una laminadora me pilló el dedo. Mira.

–Pero hay otras cosas que podrías hacer.

–No es para toda la vida. –Néstor reflexionó un momento y agregó–: Me gustaría ser lo que tú eras antes... Guardaespaldas.

–Eso no es ningún oficio.

Pasaron frente a la iglesia de Las Ánimas y la calle de las Camelias y luego cruzaron Travesera de Dalt hacia Virgen de la Salud, torciendo a la derecha, en dirección al Guinardó. Jan Julivert reconoció la escenografía accidentada y humilde, pesebrista. Minutos después todo era subida y el barrio envejecía y se encastillaba, se hacía residencial y al mismo tiempo, parcialmente, ruinoso y maligno. En las calles empinadas y terrosas, el reflejo remansado del sol poniente parecía prolongar el día y el fuerte calor. No se veía a nadie ni circulaban coches. Voces de niños y de pájaros se precipitaban desde más arriba y lejos, tal vez desde las laderas del Monte Carmelo y de la Montaña Pelada.

–Hace años que no venía por aquí. ¿No queda un poco lejos del bar, para mandar traer bebidas? Habrá tiendas más cerca...

–Seguro –dijo Néstor–. Pero la criada es parienta del señor Sicart y por eso hace los pedidos al Trola... Un poco lejos sí está. Antes venía con Bibiloni o algún amigo y les hacía tirar de la carretilla.

–Te habrás hecho amigo de la criada.

–¿De Elvira? Huy, ésta, lo que sabe. Pero es una estrecha. Va a bailar al Price... ¿Sabes quién la colocó de raspa en casa del señor Klein? La tía monja. Antes pencaba en la cocina de la clínica y no le gustaba, quería irse otra vez al pueblo, y el señor Sicart habló con mi madre y ella le dijo que fuera a ver a la monja, que es especialista en colocar marmotas... Ya llegamos.

La calle del Iris, larga y sin aceras, a trechos pedregosa, conservaba la ondulante pereza y el trazado sinuoso de lo que en tiempos fue un sendero en la colina de un parque natural, hoy parcelado en fincas umbrosas que presidían esbeltos pinos y algún ciprés, y protegidas por altos muros de piedra gris coronados de buganvilla malva y de jazmín. De su flanco occidental, sobre la ciudad, partían angostos pasajes de aceras escalonadas, sin viviendas, que descendían como toboganes forrados de hojarasca de eucalipto. Remontada la cuesta, la calle se torcía levemente a la derecha y aumentaba la algarabía de pájaros en los jardines ocultos tras la muralla.

Néstor paró la carretilla frente a una verja de hierro, justo donde la calle volvía a descender ahora en dirección a Horta, con inclinación cada vez mayor y aspecto de torrentera, hasta morir, trescientos metros más abajo –más allá de una calle transversal igualmente sin asfaltar y llena de baches, pero la única de por allí que parecía viable para automóviles–, en un descampado con algunas barracas y miserables huertas confinadas por cercas de alambre de púas.

Mientras Néstor pulsaba en el muro un timbre rojo protegido por media teja, Jan observó parte del jardín a través de los arabescos de la verja de hierro: acacias y bancos de losetas azules y blancas, y la hilera de cipreses al fondo, ocultando parcialmente la fachada gris de la torre. Se oía un rítmico peloteo en algún cercano frontón, pero ni una sola voz humana.

# SEGUNDA PARTE

# CAPÍTULO PRIMERO

Yo insomne, loco, en los acantilados; las
naves por el mar, tú por el sueño.

GERARDO DIEGO

## 1

La torre de los Klein se alzaba en la linde de un
frondoso parque rodeado por un muro de tres metros
de alto erizado de vidrios afilados. El descuidado jardín
delantero estaba partido por un sendero de tierra roja
que conducía hasta el pequeño porche de cuatro columnas con vitrales en la primera planta. El sendero se bi-
furcaba y, a la derecha, discurriendo entre jóvenes sau-
ces medio recostados en la hierba y un gigantesco
eucalipto, llegaba a un garaje cuya puerta metálica alzada dejaba ver un Packard color castaño. Fuera había un
Volkswagen de maltrecha carrocería; una muchacha con
camisa a cuadros y sombrero de paja lo estaba lavando
con una manga de riego. Néstor la saludó con la mano
y ella se limitó a mirarles. «La hija del juez –dijo a su

tío–; es medio cegata.» Anexo al garaje había una leñera rodeada de madreselva. Delante del porche se abría una plazoleta cubierta de grava con tres bancos de hierro pintados de blanco en torno a un viejo surtidor. Por todo el flanco derecho de la torre, respetando solamente la puerta de servicio, trepaba una hiedra reseca y polvorienta como un trenzado de cuerdas podridas. El jardín cercaba la torre y se prolongaba tras ella, pero ya desfigurado por la maleza y abandonado a su suerte, hasta que, abruptamente, unos treinta metros más allá, se convertía en frondoso parque de pinos y abetos. Desde el borde de la terraza inferior partía en suave pendiente un cuadro de césped cuyo verde esplendor se apagaba conforme se acercaba a la linde del parque en compañía de furtivos hierbajos y degradadas margaritas. Al fondo, entre los pinos, se alzaba un pabellón de ladrillo rojo y techo de pizarra.

Mientras Néstor descargaba la carretilla a la puerta de la cocina, su tío se colgó la americana en el hombro izquierdo y se alejó curioseando hasta desaparecer detrás de la casa.

Una joven criada de encendidos mofletes, bajita y de tobillos gruesos, abrió la puerta-mosquitero y dejó pasar a Néstor con la caja de cervezas en la espalda.

–Qué rápido has venido hoy.

–Que me muero por verte, raspa. Oye, podrías ir sacando los envases.

–Sácalos tú, no te vas a herniar. ¿Traes el jerez?

–Sí señora.

Ella se hizo cargo de las botellas de vino, Néstor entró lo demás y sacó las cajas con los envases, cargándolas en la carretilla. En una caja faltaban ocho cascos de cerveza.

–Estarán en el pabellón –dijo la criada–. Ve por ellos, anda, yo tengo mucho trabajo…

–Menuda cara tienes tú. ¿Y Anselmo?

–Ha ido a un recado, y Mercedes está arriba con la abuela. Y a ver qué haces, que la señora anda por ahí... Quita las manos.

Néstor intentó pellizcarla, pero la muchacha se escabulló.

Camino del pabellón vio la hamaca colgada entre los pinos y la larga mesa de piedra. No corría la menor brisa y la atmósfera parecía crepitar; en el borde de la mesa, la cola de una lagartija se inmovilizó un instante antes de desaparecer. Néstor casi tropezó con la mujer dormida en la tumbona. Retrocedió un poco y se paró a mirarla, nunca había tenido ocasión de verla tan de cerca. Llevaba gafas de sol, iba descalza y una de sus bronceadas piernas le colgaba fuera, los dedos del pie rozando los cristales de un vaso roto en el suelo. Al levantarse se puede cortar, pensó. Tenía un libro en el regazo y bajo el rubio mechón de cabellos que le tapaba un lado de la cara, Néstor distinguió la sedosa y delgada cicatriz que corría desde el pómulo a la comisura de la boca, pellizcando el labio superior y tirando de él hacia arriba en un amago de sonrisa... Oyó un ruido a sus espaldas y al volverse vio a su tío que, la mano apoyada en el tronco de un pino y un pie cruzado delante del otro –como si llevara allí un buen rato–, miraba también a la mujer.

Nestor siguió andando y entró en el pabellón como hacía siempre, respirando fuerte por la nariz: flotaba allí dentro un olor a cera virgen que le gustaba. Había cuadros con escenas de caza y un diván y dos butacas de cuero negro frente a la chimenea apagada, sucia de colillas y de chapas y corchos de botellas, y junto a la ventana abierta una mesa-tablero de ajedrez con un vaso y tres cervezas vacías. Lo más chachi era la piel de tigre extendida al pie de la cama-turca llena de almohadones de raso de diversos colores. En el suelo había cuatro botellas más, pero la octava no aparecía por ninguna parte. Finalmente la encontró en la repisa de la ventana y al mirar más allá vio a su tío arrodillado delante de la señora dormida en la tumbona, recogiendo con el mayor cuidado los cristales del vaso roto. Había algo reverencial en su actitud, una delicadeza gestual.

Cuando salió con los envases y se disponía a hacerle una seña, vio que ya no estaba. Regresó dando un rodeo para no despertar a la señora Klein. En la cocina no había nadie y aprovechó para birlar un melocotón del frutero sobre la mesa y le pegó un mordisco; abrió la nevera, no vio nada que le interesara y volvió a cerrar.

Poco antes, la criada había salido al jardín y vio a Jan Julivert esperando en la verja de la calle; miraba las ventanas altas de la torre como si escuchara voces. La muchacha reflexionó unos segundos y se encaminó muy decidida hacia el desconocido por el paseo central.

–Oiga, ¿viene usted de parte de la Madre Teresa..?

Él se quitó el cigarrillo de los labios, un poco sorprendido por la pregunta.

–No.

Néstor llegaba empujando la carretilla y pegándole mordiscos al melocotón. Dijo:

–Si es mi tío, tonta. Ha venido conmigo.

–Ah, perdone. –Se ruborizó un poco, dio media vuelta para irse, pero se paró al ver el melocotón en la boca de Néstor–. ¿Quién te ha dado permiso, eh, caradura?

–Joder, qué roñosa eres...

–Un momento –dijo Jan acercándose a ella. Tiró la colilla y la pisó con el zapato–. ¿Por qué has preguntado si vengo de parte de la Madre Teresa?

–Es que estamos esperando a un señor. –De pronto recordó algo, se volvió hacia Néstor y añadió con viveza–: ¿Sabías que nos han envenenado al perro, al pobre *Riki*? ¿Y que saltaron la tapia y robaron el tocadiscos del pabellón y una escopeta de caza...?

–Hace tiempo de eso.

–Pues la señora se decidió por fin a decirle a la Madre si sabía de alguien de confianza para guarda de noche –prosiguió algo excitada la sirvienta–. Y yo es que estoy deseando ya de verlo aquí... Mercedes, la cocinera –precisó mirando ahora a Jan Julivert– también está muerta de miedo, y dice que se volverá al pueblo con Anselmo si no ponen un vigilante. La semana pasada la Madre Teresa envió a un hombre, pero la señora lo encontró un poco viejo... Pensaba yo que venía usted por eso.

Néstor observaba a su tío con el rabillo del ojo. Seguía con la americana colgada al hombro y se miraba el zapato, alzando la puntera sucia de polvo. La americana resbaló y la pilló con un repentino quiebro de muñeca; el movimiento fue tan rápido que la criada se sobresaltó.

Jan Julivert sonrió a la muchacha y se despidió, saliendo a la calle. Durante el camino de vuelta guardó silencio. A Néstor le quemaban unas cuantas preguntas en los labios, pero no se atrevía a soltarlas. Probó con la primera:

–Tío, ¿el señor Klein era juez hace mucho tiempo?

–No exactamente.

–Elvira dice que antes de estar enfermo de los nervios era juez y además militar, y que por eso tiene esta cara de vinagre... ¿Fue el que te condenó en el juicio, tío?

–La criada se equivoca. Era auditor de guerra. Otra cosa: no debes decirle a esta chica que acabo de salir de la cárcel. Eso nunca ayuda a encontrar trabajo, ¿entiendes?

–Sí.

–¿Dónde está la clínica Santa Fe?

–¿Vas a ir a ver a la tía monja?

–Tal vez.

Néstor se lo dijo. La idea de que su tío tramaba algo en relación con la torre de la calle del Iris, y que estaba buscando la forma de aproximarse al señor Klein sin levantar sospechas, se afirmaba en su mente. Y encima, pensó, tiene la suerte de cara...

–Tío –dijo cuando llegaban a la plaza Sanllehy–. ¿Qué harás cuando arregles tus asuntos...? ¿Te irás otra vez?

–No lo sé.

–Si aún tuvieras las viñas del abuelo y aquella casa tan grande en el pueblo, podríamos ir los tres allí y hacer de payeses... ¿Ya no te acuerdas de Sant Jaume?

La vieja casona junto a la plaza, niños jugando descalzos con una pelota de trapos, el campo de fútbol arado y rodeado de almendros y algarrobos y más abajo, por el camino blanco, el cementerio blanco donde están enterrados los abuelos maternos...

–Sí, me acuerdo.

–Tío, ¿es verdad que estuviste escondido en las montañas de Asturias?

–No.

–El viejo Suau dice que ayudabas a pasar la frontera a los aliados que los alemanes perseguían en Francia...

–Hace mucho tiempo de eso.

El traqueteo de la carretilla, bajando por la acera maltrecha de la calle Cerdeña, hacía tintinear los sifones vacíos en la caja y ésta iba resbalando.

–Oye –dijo Néstor–, ¿tú has conocido a uno que le llamaban el *Taylor,* que tenía la cara grabada de viruela y una novia que vivía en nuestra calle, la Margarita...?

–Sí. Vigila esa caja.

–Murió hace cuatro o cinco años y Margarita se fue a vivir no sé dónde. Estaban la mar de enamorados, los domingos él le regalaba flores y pasteles, y ella siempre iba vestida de negro y era muy guapa. Dicen que al *Taylor* lo mataron en una emboscada. ¿Lo sabías?

Él se había parado a encender un cigarrillo. Quedaba muy lejos su labor de enlace con Juan Sendra, el desastre final del grupo y la muerte del *Taylor,* desangrado sobre el volante de un coche en la carretera de Cerdanyola...

—¿Y al Quico Sabater lo has conocido?

Jan señaló la carretilla.

—Ten cuidado con eso, se está cayendo.

Néstor paró y aseguró la caja de sifones. Su tío no le esperó y tomó una delantera de varios metros que ya no perdió hasta llegar al bar Trola.

## 2

Hacía un solitario en la mesa del comedor cuando oyó la voz soñolienta de Balbina en su cuarto.

—¿Jan?

—Aquí estoy.

La puerta del dormitorio estaba entornada. La cama crujió y luego se oyeron las pisadas sobre las baldosas.

—Anoche volvió a llamar ese hombre.

—¿Qué hombre?

—Yo qué sé. Alguno de la vieja camarilla, supongo. Ya te dije que te buscarían.

—Saben dónde encontrarme.

—Era el mismo de la otra vez... ¿Dónde puñeta está mi bata?

Él había suspendido la mano en el aire con la sota de espadas, pensativo. Bebió un trago de ginebra rebajada con agua y dijo:

—¿Qué quería?

—Pegarme un susto, eso para empezar.

—No te oigo. Ven aquí.

—Voy medio desnuda... ¿Has visto mi bata?

—En la cocina.

—¿Y quién la puso allí? No sé qué coño pasa con esta bata que nunca está donde la dejo.

Él se calló que Néstor hurgaba en todos los bolsillos buscando tabaco, trastocando la ropa. Oyó los pies desnudos correteando hacia el pasillo. No había lugar para la sota de espadas y deshizo el juego, recogiendo la baraja. Balbina regresó ciñéndose la bata sin mangas y con el cigarrillo sin encender en los labios.

—No llamó aquí, esta vez —dijo cogiendo el mechero de la mesa y sentándose en la butaca—. Llamó a Los Julepes. Yo misma cogí el teléfono: ¿Trabaja aquí Balbina Roig?, preguntó. Soy yo, le dije antes de darme cuenta, y después de un silencio me colgó.

—¿Nada más?

—¿Te parece normal?

—Podría ser un amigo tuyo…

—Ni hablar. Era la misma voz.

—Está bien. No hay que preocuparse.

—Pero, ¿quién es? ¿Qué quiere?

Él se echó para atrás en la silla, barajando las cartas distraídamente, y guardó silencio un buen rato. Después dijo:

—¿Has oído hablar de un tal *Mandalay*?

—No me acuerdo.

—Estuvo un tiempo a mis órdenes. Se llama Raúl Reverté. Llevaba el control de las cuotas patrióticas, por decirlo como a él le gustaba, y sabía mucho de explosivos. —Sonrió burlonamente—. Nunca presentó las cuentas claras pero sus petardos no fallaban jamás… —Miró a Balbina y añadió—: Creo que es él.

—¿Le debes dinero?

Jan no contestó. Al cabo de un rato dijo:

—La última vez que le vi fue en el cuarenta y siete, me ayudó en aquel trabajo en Hospitalet. Luego estuvo una temporada en la cárcel y me han dicho que ahora tiene un bar en la calle París. En el fondo no es más que un sirlero de tres al cuarto.

—¿Ya no anda en lo vuestro?

Jan sonrió.

–Supongo que el once de setiembre aún deja caer con disimulo un ramo de flores en el sitio donde estuvo el monumento a Casanova. Siempre fue un patriota, este chorizo.

Se quedó pensativo y Balbina dijo:

–Entonces, si ya se desentendió del grupo, ¿qué puede querer de ti ahora, si no tienes un duro...?

–Escúchame bien. Es un hombre alto y delgado, de unos cuarenta y cinco años, moreno, de cara larga con un hoyuelo en la barbilla...

–Qué me importa a mí su cara.

–Quiero que no se te olvide por si le ves. Es un tipo de cuidado.

–Pero es a ti a quien busca. ¿Qué puede querer de mí?

–Lo sabrás si te encuentra –dijo él en tono evasivo.

–No empecemos con misterios otra vez, te lo ruego.

Jan la miró con aire reflexivo.

–Está bien. Digamos que al *Mandalay* se le debe una explicación. Pero a mí no vendrá a pedírmela, no se atreve. La buscará por otros medios, tal vez por ti... No le ocultes nada acerca de mí y te dejará en paz.

–¿Hay algo que él no debe saber?

–Vete con cuidado, eso es todo. –Dejó la baraja sobre la mesa y se levantó–. Por cierto, no tendrías que preocuparte de nada de eso si te quedaras en casa por las noches.

–Ah, muy bien, ¿y de qué vivimos?

–Voy a hablar con la tía monja, a ver si hay trabajo.

Mientras se echaba la americana sobre los hombros y cogía los cigarrillos y el mechero, su cuñada le observó con una curiosidad esponjosa y placentera que durante años había estado dormida en lo más sensible de su cuerpo: esa precisión mecánica de los gestos, la desdeñosa rigidez de la nuca, la sombría decisión bajo los párpados castigados, como cuando era joven, pensó, y escuchaba en silencio las lamentaciones de su madre con una afectación sonámbula en los aledaños de la boca prieta, en las severas mejillas embotadas o insensibles, anestesiadas como después de una visita al dentista... Era cuando había tomado una decisión.

—Si te sale un buen trabajo —dijo Balbina— y quieres que me quede en casa... lo haré. Pero antes me gustaría ahorrar un poco. Pasado el verano, tal vez. ¿Qué opinas?

—Es asunto tuyo. Hasta luego.

## 3

—Sí, claro que me acuerdo —dijo la monja mirándole torvamente por encima de las gafas de montura metálica—. Sobre todo por lo mucho que hiciste sufrir a tu madre. Pero ya eres un viejo, ya no puedes hacerle daño a nadie...

—No diga eso, tía.

—¿Qué te pasó en la oreja?

—Una pelea con mi hermano, cuando éramos chicos —improvisó él—. ¿Se acuerda de mis hermanos? A ver si sabe cuál de los dos me hizo esto...

—Son demasiados años y ya no tengo humor para adivinanzas —se lamentó la monja con la voz delgada y punzante como una aguja—. Y no quiero ni pensar en la vida que habréis llevado en Francia. No fuisteis ni capaces de venir al entierro de la pobre Antonia. Luis era el peor de todos... Y de Mingo no hablemos. Supongo que en la cárcel tendrá tiempo de reflexionar. Siéntate.

Jan Julivert obedeció, situando el oído bueno frente a la afilada cantinela de la Madre Teresa. Era una anciana de rostro huesudo y terco, nariz aguileña y piel sedosa, más blanca que sus hábitos. Las muchas dioptrías del cristal ampliaban sus negras pupilas, vivísimas, fijándolas en una expectativa no se sabía si de reproche o de compasión. Sentada detrás de una larga mesa, las manos cruzadas sobre una carpeta oscura, estaba rodeada de pilas de toallas y de sábanas limpias y bien dobladas, en un despacho-almacén con estanterías metálicas hasta el techo conteniendo ropa y productos de limpieza. Tras ella y la ventana abierta asomaba el verde penacho de la palmera que se alzaba desde el jardín lateral de la clínica.

Mientras la monja hablaba, Jan intentaba recordar la última vez que la vio. De muchacho, cada año por Navidad, su madre solía llevarle con sus hermanos al convento de las Darderas de la calle Sors, y en una sala amplia y helada la tía monja les regalaba estampitas y caramelos de eucalipto. En realidad, era tía de su madre y ya entonces era viejísima y atrabiliaria: una abusiva confusión de besos y reprimendas y mangas y pliegues blancos que envolvían una personalidad generosa pero fría y antipática, de una insospechada energía. Luego, en la época en que él empezó a boxear, supo que la habían trasladado a un hospital de Tarragona y no volvió a verla. Cuando estaba en el penal de Burgos, en el cincuenta y tres, su madre le hizo saber por carta que la tía monja volvía a trabajar en una clínica de Barcelona y que estaba ayudando a Balbina a ganar algún dinero… Entonces ya dirigía un ejército de novicias, gallegas casi todas, que fregaban los suelos de la clínica y hacían las camas. A las que no tenían vocación religiosa, la Madre Teresa las colocaba de criadas en casas de señores, atendiendo sobre todo peticiones de esposas de médicos y también de enfermas ricas, que convalecían en la clínica el tiempo suficiente para que ella pudiera decidir acerca de su solvencia moral y económica.

–Así que acabas de llegar de Francia y buscas trabajo –dijo abriendo la carpeta–. ¿Desde cuándo estabas allí, desde el treinta y nueve, como tu hermano Mingo? Ya ves en qué acabó tanta libertad que os dio vuestro padre. Ay, pobre Antonia... ¿Y qué sabes hacer, en qué has trabajado hasta ahora?

–En el campo... Tía, lo que necesito es una recomendación. He sabido casualmente por la criada de una tal señora Klein que usted tiene que mandarles a alguien para trabajar de guarda o algo así...

La monja le miró extrañada.

–Pero si ya lo hice. –Revolvió los papeles de la carpeta, añadiendo–: La señora Klein me habló de eso hace tiempo. Le envié a dos personas, pero no debieron gustarle. Se ve que necesitan alguien un poco especial. Es un trabajo de noche, hijo. ¿Estás seguro que te interesa?

–No estoy en condiciones de escoger. Y hay otra razón por la que necesito el empleo enseguida. Se trata de Balbina, me gustaría sacarla de ese bar donde trabaja. Debe quedarse en casa y ocuparse de su hijo, ¿no le parece, tía?

La anciana suspiró.

–Me temo que ya es un poco tarde para eso. Esa pobre infeliz... Dios la perdone, habrá sufrido mucho. Hace años que no sé de ella. La última vez que la vi fue en este pasillo –señaló la puerta entornada, mirando afuera con expresión compungida y recelosa–. Estaba barriendo y pasó un médico que le dio un cigarrillo y estuvo bromeando con ella, y se reían de un modo... No quiso hacerme caso, no me escuchó nunca. Mientras trabajó aquí no le faltó comida, ni a ella ni al chico. Yo no quiero saber qué pasó con el doctor Cabot, ni de quién fue la culpa; aunque a él le conozco y vaya pieza. Pero a ella le gustaba bromear con todos, les daba demasiadas confianzas y se buscó la ruina. En todo caso hizo mal en irse sin decirme nada. No debía tener la conciencia muy tranquila.

Se quitó las gafas y frotó los cristales con la punta de una toalla, se las volvió a poner, ajustándolas con cuidado sobre la nariz, y en ese momento entró una muchacha sudorosa con uniforme gris llevando un vaso de agua y una píldora rosada en la palma de la mano.

–Permiso... Tenga, Madre.

Le dio el vaso y la píldora y se quedó de pie junto a Jan Julivert, esperando. Él captó su olor a lejía y tuvo una visión fugaz de los lavaderos de la cárcel. La chica advirtió que la monja no se tomaba la píldora y dijo:

–Tómesela ahora y me llevo el vaso, Madre.

La anciana gruñó:

–No te preocupes tanto por el vaso. Ya puedes irte.

–La Hermana Josefa dice que...

–Que sí. Pero vete.

La muchacha obedeció. La monja apartó la píldora a un extremo de la mesa, detrás de la pila de toallas, y bebió un sorbo de agua con diabólica expresión de complacencia. Luego asintió y dijo, sin mirar a Jan:

–Ojalá tengas razón. Ahora que has vuelto, a ver si Balbina sienta la cabeza. Un hombre siempre puede imponer orden en una casa... Además, tú eras el único bueno de los tres. Te creía muerto, pero debí confundirte con Luis, aquel desdichado con sus pistolas. Él y Mingo querían cambiar el mundo... ¡Ay Señor, Señor!

Jan comprendió que la anciana confundía a Luis con Mingo, muerto en el Ebro en 1938, el mismo día del mismo mes en que su padre sería fusilado al año siguiente. Había demasiados muertos en la familia o demasiados años en la memoria de la tía monja.

–He venido a pedirle que hable con esta señora, tía.

–¿Sabes conducir?

Jan la miró con cierta inquietud.

–¿Piden un chófer o un guarda?

–Creo que las dos cosas... No me acuerdo bien. Ahora que caigo, ¿tú no eres policía?

–Lo fui, tía.

–Pues mira, eso podría ayudarte. La señora Klein está asustada desde una noche que entraron a robar en su casa. Por eso quiere un guarda en el jardín, pero solamente por la noche.

–Comprendo. ¿Hace tiempo que conoce a esta señora?

–Su cuñado fue director de la clínica. El doctor Klein. El pobre murió en la puerta de un hotel... –La monja sacudió tristemente la cabeza–. También qué mala suerte esta familia. Dicen que lo confundieron con su hermano, que entonces era coronel auditor. Y poco después, hará unos trece años, el coronel sufrió un terrible accidente de coche. Estuvo muchos meses en esta clínica. Fue cuando conocí a la señora Klein. Una bellísima persona.

–¿Y él qué hace ahora?

–¿El coronel? Nada. Padecer, supongo. Quedó con lesiones muy graves en el cerebro y tuvo que renunciar a su carrera... La idea de poner un guarda en el jardín debe ser de su mujer, de él no, seguro. Él se ríe de eso. Y es un hombre que ha recibido cartas con amenazas, me consta. Recuerdo que cuando mataron a su hermano, las autoridades le pusieron una especie de guardaespaldas, pero él se lo tomó a chacota y aquel policía terminó de jardinero, más contento que unas pascuas.

Pasó luego a explicarle en qué iba a consistir su trabajo, caso de que le admitieran, y cómo le convenía hacer buenas migas con el servicio, sobre todo con la cocinera Mercedes. Le darían la cena y el desayuno y seguramente de vez en cuando caería algo más que podría llevarse a casa, porque allí siempre sobraba comida y tanto Elvira, la doncella, como Mercedes eran buenas personas. Mientras hablaba, su mano izquierda fue desplazándose sobre la mesa hasta alcanzar la píldora con la punta de los dedos. Tal vez la señora Klein, añadió, le pediría en algún momento regar el jardín o lavar el coche o algún otro trabajo más pesado, y él no debería negarse, porque el viejo Anselmo, el jardinero, primo de la cocinera, aunque hacía un poco de todo ya casi no servía para nada; pronto se iba a jubilar y quería volver a su pueblo… Anselmo había sido ordenanza del coronel, añadió.

—Conviene sobre todo que no olvides una cosa —dijo empujando con la uña la píldora rosada hasta hacerla caer de la mesa—. El señor Klein está muy enfermo. A veces no sabe dónde está ni se acuerda de lo que hizo media hora antes… No creo que tengas que tratarle mucho, pero tenlo presente.

—Está bien. ¿Cuándo sabremos algo?

—Vaya. Iba a tomármela —dijo ella tanteando la mesa— pero no la veo. Bah, es igual.

Él se agachó, solícito, mirando bajo la silla.

—Deja, deja —ordenó la monja—. Y ahora vete, tengo mucho que hacer. Hablaré con la señora Klein. Llámame pasado mañana y ruega a la Virgen para que haya suerte. Me extrañaría que aún no tuvieran a nadie…

—Seguramente se irán de vacaciones.

—Este año no. Él sigue un tratamiento especial de recuperación en una clínica y no conviene que lo deje.

Ahora miraba a Jan fijamente, las manos descarnadas y juntas apoyadas sumisamente en el borde de la mesa. Finalmente emitió un leve gruñido.

—Hum. No creas, no estoy muy segura que seas la persona indicada. Para lo que la señora Klein anda buscando, puede que sí, si es verdad que fuiste policía. Pero se trata de gente muy rica y con influencias, y muy del régimen, ¿comprendes?, y cuando pienso en la buena pieza de tu padre y en tus hermanos…

—Quién se acuerda de eso, tía —la interrumpió él sonriendo—. Necesito trabajar, y enseguida. Si no por mí, hágalo usted por Balbina.

La Madre Teresa asintió cachazudamente y Jan se levantó de la silla. Algo crujió bajo su zapato. Al bajar la vista vio el comprimido rosa aplastado. La monja simuló no haber visto ni oído nada, ceñuda, aplicada en revisar el contenido de la carpeta.

## 4

–¡Otra vez el dragón! –exclamó Néstor irrumpiendo en la galería–. ¿Me oyes, tío?

–Te oigo.

–En el sitio de siempre.

–Déjalo estar.

–¡Justo sobre su cabeza, brrrr...! Me da no sé qué verla durmiendo desnuda y tan tranquila con este bicharraco encima... ¿Qué hacemos?

–Nada.

–Y está engordando, el malparido. Ven a verlo, tío. Por favor.

Jan Julivert estaba leyendo sentado en la galería, frente a los vitrales abiertos, en mangas de camisa y con los pies sobre una silla. Cerró el libro y aplastó la colilla en el cenicero de la mesa camilla.

–Ya te dije que no son peligrosos –observó con fatiga en la voz–. En Ocaña había uno que me hizo mucha compañía. Y se comía todos los mosquitos...

–¿Y si cae y se le mete en la cama?

–Nunca se caen. –Se levantó y pasó al comedor–. Trae la escoba. No hay que despertar a tu madre.

–Ni se va a enterar. Toma pastillas. Una vez que vino un poco piripi y se acostó vestida, yo la tuve que desnudar y ni se movió.

–No deberías entrar cuando duerme. Ve por la escoba.

Néstor fue a la cocina y él abrió la puerta del dormitorio. Vio en el techo la sombra inmóvil con la cola no muy larga en forma de rizo. Era una salamanquesa ventruda y grande, lo bastante como para causarle un buen sobresalto a cualquiera. Probó a ahuyentarla arrojándole la blusa que encontró tirada al pie del lecho, pero el bicho no se movió. La blusa cayó blandamente sobre la rodilla alzada de Balbina, que yacía bocarriba con una mano yerta entre los oscuros muslos. Un tirante del viso malva había resbalado hasta su codo y en la penumbra destacaba la suave hinchazón lechosa del pecho. Sorprendentemente, en medio de la cama revuelta, con las dos almohadas fuera de sitio y la sábana arrugada en una esquina inferior, Balbina dormía bien peinada y con los labios brillantes de carmín…

De nuevo Jan captó en el aire, en alguna parte, la vibración visual de una escena recompuesta, repensada y de algún modo artificiosa. Alzó los ojos al techo y se quedó un rato mirando la salamanquesa. Los redondeados flancos de su abdomen inflado y verdoso parecían palpitar.

–No encuentro la escoba –susurró Néstor asomándose al cuarto–. ¡Ajjj! ¡Qué repugnante bicharraco, qué repugnante…!

–¿Has mirado en la galería?

–¡Eggr…! ¡Qué asco! –Pero sus ojos camuflados tras el flequillo no miraban al bicho, sino que iban veloces de su madre a su tío–. ¡Ajjj, pobre Balbinita, si se le mete en el pelo! ¡Brrr…!

–Deja de hacer tonterías y trae la escalera de mano.

–Tío, espera. ¿Has visto que tiene un morado en el pecho? Mira, aquí –señaló el pecho de su madre–. ¿No podría ser que ya la hubiese mordido?

–No podría ser. Baja la voz.

Arropó a su cuñada con un extremo de la sábana y observó las tres cerillas de madera en el mármol de la mesilla de noche y las dos tazas con restos de café y colillas deshechas. Las cerillas, sin usar, mostraban en la punta inferior una viscosa suciedad marrón. Tras él oyó la solícita, enternecida voz del muchacho:

–Un día de éstos le voy a hacer un regalo a mi madre.

Él había alzado de nuevo los ojos al techo y miraba la salamanquesa con curiosidad creciente. No dijo nada y Néstor añadió:

–¿Sabes lo que más le gusta?

–Qué.

–Las medias de rejilla. Pero de las finas, ¿eh?, no ésas de tía de revista del Paralelo...

–Ya.

–Negras. Y hasta arriba del todo.

–Está bien.

–Lo digo por si algún día piensas hacerle un regalo.

–Bueno.

–¿Te has fijado –insistió Néstor– que cuando duerme se le marcan más los hoyuelos de las mejillas...?

–Salgamos de aquí, anda.

–La Paqui dice que se parece a Ava Gardner, pero a quien se parece de verdad es a otra artista. ¿Tú qué opinas, tío?

—Hace años que no he visto una película.

–¿No has visto *Pandora*, con el Mario Cabré?

Salieron del dormitorio y Jan cerró la puerta. Sus ojos claros y afilados escrutaban al muchacho furtivamente.

–Te digo que hace años que no voy al cine.

–Pero conoces a los artistas.

Jan reflexionó un momento.

–En mi tiempo había uno que se llamaba Chester Morris, lo recuerdo porque tu madre decía que yo me parecía a él...

–No sé quién es. A quien se parece Balbina es a... ¿cómo se llama? –Chasqueó los dedos–. ¿Has visto esos carteles antiguos y medio rotos que hay en las paredes del taller del viejo Suau?

–Sí.

–Hay uno de una peli que me habría gustado ver, *El hijo de la furia*, con una artista que es igualita igualita que ella... Se llama Gene Tierney. ¿No te has fijado?

–Pues no.

–Va vestida como de hawaiana y tiene los mismos hoyuelos en la cara de gato y la misma sonrisa un poco dentuda... Bueno, Balbina está un poco más llenita y tiene los ojos negros. Y claro, no lleva flores en el pelo ni esos vestidos de indígena que lo enseñan todo, que si no...

Cabizbajo y con las manos en los bolsillos seguía a su tío, que enfilaba el pasillo hacia su cuarto. Jan se paró de pronto y se volvió mirando al chico con una sosegada, pero bien marcada seriedad en el rostro.

–Escúchame bien, cantamañanas –dijo golpeándole el pecho con el dedo–. Cuando tu madre se despierte, ese bicho ya estará muerto y en la basura. ¿Conforme?

Néstor rehuyó su mirada y dijo de pronto, como si acabara de acordarse:

–¡Eh, ¿qué hay de mi saco de entrenamiento?!

–Por ahora nada. ¿No deberías estar en el bar? Pues andando.

5

Poco después descolgaba el teléfono del recibidor y llamaba a la clínica Santa Fe. Le hicieron esperar un buen rato, pero ya no consiguió volver a centrar sus pensamientos en Néstor y en su fantástico dragón y lamentó no haberse traído un trago para entretener la espera.

La voz de la anciana monja no expresaba la menor contrariedad, pero tenía malas noticias. La señora Klein ya contaba con un recomendado para el puesto de guarda.

–¿Por qué no la avisó a usted, si ya tenía a alguien?

–Porque no era seguro –dijo la Madre Teresa–. Parece que este hombre, un jubilado, no acababa de decidirse. Ella aún no le conoce, sólo sabe que vendrá por mediación de un secretario de juzgado amigo de su marido... Así que paciencia, hijo. La primera en lamentarlo ha sido la señora Klein, que hubiese preferido un recomendado mío. Dice que te tenga en reserva por si acaso, pero yo creo que es mejor ir pensando en otra cosa. Sé de una empresa de productos farmacéuticos que necesitan un conserje, pero sólo por las mañanas.

–No sacaría mucho. –Reflexionó unos segundos y añadió–: Tía, estaba pensando... Tal vez este hombre estaría dispuesto a compartir el trabajo con otro, nos podríamos turnar. ¿Sabe cómo se llama, dónde vive?

–Ni idea. Podría preguntárselo a la señora Klein...

–No, no lo haga –se apresuró a decir él–. No quisiera molestarla por tan poca cosa. ¿Conoce usted a este secretario amigo de su marido, al que lo recomienda?

–Sé que está en un juzgado de Instrucción. El catorce. Pero yo en tu lugar no perdería el tiempo con eso...

–Gracias, tía. Volveré a llamarla.

Colgó y marcó otro número. Oyó a Balbina tosiendo en el dormitorio.

–¿Bataller...? Soy Jan. Necesito que me hagas un favor. –Adivinó la mueca recelosa al otro lado del hilo–. No temas, no te voy a comprometer. Quiero que obtengas una información de alguien que seguramente conoces, el secretario de un juzgado de Instrucción, el catorce...

–Don José Ramos. Una buena persona.

–Escúchame bien. Ese Ramos ha recomendado a alguien para guarda de noche en casa de Luis Klein. Quiero saber quién es este hombre y dónde vive.

Se oyó un bufido y la voz llegó recelosa:

–¿Te refieres al juez Klein, el que era auditor de guerra cuando…?

–Sí.

–¿Qué estás tramando, Jan?

–Nada.

–Mira, yo no quiero líos. Ahora estoy bien, y tengo una familia que mantener…

–Escúchame, Bata. Estoy buscando trabajo y lo hago a mi manera. Eso es todo. –Suavizando el tono añadió–: Ya estoy viejo para lo otro.

–Mejor así. Si vuelves a las andadas, no cuentes conmigo.

–Te pido un pequeño favor. Procura sonsacar a Ramos del modo más natural. Quiero el nombre y la dirección de ese tipo que ha recomendado.

–¿Corre mucha prisa?

–Sí.

–Está bien. Veré lo que puedo hacer.

–Respecto a Klein… –Jan pensó en los recelos de esta rata de juzgados y agregó–: Durante mucho tiempo creí que había muerto.

–Estuvo muy cerca.

–Sólo por curiosidad, Bata: ¿a qué se dedica ahora? He sabido que ya no ejerce.

–Está en la asesoría jurídica de una empresa importante –dijo Bataller–. ¿Has oído hablar del Consorcio de la Zona Franca? Bueno, en realidad no hace nada, el hombre no está para muchos trotes. Es un enchufe. Tiene un despacho al que sólo va un par de horas a la semana a hacer crucigramas… y algunos chanchullos que deben darle mucha pela.

–¿Por ejemplo?

–No sé. El Consorcio es un tinglado muy gordo. Klein se colocó allí después del accidente de coche. Quedó prácticamente inútil.

–¿Fue por el accidente que pidió el retiro del ejército?

Bataller dejó escapar una risita.

–Eso es lo que se dijo. Pero también se dijo que iban a formarle un tribunal de honor. Parece que el coronel llevaba una vida algo misteriosa... La verdad es que le echaron.

Añadió que el enchufe en el Consorcio le vino por la familia de su mujer; su suegro había sido secretario general de la empresa y uno de los promotores más agresivos, ya en el año treinta y dos llevó a cabo unas sonadas expropiaciones de huertas y viviendas en el Llobregat con la ayuda de unos matones...

Jan le interrumpió:

–¿Dónde tiene el despacho?

–Cerca de la estación de Francia... ¿Vas a hacerle una visita? Te advierto que ya no es el que era, no le vas a reconocer. Aquí en los juzgados se oye cada cosa de él... De borracho y de cornudo para arriba...

–No te olvides de mi encargo.

–Te llamaré en cuanto sepa algo.

–No uses el teléfono. Hay un bar aquí cerca, en Torrente de las Flores esquina Martí, mi sobrino trabaja en él. Si no me encuentras, le mandas a casa a buscarme.

–De acuerdo.

# CAPÍTULO II

## 1

En una pequeña habitación con ventana sobre la calle de la Cadena, en el Distrito Quinto, Balbina se desnudaba frente a un hombre que no la dejó terminar. El desconocido avanzó hasta ella, sujetó sus caderas con manos distraídas y miró en silencio su boca pintada y su barbilla un poco grasienta, sin ansia ninguna y sin especial curiosidad, como si el deseo que le trajo aquí se hubiese esfumado de pronto. Ella dijo:

–¿Qué pasa, chato? ¿No te gusto?

Descalza, Balbina no llegaba a sus hombros. Aún no se había quitado la falda. Terminó de desabotonarse la blusa, cogió las pesadas manos de él, las llevó a sus nalgas y luego se colgó de su cuello buscando el beso. Sobándola distraídamente, el hombre paseó la turbia mirada por el cuarto.

Balbina estaba mosqueada. Diez minutos antes, en el bar de la esquina a San Rafael, mientras jugaba a los dados detrás del mostrador, el desconocido se había acercado a preguntarle precio y dónde, en voz baja y con la mano a un lado de la cara como si temiera ser reconocido por alguien, pero al mismo tiempo seguro de sí mismo y hasta achulado en su trato con ella, nada atabalado por el guirigay de conversaciones y disputas en torno. No era desde luego un habitual de Los Julepes, no tenía la lengua suelta ni la gangosa grosería de los clientes de la noche del sábado. Un hombre de mediana edad, larguirucho, de cautelosos ojos negros y de una trivial, esponjosa elegancia: americana sport a cuadros y muy holgada, con un solo botón a la altura del ombligo, corbata gris perla tornasolada y pantalón beige de raya perfecta y ancho dobladillo. Había llegado al bar en compañía de un joven silencioso y fornido, rubio, con pelo de cepillo, cuyo delicado mentón, serenamente asentado sobre un robusto cuello de nadador o levantador de pesas, había atraído las primeras miradas de Balbina. Pero fue el mayor quien la solicitó, con una sonrisa atrafagada en la que había más encías que dientes, más ganas de chunga –receló ella desde el primer momento– que de cama.

–Ciento cincuenta y la habitación –dijo Balbina mirando al joven rubio–. ¿Cómo te llamas, cariño?

–Julio.

–¿Te atreves con los dos? –dijo el otro.

–Me podría empachar, rey mío.

–Qué dices, una leona como tú...

–No es mi estilo. Uno después del otro. Se pasa mucho mejor.

El tipo cambió una mirada con el rubio y dijo:

–Espérame aquí. –Preguntó a Balbina–: ¿Está lejos?

–Sólo hay que cruzar la calle. Tercer piso.

Ya había cogido el bolso y una llave colgada debajo del mostrador. Se llevó al cliente y el rubio se quedó recostado de espaldas a la barra, mirando la calle. Cuando subían por la estrecha escalera, en la penumbra, él la magreó con una mano sonsa que más parecía obedecer al deseo de tranquilizarla que al de explorar su trasero.

Ahora, de pie todavía y medio desnuda, Balbina metía el muslo entre las piernas de él pensando en que le había tocado un picha floja y maldijo su suerte. Abrió la cremallera de la falda, se apartó un poco y la dejó resbalar hasta los pies. Con la blusa estampada de pájaros abierta y echada hacia atrás, mostrando el pequeño sostén negro de rejilla, le miró sonriendo y esperó por si él quería quitarle lo demás. Volvió a remover el muslo en la entrepierna y deslizó la mano allí.

—¿Siempre tarda tanto en ponerse dura?

—Necesito tiempo, mujer.

—Anda, anímate...

Observó que el tipo tenía levemente alzado el extremo del párpado izquierdo, como por efecto de un pellizco invisible.

De pronto él fue hasta la puerta, comprobó que el cerrojo estaba echado y paró el oído.

—¿Qué te preocupa, guapo?

—Que nos oigan.

—Vaya. ¿Crees que vas a hacerme chillar de gusto?

Tuvo un presentimiento y localizó su bolso con los ojos. Se acercó a la ventana y miró abajo; en la acera de enfrente, recostado en la puerta vidriera del bar y con una botella de cerveza en la mano, el rubio musculoso miraba hacia ella.

—¿Quieres que te la lave? —dijo mirando al cliente con recelo.

—No hace falta. —Sonrió mientras se aflojaba el nudo de la corbata. Dio unos pasos por el cuarto mirando a su alrededor. Llevaba zapatos marrones de gruesa suela de espuma y caminaba silencioso como un gato. Además de la cama y la mesilla de noche, había un lavabo en el rincón, un bidet, un armario negro y una silla—. No es el Ritz, pero al menos parece tranquilo. ¿Hay más habitaciones?

–Cuatro.

–¿Quién se ocupa del negocio?

–Una parienta del dueño del bar… Si quieres beber algo te lo suben. Creo que una copa te animaría.

–Luego. –Captó el recelo en los ojos de Balbina y agregó–: Quiero pedirte un favor…

–No me compliques la vida, corazón. Si quieres echar un polvo, venga. –Aún fue capaz de chasquear alegremente con el dedo el elástico de la braguita, pero estaba asustada–. No hagamos esperar a tu amigo. Desnúdate.

Se dirigió al bidet.

–No te laves –dijo él–. Sólo deseo charlar un rato.

–Olvídame, ¿quieres? –Recuperó el bolso, empezó a abrocharse la blusa y sus pies tantearon los zapatos–. Si lo que buscas es algo especial, hay otras por ahí…

Él apartó los zapatos con el pie, dejándolos fuera de su alcance.

–No tienes nada que temer. Quiero platicar contigo, eso es todo.

–Yo no vivo de eso.

–Te conviene hacerme caso. –Puso las manos en sus hombros y la sentó al borde de la cama–. Vas a quedarte quietecita y vas a contestar a unas preguntas. Si te portas bien acabaremos enseguida. No voy a pedirte nada que no puedas darme. Y te pagaré lo convenido.

–Si no me dejas salir gritaré.

–No te lo aconsejo, Balbina.

Había una velada amenaza en su voz. Alcanzó la silla, se sentó frente a ella y cruzó las piernas en una correctísima postura, como si estuviera de visita. En este momento, sin poder apartar los ojos de él, Balbina ya le estaba buscando en algún repliegue de no sabía qué conversación, rumor o advertencia que de todos modos no relacionaba con el trabajo, con los clientes «raros» o la plantilla de chulos que operaban en el barrio. Y, de pronto, creyó oír de nuevo la voz monocorde de su cuñado: un tipo alto, de mediana edad, moreno, de cara larga y con un hoyuelo en medio de la barbilla... Tuvo que dar un rodeo en la memoria antes de llegar a la evidencia, y entonces dio un respingo y quiso levantarse. Pero él ya había leído en sus ojos y con la mano izquierda atenazó su muñeca sin hacerle daño, sonriendo. Metió la otra mano en el bolsillo interior de la americana y la mantuvo allí un rato.

–No me das miedo –dijo Balbina–. Suéltame o empiezo a gritar.

–Te voy a enseñar algo.

Su mano apareció con una navaja cerrada y se la mostró como un vendedor orgulloso de su mercancía. Era nueva, con el mango de nácar blanco como la nieve. No la abrió.

–Esto no hace ruido y deja un recuerdo para toda la vida. ¿Has comprendido, puta?

La piel de sus mejillas interminables se había estirado aún más y palpitaban las aletas de su nariz.

–Sí.

–Así me gusta. ¿Sabes quién soy?

Movió la silla y se sentó de lado, colgando la mano armada en el respaldo.

–Te llamas Raúl Reverté. Los amigos te llaman el *Mandalay*.

–Muy bien.

–Guárdate eso, cabrón. Qué quieres.

Él devolvió la navaja al bolsillo y la mano reapareció con una pitillera dorada, que ofreció abierta. Balbina meneó la cabeza. Seguía sentada al borde de la cama con las rodillas muy juntas. El *Mandalay* cogió un cigarrillo y tiró la pitillera sobre la cama. Se inclinó hacia Balbina y depositó suavemente en su rodilla una mano velluda, congelada en una mezcla de caricia y de crispada amenaza.

–Vamos a hacer las cosas como es debido. Pide algo de beber. Para mí un Tío Pepe.

Balbina se levantó y abrió la puerta, llamó a una tal señora Lucía y le pasó el encargo. Pidió un coñac doble para ella.

El *Mandalay* encendió el cigarrillo y comentó, en el tono de querer matar la espera:

–He sabido que tu cuñado ya salió de la cárcel.

–Sí.

–Me alegro. Estará buscando trabajo.

–No creo que piense vivir de lo que yo gano...

–Ven a sentarte. ¿No quieres fumar?

–Quiero irme cuanto antes.

–Tranquila, mujer. ¿Sabes si ha conectado con el grupo?

–No sé a qué te refieres.

–Hablo de Falcón y los suyos.

–No les conozco.

Él reflexionó, mirando el cigarrillo entre los dedos.

–Tal vez prepara algo por su cuenta. –Envolvió las desnudas piernas de Balbina en una mirada irónica–: ¿Y Jan te permite hacer chapas? Nunca lo habría dicho. Oye, si pulieras un poco tu estilo podrías sacarte más pelas. En mi negocio.

–¿Qué clase de negocio?

–Mejor que eso. Un club nocturno, una *boîte*.

–Pues ya me puedes esperar sentado.

Llamaron a la puerta con los nudillos, Balbina fue a abrir y le pasaron una bandeja.

–Se paga ahora –dijo.

El *Mandalay* dio un billete de veinticinco y rechazó la vuelta.

–Vamos a lo que importa –dijo cuando ella se sentó dejando la bandeja sobre la cama–. Tú y yo no tuvimos ocasión de tratarnos y lo que voy a decirte te sorprenderá: me debes mucho dinero, Balbina.

–¿Ah, sí?

–Me explicaré. –Alcanzó la copa de jerez, bebió un sorbo y se recostó en la silla–. Hace años ayudé a tu cuñado en un asunto que dio bastante dinero. Se llevó unas cien mil, más o menos. Seguro que te acuerdas, porque esa misma noche le trincaron en su casa y tú ya vivías allí... La bofia nunca recuperó el dinero. Y yo tampoco.

–No sé de qué me hablas.

–Claro que sí, guapa.

–No me toques.

Con navaja o sin ella, aquellas manos le daban miedo. El *Mandalay* tenía las manos alertadas y los ojos sin parpadeo del perseguido, un tipo de hombre que ella había conocido muy bien. Peligroso no porque albergara ninguna idea peligrosa en la cabeza, sino porque su cabeza sólo era capaz de albergar una idea, cualquiera que fuese.

Balbina bebió un poco de coñac y optó por coger un cigarrillo de la pitillera.

–Cuando me trincaron a mí, una semana después –dijo él mientras le daba lumbre–, tuve que contar la verdad; que Jan se había quedado con todo el dinero y que no lo había vuelto a ver desde que salimos a tiros de la Eucort; que habíamos convenido que él se largaría a la frontera con su hermano Luis aquella misma noche... El poli que me interrogaba se rió en mis narices: Jan se había quedado y ya estaba detenido, y las cien mil se habían esfumado. Juré por mi madre que no sabía nada, y era verdad. Nunca llegué a ver un duro, y tampoco Lambán, que ni siquiera apareció con el coche cuando más le necesitábamos... Total, que Jan nos engañó a los tres, porque también incluyo a Luis, tu marido.

Balbina emitió un gruñido. El humo azul fluía sin fuerza del bermellón de sus labios entreabiertos y manejaba el cigarrillo con un exceso de energía.

–Nunca fue mi marido.

–Bueno, lo que fuera. –El *Mandalay* trasegó otro sorbo de vino y prosiguió–: Mi confesión a la policía, que me sacaron a hostias, como puedes figurarte, coincidía con la declaración que había hecho Jan una semana antes. Él juró que el dinero se lo llevó Luis a Francia. La policía constató que efectivamente tu hombre había estado en Barcelona por esas fechas, y dio el dinero por perdido. Yo ingresé en la Modelo pero ya no pude ver a Jan, ya lo habían trasladado. No me soltaron hasta el cincuenta y uno, los cabrones. Pero antes, en mayo del cuarenta y nueve, me encontré en la cárcel a un antiguo conocido que me contó algo interesante... ¿Te acuerdas de Palau, aquel carota del gabán reversible que sabía hacer un estupendo arroz a la cazuela y escalivadas de payés, y que andaba en el grupo de Juan Sendra...?

–Pierdes el tiempo. ¡Eran todos unos fanáticos egoístas que sólo pensaban en lo suyo y los mandé hace años a la mierda y los olvidé! –mintió Balbina: aún podía verles, extrañamente estáticos en el recuerdo, ellos que nunca paraban en ningún sitio, un caluroso domingo bajo la parra vibrante de luz en el patio de paredes rosadas, la planta baja donde Margarita vivía realquilada con derecho a cocina, al *Taylor* con su terrible perfil de hielo roído por la viruela y su negro pelo engomado, a su Luis admirándole furtivamente desde un extremo de la mesa, fascinado, a punto ya de alistarse a la causa de su hermano; a Luis Lage disponiendo sobre la mesa los platos de mejillones con mahonesa, a Palau en camiseta haciendo un oloroso sofrito, partiendo almendras en el mármol de la cocina con la culata de su pistola...

–Se conocían de la época que tu cuñado boxeaba, –le recordaba ahora el *Mandalay*– y durante la guerra fueron íntimos, un par de matones y juerguistas que avasallaban a todo el mundo con sus placas de policías. Luego, en el cuarenta y seis, harían algunos trabajitos juntos, por lo libre, Palau era de los que también se pasaba por el culo las consignas de la Central...

–Está bien –se impacientaba Balbina–. Y qué más.

–Pues Palau me contó que Jan, el mismo día de aquel jaleo en la fábrica Eucort, al anochecer, se presentó herido en su casa y con el dinero.

Encendió otro cigarrillo, descruzó las piernas y examinó la raya del pantalón antes de volver a cruzarlas. Ella entornó los ojos y se abrochó la blusa del todo.

–Puedes vestirte, si quieres –dijo el *Mandalay*.

–Acaba de una vez.

Balbina se inclinó y alcanzó la falda. Al ponérsela le estorbaba el cigarrillo y él se lo sostuvo mientras proseguía su relato por orden y minuciosamente, más expectante que ella, como si la recomposición de aquellos hechos pudiera todavía reservarle alguna sorpresa, un detalle o un significado que antes podía habérsele escapado...

–De modo que llevaba el dinero –la mitad del cual era mío, precisó, no lo olvides, guapa– en una cartera negra, y se ocultó en casa de Palau y le dijo que estaba citado con Luis para largarse los dos a Andorra inmediatamente; que había decidido acatar las órdenes, que se iba para siempre, que ya estaba harto de luchar por nada... Palau le hizo una cura de urgencia y vio que tenía una bala en el hombro. Propuso llamar a un médico de confianza y Jan se negó, pero después empezó a sentirse débil, así que le pidió que lo acompañara a la cita con su hermano, que le esperaba con un coche en un almacén abandonado detrás del parque del Guinardó. –Devolvió el cigarrillo a Balbina, sin mirarla, ella lo tiró al suelo y el *Mandalay* lo pisó con el zapato–. Palau consiguió un coche y le prestó una gabardina, llovía a cántaros esa noche, la cita era en un callejón solitario y mal alumbrado, Jan le hizo parar detrás de un coche, un Buick negro con la carrocería abollada. Antes de apearse, Jan le rogó a su amigo que esperara hasta verle irse en el coche de su hermano; algo podría salir mal, le dijo, todo me está saliendo mal últimamente... Palau quiso bajar un momento y saludar a Luis, pero él le dijo que no: estaba cada vez más débil y nervioso y lo único que le mantenía en pie era aquella obsesión por irse. Caminó bajo la lluvia apretando la cartera bajo el sobaco, subió al coche de Luis y Palau se quedó en el suyo esperando... más de media hora. Empezó a notar algo raro cuando vio bajarse el cristal del lado del conductor y una mano enguantada arrojaba una gasa o un amasijo de algodón. Poco después, la misma mano tiró a la calzada algo que produjo un ruido de cristales... Seguía lloviendo y con aquella oscuridad Palau apenas podía distinguirlos, pero habían encendido la radio del coche, con el volumen muy alto, lo cual era una imprudencia y una veleidad impropia de Luis.

—La persona que esperaba a Jan en aquel coche no era tu marido —concluyó el *Mandalay*, calibrando el efecto de sus palabras en ella—. ¿Me sigues, prenda?

Balbina hizo un mohín de incredulidad.

—Qué remedio. —Encendió otro cigarrillo, pensativa—. Pero vaya cuento. Palau estaría borracho...

—No lo estaba. Dijo que lo que vio era apenas una sombra, pero que desde luego no era Luis, le conocía bien. Y que aquella mano enguantada y aquel brazo no podían ser suyos. De todos modos a mí eso no me interesaba y no le di demasiada importancia, en aquel momento; yo sólo quería saber qué había pasado con mi dinero. Cuando salí de la Modelo pude confirmar algunas cosas y empecé a atar cabos. En efecto, no era tu hombre quien esperaba a Jan en el coche. Seguramente era una fulana...

—Vaya. —Balbina le miró burlonamente, pero con una chispa de interés—. ¿Quieres decir que Luis envió a una de sus amiguitas a recogerle? Puede ser. Tenía bastantes, y todas chaladas por él, dicen.

El *Mandalay* meneó la cabeza.

–A ninguna amiguita le habría encomendado este trabajo. Y en todo caso se habría llevado a Jan enseguida, o al menos él le habría entregado la cartera. Y no hicieron ninguna de las dos cosas... Te diré lo que pasó. Jan citó a Luis en otro lugar y le dio esquinazo. Tu cuñado tenía su propio plan para fugarse, y la fulana del Buick formaba parte de ese plan.

–Eso es imposible –se rió Balbina–. ¡Pues sí que le conoces bien! Jamás hubo ninguna mujer en la vida de mi cuñado.

–Te equivocas. Me consta que por esa época tuvo un lío. –Reflexionó un rato y añadió–: Lo llevaba muy en secreto. Recuerdo que una tarde entró en una joyería de la calle Salmerón a recoger un encargo; casi no me dejó verlo, parecía un pasador del pelo o algo así. Bromeé un poco acerca de si se había echado novia, si se había encoñado... Se puso nervioso y dijo que en realidad aquello era un pasador de corbata que había pertenecido a su padre y que lo había mandado recomponer para regalárselo a su madre como horquilla para el pelo, quería darle una sorpresa. Pero Jan nunca supo mentir hablando de mujeres, no había más que mirarle a la cara: tenía una amiga, en efecto, y estaba casada, por lo que no deseaba hablar de ella. Yo nunca supe quién era, la cosa debió durar poco y de hecho no creo que se vieran más de tres o cuatro veces, pero a Jan le dio fuerte y se notaba. Y todo eso ocurrió precisamente poco antes de nuestro último trabajo en la Eucort, cuando él ya estaba desengañado y harto de jugarse el pellejo, mucho más que yo. Hablaba ya de cambiar de vida, de irse lejos y empezar de nuevo... Pero volvamos a lo que me sopló Palau. Dijo que, finalmente, Jan se apeó del Buick, que arrancó de mala manera y sin apenas darle tiempo a cerrar la puerta, y que se quedó allí de pie un rato, bajo la lluvia, con la cartera en la mano. Volvió lentamente al coche del carota y pidió que le llevara a casa de su madre. No abrió la boca en todo el rato y estaba al borde del agotamiento. No quiso aclararle nada a Palau, ni sobre el paradero de Luis ni respecto al dinero, y el carota, al dejarle delante de su casa, no se pudo contener más y le echó la bronca: te estás metiendo en una ratonera, te van a trincar. Dice que él ni siquiera le oyó. Se metió en el portal y Palau no lo volvió a ver. Pero le vio un vecino y le denunció. Eso ya lo sabes, y todo lo demás…

El *Mandalay* hizo una pausa. Cogió la pitillera y empezó a examinarla de un lado y de otro con el único fin de darle tiempo a Balbina.

–Y bien –dijo ella–. Adónde quieres ir a parar.

–A esto: si tu cuñado no vio a Luis aquella noche, y todo parece indicar que no, que no siguió el plan previsto, se quedó con un dinero que era tan suyo como mío. Y si fue así, tú tienes que saberlo.

Balbina sonrió. Parecía muy tranquila. Le quitó la pitillera dorada de las manos y aplastó en ella la colilla antes de tirarla al suelo. Él no dijo nada.

–¿Por qué supones que yo lo sé?

–Has vivido con su madre hasta que murió. Estabas en su casa cuando fueron a detenerle…

–Al igual que tú –empezó ella con una voz distinta, con una repentina sinceridad que al *Mandalay* no le pasó por alto–, mi suegra y yo siempre creímos que Jan acudió a la cita con su hermano. Por qué no se fueron juntos, eso nunca nos lo dijo. En cuanto a esa cartera, no sé nada de nada.

El *Mandalay* se había levantado. Apuró su jerez y se acercó a la ventana a mirar abajo. Se volvió y dijo con la voz dura:

–No tengo mucho tiempo. Te lo diré de otro modo para que me entiendas. Creo que su plan era fugarse con aquella mujer y con las cien mil, mientras Luis le esperaba en alguna parte. Pero en el último momento, por miedo o por lo que fuera, la fulana se echó atrás. Entonces, a ese tonto se le vino todo abajo y decidió volver a su casa y allí se dejó trincar. –Hizo un gesto vago con la mano mientras se sentaba otra vez, añadiendo–: En todo caso, cualquiera que fuese la causa por la que no llegó a irse, a mí no me interesa una mierda. La cuestión es: ¿encontró él esa noche, antes de ser detenido, alguna forma de hacer llegar el dinero a Luis, o el dinero quedó en su casa? En mi opinión ocurrió esto último…

–A mí que me registren –dijo Balbina, y con una sonrisa turbia añadió–: Estás tú bien. Suponiendo que tuvieras razón, ¿qué pretendes? ¿Recuperar tu parte, después de tantos años?

–No me creas tan idiota. Tú y tu suegra os gastaríais hasta la última peseta, y espero que os aprovechara. Yo habría hecho lo mismo.

–Entonces, ¿qué buscas?

–La verdad.

–¿Para qué?

–Eso es asunto mío.

–¿Por qué no vas y se lo preguntas a mi cuñado?

–Lo haré cuando me convenga. De momento te lo pregunto a ti.

–Pues yo no sé nada, chato.

–Yo creo que sí.

Balbina vio cómo se crispaba el rostro del *Mandalay*, cómo tensaba los músculos de la mandíbula. Se inclinó hacia ella y acarició su rodilla.

–Vas a obligarme a hacer lo que no quiero.

–Nunca he visto más de dos billetes verdes juntos… Mira, cielo, dejemos eso. Te propongo algo más entretenido.

Quiso levantarse, pero él volvió a sujetar su muñeca, ahora con fuerza, y la mantuvo sentada. Al mismo tiempo, el dorso de su mano la golpeó en la oreja y en el cuello, casi en la nuca.

Balbina apretó los labios y entornó los párpados.

–No me asustas, mamón. Conozco a los chulos como tú...

El segundo revés le giró la cara, y se habría caído a un lado de no tener él asida su muñeca. El *Mandalay* chasqueó la lengua con cara de pena y dijo:

–No seas burra. ¿O te gusta cobrar?

–Está bien... La cartera estuvo escondida en casa unos días, hasta que vino uno de parte de Luis.

–¿Quién era?

–No lo sé, no le conocía...

–¿Cómo era? –Hizo una pausa–. Me estás mintiendo.

Balbina tragó saliva. El *Mandalay* se demoró todavía unos segundos, mirándola a los ojos. Luego, abierto de piernas, sentado, lanzó la mano amorfa, yerta, y la cara y el cuerpo de ella se fueron hacia atrás y a un lado, y otra vez él impidió que se cayera sobre la cama sujetando su muñeca. Finalmente la soltó dejándola encogerse al borde del lecho. Balbina habló con la voz ahogada por la rabia:

–Cuando fue a casa para ocultarse, yo aún estaba en la comisaría, así que no le vi... Había un hombre pintando el piso, un vecino amigo nuestro. Jan le apreciaba, le tenía confianza. Le dio la cartera para que fuera a esconderla a su casa y le ordenó que volviera enseguida y siguiera pintando... También le dijo que no entregara la cartera a mi suegra o a mí hasta pasados seis meses. El hombre obedeció. Un día me hizo pasar a su taller, me lo contó todo y me dio la cartera. La abrimos allí mismo y había el dinero, aunque no tanto como dices, y una pistola. La pistola yo no la quería ni ver. –Le vino un asco a la boca–. Ni verla... Y se la dejé al pintor y le dije que la tirara a una cloaca...

–¿Y el dinero?

Balbina liberó un exceso de sollozos y de risa. Se

sentó en la cama y alcanzó el bolso, que abrió en su regazo.

–Qué pregunta. Nos lo gastamos en pipas.

–Me refiero a si tu suegra tuvo algún reparo en acep-tar un dinero robado. Podría ser...

–Nunca lo supo, que era robado, idiota.

El *Mandalay* se ajustó la corbata, recuperó la pitille-ra y el encendedor, recogió los zapatos de Balbina y los dejó a su lado en la cama. Sacó tres billetes de cien de la cartera y los depositó en el bolso abierto de Balbina.

–¿Está bien así?

Fue hasta la puerta y abrió. Antes de salir se volvió a mirarla.

–De lo hablado aquí, ni una palabra a Jan. –Meditó un momento y añadió–: No queremos que le pase nada a tu hijo.

Balbina le clavó una mirada venenosa.

–¿Qué has dicho, malparido?

–Julio le conoce, sabe dónde trabaja... Pero tú eres lista; ¿por qué ibas a querer mezclar al chico en todo eso?

–Vete al coño de tu madre.

–Volveremos a vernos y te traeré un regalo. Por las molestias. Adiós.

## 2

Se fue directamente a casa en taxi y antes de acostar-se entró en el cuarto de Néstor, comprobó que dormía, recogió del suelo su ropa sucia, la llevó al lavadero y luego entró en el baño y se miró en el espejo: la cara abotagada, los pómulos encendidos. No había señales visibles de mayor consideración, pero el escozor reper-cutía en sus nervios. Eran más de las tres. Se llevó al dormitorio la botella de coñac y un vaso. No se había desnudado del todo cuando, sin saber muy bien por qué, apagó la luz y terminó de desnudarse a oscuras. Se tumbó bocarriba en la cama y cerró los ojos.

A unos tres metros por encima de su cara, en la perpendicular afilada e insomne del entrecejo, la salamanquesa agarrada al techo había despegado sigilosamente las dos patitas delanteras y la mitad del cuerpo y su colgante cabeza triangular se balanceaba en el aire.

# CAPÍTULO III

## 1

Paquita limpió el pincel con aguarrás, lo secó con el trapo y lo dejó en el bote. Tenía la muleta apoyada en el estante y se sostenía sobre un pie, el vientre pegado al canto de la mesa llena de recortes de papel duro de embalaje y listones de madera.

Debajo del altillo, Néstor deshacía el vendaje de sus manos sosteniendo la camisa con los dientes. Ansioso, sudoroso y despeinado, miró a la muchacha y se encaminó hacia ella.

–¿Tienes mucha faena?

–Ya he terminado.

–Entonces siéntate y escribe.

–No. El doctor Cabot vendrá ahora mismo.

–Le veremos entrar...

–He dicho que no. Y tú deberías volver al Trola.

Paquita encajó la muleta a su axila y se dirigió al pequeño escritorio arrimado a la pared, pero no se sentó. Abrió una pulcra libreta de espiral y anotó algo con una estilográfica barata de capuchón de pasta. La mugrienta pared exhibía viejos carteles pegados con cola, rasgados y amarillentos, pero carteles de verdad, impresos en colores de verdad y donde las caras y los acontecimientos vivían de verdad y eran reconocibles; anunciaban películas de diez o quince años atrás, algunas de las cuales solían reponerse en los cines de barrio durante la temporada de estío. ¿Y a ésta cuándo la pondrán de reprise?, se preguntaba siempre Néstor, contemplando la arrogante cabeza y los ojos negros de furia de Tyrone Power frente al perverso y melifluo George Sanders montado a caballo y a punto de cruzarle la cara con la fusta.

—Además —dijo Paquita— tengo que ir a la carpintería.

Néstor terminó de enrollar la segunda venda, la guardó en el bolsillo y se puso la camisa.

—¿Qué te pasa, Paqui, bonita? —ronroneó pegándose a su espalda.

—Tengo miedo. El otro día el abuelo estaba mirando mi caligrafía en esta libreta... ¡Sé que miraba eso, la letra!

—Puedes hacer letra de imprenta y nadie sabrá que es tuya.

—Que no, pesado. Déjame.

Néstor le sopló suavemente la nuca y ella se estremeció.

—¡Pero si es la mar de divertido, Paqui!

—Un día se descubrirá —repuso la muchacha— y estos presumidos que andan por ahí con el señor Polo vendrán a partirnos la cara. El Gonzalo tiene una manopla de hierro, yo se la vi en el parque Güell un domingo que tocaban sardanas y fue con sus amigos falangistas a meter follón...

—Éste se hace el guapo porque yo le dejo. Un día cogeré la navaja y le marcaré la chorrada esa del yugo y las flechas en los cojones. —Su mano tanteó la armónica sujeta al cinturón–. ¿Quieres que toque *Noche de Ronda* para ti sola, mientras escribes…?

–Ya no me gusta –dijo ella enfurruñada.

–Era tu preferida. ¿*Cabaretera*…? ¿Quieres que toque música de pelis? ¿*Raíces profundas*? ¿*Un lugar en el sol*?

–No.

Su cabeza se mantenía erguida e inmóvil, pero no su cuerpo. Anotó algo más en la libreta de encargos y la cerró, se hizo bruscamente a un lado y permaneció de pie junto al escritorio golpeándose el muslo bueno con la pluma, ofreciendo el perfil adusto y el esbelto y desgarbado encanto, el nervioso desorden de un cuerpo que no controlaba, que jugaba siempre a contrariar sus deseos. Más allá de su corta melena rojiza, de su cuello redondo y estático, brillaban en la penumbra, al fondo del taller, el oro y la grana todavía frescos de dos carteles a medio pintar.

–Yo solo no puedo hacerlo –suplicó Néstor–. Por favor…

Ella le miró con el rabillo del ojo.

–¿Me prometes que será la última vez?

–Te lo prometo… ¿Dónde está el abuelo?

–En el terrado, haciéndose el desayuno.

–Tenemos que darnos prisa.

Acercó la banqueta y ella se volvió, abrió el cajón y sacó una hoja de papel rayado y un lápiz. Cerró el cajón con la cadera y el gesto la obligó a alzar el hombro hasta la mejilla, como por efecto de un repentino escalofrío, y Néstor vislumbró fugazmente la desdeñosa elegancia de su larga espalda bajo el pobre vestido rosa sin mangas toscamente fruncido en la cintura. Siempre era así: en medio de la abrupta y maligna variedad de posturas que animaban su cuerpo desasosegado, surgía de pronto la insólita flor de un gesto inesperadamente tierno y dulce, lo mismo que del cacto áspero y dañino estalla la flor inverosímil. Como queriendo retener ese instante fugaz, Néstor rodeó con el brazo su talle esbelto y duro. Con la otra mano se hizo cargo de la muleta y ella se sentó.

–Escribe –dijo Néstor–. Último aviso. Llegó tu hora por fin. La hora de la venganza, poli sarnoso, hijoputa, sifilítico…

–Espera, no tan deprisa –repuso Paquita, su cabeza y el lápiz inclinados hacia el mismo lado y moviéndose al unísono–. ¿Cómo es eso…?

–Si-fi-lí-ti-co. Vas a morir, rata asquerosa, pagarás tus crímenes. Sabemos que cada lunes vas de gorra al cine Proyecciones y te sientas en la fila tres y te quitas los zapatos y te duermes y roncas, cerdo… Y un día te despertarás con un puñal clavado en el pecho.

Contuvo un ataque de risa y ella dijo:

–Despacio. Y demasiado largo.

–¿No te da risa?

Paquita se encogió de hombros.

–No.

–Es que si tiene el puñal clavado cómo se va a despertar –siguió Néstor riéndose y luego dijo–: Pero que se joda. Ahora la despedida: así acabaremos contigo, bicho asqueroso, si antes no lo hace el cáncer que dicen que te pudre por dentro y que tienes bien merecido, matón de mierda… ¿Por qué no escribes?

–Eso del cáncer, no. Me da lástima.

–A mí no me da lástima.

–Porque tú eres muy bestia. Eso no lo pongo.

–Está bien, como quieras… ¿Y si la despedida se la dedicáramos a Gonzalito y a sus amigos?

–No. La firma.

–El Coyote de Las Ánimas. No, espera… El Hijo de la Furia.

–Ponte a este lado.

Néstor pasó a su izquierda, debajo del ventanuco, y ella se ladeó un poco hacia su derecha. De este modo la pierna enferma quedaba oculta. Miró lo que había escrito, se quedó pensando y de pronto estrujó el papel y lo tiró debajo de la mesa.

–¿Qué haces? –dijo Néstor.

–Sube al terrado, yo iré enseguida.

–No, te espero.

Suau bajaba por la escalera del altillo con su desayuno envuelto en una aceitosa hoja de diario. Néstor le dio los buenos días pero el viejo no pareció darse cuenta. Iba a salir a la calle y Paquita, que se había levantado con la ayuda de su muleta y miraba los dos carteles a medio pintar, le retuvo diciendo:

–Abuelo, ¿qué has hecho? –Sus ojos muy abiertos iban de un cartel a otro–. ¿No era *El beso de la Muerte* y *El sueño de Andalucía* el encargo del cine Rovira para la semana que viene?

–Son estos dos.

–Ya veo. ¿Y has copiado de los programas de mano que te di?

–Claro.

–¿Dónde están?

–Por ahí… Ya no me hacen falta.

–Has vuelto a copiar las caras de memoria, abuelo –suspiró, los brazos en jarras y con un encabritamiento repentino en su cuerpo enganchado a la muleta. No sabía si echarse a reír. Suau miraba ahora los carteles casi terminados sin ver ninguna anomalía, pero esforzándose por verla, abriendo mucho sus ojitos de mono.

–Qué pasa. Yo no veo nada…

–¿No? ¿Quieres decirme qué hace Luis Mariano con gabardina y metralleta? ¿Y qué hace en este otro cartel Richard Widmark vestido de torero…?

Suau se inclinó más y miró más de cerca.

–Hostia. Pues es verdad.

–Esto te pasa por trabajar de memoria, abuelo. Ya es la segunda vez que confundes las caras.

–Hum –gruñó Suau–. ¿Y se nota mucho…? Bueno, luego las cambiaré. Me voy al bar a desayunar. Tú no te muevas de aquí que vendrá el médico.

–¿No crees que lo hace a sabiendas? –sonrió Néstor cuando estaban solos–. Tu abuelo es un coñón de marca.

–No sé. Terminará mochales como el pobre Bibi –giró en redondo y se enfrentó al escritorio–. Vamos al terrado. Tiene que ser con tinta y con letra redondilla, esta vez.

A trancas con la muleta, Paquita subía las escaleras del altillo. Llevaba el papel, la estilográfica, una libreta de tapas duras y el bálsamo Midalgán. Arriba, Néstor se adelantó abriendo una pequeña puerta y subieron otra escalera corta, de ladrillo, que llevaba al terrado.

Era temprano y el sol no lucía muy alto pero ya picaba. Colgaban de los alambres acartonadas sábanas blancas junto con restos descoloridos de alguna antigua verbena, deshilachadas guirnaldas de papel y cables eléctricos despellejados; y en la cañería de plomo que partiendo del depósito de agua recorría sinuosamente la pared del alto edificio lateral, un grifo mal cerrado, en su extremo inferior, goteaba sobre un amarillo cubo de playa. En el rincón opuesto, la barbacoa paticoja del viejo Suau todavía humeaba con un agradable olor a arenque asado; a su lado había una aceitera de lata, una cajita de madera con sal y un saquito de carbón. Mientras Néstor llenaba el cubo de agua, Paquita se sentó en el colchón listado, debajo del parasol, puso la hoja de papel sobre la libreta y empuñó la estilográfica. Néstor dejó el cubo a su alcance y se sentó en una esquina del colchón. Apenas tuvo que dictarle nada porque ella se acordaba de la carta anterior y además no estaba dispuesta a poner las mismas bestialidades. Escribía recostada sobre un codo, dejando que se soleara la pierna buena con la falda subida de forma que la tela tapara la pierna mala, siempre encogida y a la sombra.

–¿Por qué has de hacer lo contrario de lo que te ordenan? –dijo Néstor–. No miraré, si no quieres.

–Por mí puedes mirar lo que te dé la gana.

–Digo la otra –repuso él señalando la pierna oculta–. ¿Así cómo la vas a curar, tontaina?

–Me importa un bledo.

Dejó la pluma para destapar la pomada.

–Que no miraré, te lo prometo –insistió Néstor–. Está muy mal eso que haces, Paqui, debes sacarla y que le dé el sol y el aire... Además, con la otra al lado, ¿cómo me voy a fijar en esta birria de pata...?

Ella no dijo nada. Sus dedos tensos y ágiles esparcían la pomada a lo largo del muslo esbelto y redondo, lubricando una piel dorada de melocotón. Notó el calor subiendo hasta la ingle y entornó los ojos fijando en él las pálidas pupilas, suavemente teñidas de violeta.

Néstor bajó la vista.

–A lo mejor he dicho otra animalada. Me paso todo el tiempo diciéndote animaladas... Lo siento.

–¿Quieres que te escriba esa dichosa carta sí o no? –Restregó la mano en el colchón y recuperó la estilográfica–. Toca la armónica.

Néstor sacó la armónica del cinto. Antes de llevársela a la boca la golpeó en la palma de la mano. Tocó con la mirada dulce y errante, distraída a ratos en aquel muslo fúlgido y estallante de salud que merecía él solo tantas atenciones y desvelos, que excluía la piedad o la trocaba en respeto y admiración, mientras ella escribía el anónimo y simulaba no darse cuenta que le gustaba que él mirara...

Y de pronto Néstor volvió a ver a su madre sentada en una butaca de las últimas filas del cine Roxy, sola. En realidad, nunca la había visto así: se lo habían contado de mala manera, y por eso precisamente –por contarlo pitorreándose– un muchacho de la calle San Luis llevaba en la mejilla una cicatriz en forma de media luna.

Siempre quiso contarle a Paquita esa historia que nadie conocía, y empezarla así: yo tenía doce años y sentía lástima de mi madre igual que a veces siento lástima de ti, Paqui, aunque ella no es una pobre tullida como tú. Iba al Roxy a espiarla, aquel invierno las estábamos pasando moradas sin apenas comida y la abuela se había muerto, yo me colaba en el cine y desde una distancia la veía sentada en las últimas filas, siempre sola, aterida de frío, esperando a un hombre o a un chaval dispuesto a dejarse tocar por dos pesetas. Nadie se sentaba a su lado, preferían a otras, algunos porque la conocían del barrio y les daba vergüenza y otros porque les parecería enferma y fea y triste, estaba siempre constipada y tosía mucho. Yo creo que a veces lloraba, allí en el cine, a oscuras. Pero nunca se daba por vencida –me gustaría hablar de todo eso contigo, Paqui–, tenías que verla cuando había suerte y volvía a casa muy tarde y me llamaba nada más entrar y decía mañana compraremos esto y lo otro... Pero cuando empezó no vendía ni una escoba, no gustaba a los tíos o no sé qué pasaba. Yo algunas noches la esperaba sentado en un banco de la plaza Lesseps y cuando salía del cine me hacía el encontradizo. Un día estaba allí sentado y vi salir a ese pavero del Rafa, el de la floristería de la calle San Luis, iba con un chaval de Los Luises, y se sentaron en un banco cerca de mí; no me vieron porque yo estaba en lo más oscuro y además me tapaba un árbol. Entonces el Rafa ya andaría en los quince años pero era tontolculo y rastrero. Les oí hablar de ella y se reían: voy y me meto en la penúltima fila de la derecha, decía el de Los Luises, veo a una morena con un chubasquero y un jersey negro, me siento a su lado y empiezo a tantear con el codo, le cojo la mano y me la pongo aquí... De primera, en serio, es la pera de buena, oye, parece que lo haga con guantes de seda y luego además ella misma pone el pañuelo, decía el tótila. Y el Rafa se reía y decía que él no, que ya había probado una vez y que a él no le gustaba, que ella le había hecho daño y tenía las manos frías y rasposas de lavandera y no la sabía descapullar y no sé qué más decía, el mamón –o mejor eso no te lo cuento, Paqui–, y entonces fui hasta él y le cogí de la camisa y lo levanté del banco y de entrada le clavé un rodillazo en la bragueta. Saqué del bolsillo mi cortaplumas y lo abrí ante sus narices y le rajé la mejilla girando piadosamente la muñeca, solamente eso le hice, poca cosa pero aún lleva la señal y la llevará toda su puta vida... Por supuesto, el cachondeo aquel del Roxy lo terminó un buen día Ramón, el acomodador, pero creo que mi madre se enamoró de él y ahí empezó otra historia peor, porque la sacó del cine y la metió de lleno en eso de los bares y luego está el doctor Cabot que también se aprovechó de ella, y luego ya ves...

–Ya está –la voz oscura de Paquita le devolvió al presente–. Pero me gustaría romperla.

Néstor había dejado de tocar la armónica y la frotaba en el pantalón. Algún día se lo contaría todo a la Paqui, cuando fuera más mayor... Hostia, qué más da, me estoy volviendo un gilipollas.

Paquita introdujo los dedos en el cubo de agua y salpicó la pierna, atenuando la mordedura del sol. Luego cogió la carta y la rompió despacio y meticulosamente, en pedacitos cada vez más pequeños.

–¡Pero, ¿qué haces?! –exclamó Néstor.

–Se acabó. Nunca más.

–¡Con lo bien que te había quedado!

–Tengo que ir preparando las guirnaldas de la Fiesta Mayor. ¿Vendrás a ayudarme? –Seguía sacudiendo los dedos mojados sobre la piel encendida–. Mira qué rojo se pone, y qué bonito.

Néstor cogió el cubo y lo vació por completo en el bonito maldito muslo.

Desde hacía años el viejo Suau tenía la costumbre de desayunar en el bar. Sentado a su mesa de siempre pedía un porroncito de vino blanco y unas aceitunas aliñadas y empezaba a desplegar con parsimonia la grasienta hoja del diario en la que traía envuelto un desayuno frecuentemente complicado y suntuoso: dos o tres rebanadas de pan tostado y bien untadas con tomate y encima sardinas asadas o un arenque, a veces una chuleta de cordero rodeada de cebollitas tiernas también asadas y hasta una perfumada alcachofa a la brasa.

–No sabéis comer –le decía al *Nene,* que solía protestar del pestucio a arenque–. El desayuno es la única comida seria para un hombre que trabaja. Tú no puedes entenderlo porque eres un gandul.

Una mañana temprano, Paquita entró a comprar hielo y su abuelo le recordó que tenía que ir al Roxy a buscar los programas de mano. Néstor, que se disponía a llevar un encargo a la calle Torrent de l'Olla, la esperó para acompañarla. Cuando cruzaban la plaza del Norte, Néstor soltó la carretilla y le dijo a Paquita que esperara un momento. Había un grupo de muchachos de su edad contemplando una motocicleta en la acera de Los Luises.

–Tú, Enriquito –le dijo Néstor a uno rubio de pelo rizado que llevaba una boina roja sujeta al cinturón–. Te llaman.

Plantado frente a él, le indicaba una esquina de la plaza. El otro miró hacia allí. Entonces Néstor le clavó un rodillazo en la bragueta y le sujetó por los sobacos antes que se cayera.

–Nunca aprenderás, capullo –lo sentó en la acera y añadió–: Hoy llevo poca carga y voy cerquita.

–Búscate a otro –gimió el de la boina, pero vio que los demás se alejaban.

–Tú conduces mejor, Enriquito. Hala, andando. ¿Adónde ibas con la boina?

–Tenemos reunión… para ir a Campamentos.

Aún se quejaba del golpe cuando cogió la carretilla y empezó a tirar de ella. Néstor y Paquita le seguían a un par de metros, ella por la acera, brincando con sus muletas pintadas con margaritas amarillas.

–No es mal chico –dijo Paquita.

–Se ve que no le conoces –repuso Néstor–. Cuando te ven sola, se ríen de ti.

–Bueno.

–Te llaman la pelicoja, ¿no lo sabías?

–A mí me da igual.

–A mí no. Además, un poco de ejercicio le irá bien, está muy fati.

Delante de las cocheras de tranvías despidió a Enriquito, entró con el pedido –tres garrafas de vino del Priorato–, volvió a salir y siguieron camino del Roxy rodeando la manzana. Dos mujeres de la limpieza faenaban en la platea vacía del cine. Un hombre enfurruñado le dio a Paquita los programas de la semana próxima y luego se fueron Salmerón abajo hasta la calle Belén. En el Roxy iban a reponer *Mercado de ladrones* y Néstor, mirando el programa de mano toscamente coloreado, comentó lo difícil que le sería al abuelo reproducir aquella fantástica cara de cínico que tenía Richard Conte, uno de sus artistas favoritos.

En la calle Belén se pararon ante el escaparate de una pequeña mercería que exhibía prendas para recién nacido, madejas de lana, material de costura y ligas. En medio de todo ello se alzaban dos rollizas piernas femeninas de plástico rosado, cortadas bruscamente a la altura del perrús y enfundadas en medias negras de red.

–¿Tú crees que le gustarán, Paqui? –dijo Néstor.

–Están de moda. –Ella le miró extrañada–: Pero, ¿no me dijiste que él se las iba a comprar?

–No tiene dinero. –Todavía miraba las medias con fijeza–. Muy negras las veo, muy tristes.

–A los hombres les gusta el negro. Cuando murió tu abuela y Balbina se vistió de negro, todos la miraban mucho.

Néstor sonrió agitando con la mano la melena pelirroja de la muchacha.

–¿Qué? ¿Te animas?

Paquita se echó a reír. Entraron en la tienda riéndose y haciéndose cosquillas. La puerta vidriera hizo sonar una campanilla. Paquita apoyó las muletas en el mostrador y puso la mano en el hombro de su amigo. Les atendió una vieja de barbilla temblona que se movía con lentitud, trasladando de un lado a otro unas manos secas y amarillentas que no acababan de encontrar ocupación.

–Buenas –entonó Néstor–. Quiero regalarle a mi novia unas medias como éstas del escaparate.

La vieja sólo pudo ver la violenta cadera de la muchacha, porque la pierna quedaba oculta por el mostrador. No se alteró su expresión de extravío senil. Les volvió la espalda y sacó de los estantes un par de bolsas planas de celofán.

–A esta rubita tan guapa –dijo con una vocecita– yo le aconsejaría unas medias de color.

–Vale, abuela. Enséñenos de todos los colores.

–Rojas no me gustan –dijo Paquita–. A ver violetas…

–Sí –añadió Néstor mientras soltaba un botón de su camisa–. O mejor naranja. Saque las medias naranja, por favor, abuela.

Sobre el mostrador ya había un montón de bolsas que ellos revolvían y manoseaban. En un momento que la vieja les daba la espalda, Néstor escondió una bolsa dentro de la camisa y la abotonó. Entonces cogió la mano de Paquita, apretándola.

–Bien pensado –dijo ella– yo no debería llevarlas de rejilla, hacen mayor. ¿No cree, señora?

La vieja se encogió de hombros y empezó a recoger el género.

–Ahora la juventud se pone cualquier cosa, no es como antes, hija.

–¿Nos perdona las molestias, abuela?

Se disculparon largamente y por fin salieron a la calle, y poco después Néstor dejaba a Paquita en la puerta del taller. Quedaron en verse a la hora de la siesta en el terrado.

Antes de volver al Trola, Néstor subió a su casa y encontró al *Nene* en la cocina, comiendo un plátano.

–¿Qué haces tú aquí, maricón de playa?

–No chilles, que tu madre se acaba de dormir –dijo el *Nene*.

–Un día te van a inflar la cara, chaval. Ya verás si mi tío te pilla por aquí...

El *Nene* tiró la piel de plátano en el fregadero y salió tranquilamente al corredor, contoneándose un poco. Llevaba un elegante traje de verano «mil rayas» con los clips de ciclista ciñendo los bajos del pantalón cuidadosamente enrollados alrededor de los tobillos.

–Oye, Néstor, ¿qué te pasa conmigo? –dijo con la voz meliflua–. Tienes a tu madre muy preocupada...

–Fuera de aquí. ¡Fuera!

–No grites, desgraciado. Ya me voy. Un día de éstos pienso invitar a tu tío a una copa y aclararlo todo, y entonces tendrás que callarte la boca...

–Eso lo veremos. Largo.

El *Nene* dio media vuelta y se marchó. Néstor se encaminó al dormitorio de Balbina con las medias de red. Apenas pudo distinguirla en la oscuridad, y por su respiración rasposa supo que había bebido.

Murmuró en voz baja:

–Madre, te traigo un regalo –no exactamente para

que ella le oyera, porque sabía que dormía profundamente, sino sólo para oír su propia voz diciéndolo—: Un regalo que te va a gustar, madre, ya verás...

## 3

Parado en la acera de la calle Salmerón, frente al cine, el viejo Polo miraba los carteles en sus pequeños y maltrechos marcos de madera colgados a ambos lados de la entrada. Reconoció las relamidas pinceladas y los colores estridentes –y hasta creyó escuchar de nuevo la infatigable charrameca del viejo pintor erizada de malaúva y de revanchismo–, pero no había modo de reconocer las caras de los artistas. Como cada año por esta época, el programa del cine Proyecciones se componía de dos películas de reprise que él nunca recordaba haber visto. Probablemente le daba igual, porque su intención no era otra que dormitar media hora en una butaca.

Dejaría al manso collie echado a los pies de la taquillera, como hacía siempre, y antes de entrar se quedaría un rato mirando las fotografías expuestas en el panel. Dicen que de pronto se tambaleó como si estuviera borracho, cayendo sentado en el suelo, pero que no llegó a perder el conocimiento; que le sacaron una silla baja y le tuvieron sentado allí en el vestíbulo como un buda estúpido, sin reconocer a nadie, sin hablar, mirando el vacío. Llevaba la cadena del perro colgada al cuello según su costumbre y la acariciaba con dedos torpes. Un mareo, dijeron, una mala digestión, este calor... Luego se le pasó un poco y decidió entrar en el cine y echar una cabezada en las últimas filas. Debían ser las cuatro de la tarde y unos pocos minutos, la primera película acababa de empezar y en la platea no había ni media docena de personas. Le gustó, tal vez, antes de abandonarse a un sueño agitado que le empapó de sudor y de angustia, un artista maduro que deambulaba por la pantalla con mirada ulcerosa –también él– y fumando cigarrillos como si tuviera los labios y las mejillas anestesiadas. Luego empezó a resoplar aquel mal aliento y el hombre sentado en la butaca delante de él se volvió a mirarle, se levantó y pasó a sentarse detrás.

Cuando despertó fue a los urinarios descendiendo muy despacio por el pasillo lateral, tanteando la pared. El extremo metálico de la cadena del perro, que colgaba de su pecho como una corbata aflojada, le golpeaba la bragueta, de modo que la pasó a la espalda. No vio que él ya se había levantado y le seguía, no vio nada en la oscuridad.

Los urinarios, viejos y apestosos, quedaban justo detrás de la pantalla y mientras meaba uno podía oír perfectamente la peli. Nosotros solíamos quedarnos allí fumando cigarrillos, cuando la película era mala, y siempre había algún espectador aburrido, especialmente viejos... Pero esta vez no había nadie. Polo sentiría primero el tirón de la cadena, como si se hubiese enganchado en alguna cosa a su espalda, tal vez en la manecilla de la puerta, y luego el lazo cerrándose alrededor de su cuello. Antes de llegarle el tirón definitivo, por espacio de una fracción de segundo, quizá tuvo tiempo de girarse y verle las manos, o la cara.

Las manos darían otra vuelta a la cadena en torno al cuello, para soltarla al cabo de un rato y sujetar el cuerpo que resbalaba sin vida. No tuvo más que subirse de pie a la taza del mingitorio rebosante de orines, pasar la cadena por detrás de las tuberías del agua, izar al ex policía y hacer un nudo en la cadena.

4

Y luego, cada día al caer la tarde, empezó de nuevo a dejarse ver acodado al balcón con la chaqueta del pijama, el cigarrillo en los labios y el vaso en la mano. Parecía un vecino cualquiera que, cansado de escuchar la radio en el comedor o de ver pedalear a su mujer en la Singer, ha salido a tomar el fresco y a mirar a la gente que pasa, un hombre que no espera otra cosa que ver morir el día bostezando sobre la calle. A ratos se sentaba a leer en la silla baja detrás de los geranios, y nosotros, desde la acera del bar, le veíamos pasar la página y acariciar el lomo del gato con una afectuosa parsimonia que nos sorprendía. En la medida en que día tras día su estática figura se iba acoplando a la monotonía vocinglera que exudaba la calle a esta hora del verano, y se hacía familiar y hasta anodina, lo mismo que el corro de niños jugando al *buche* en la esquina de la barbería, o que el señor Arnau recogiendo puntualmente cada noche a la misma hora las cajas de fruta a la puerta de su colmado, lo mismo que Bibiloni en su balcón arrojando al aire aviones de papel que caían en barrena, más nos costaba a nosotros singularizar su comportamiento, atribuirle furtivos planes de venganza.

Esta imagen repentinamente vulgar y hogareña del ex pistolero en su balcón, entre geranios reverdecidos y con el perezoso gato frotándose contra sus piernas, seguramente había de tranquilizar a más de uno en el barrio. Pero no pasaría mucho tiempo sin que empezara a verse que esa imagen no era, en realidad, sino la otra cara de la misma moneda. Porque mostraba siempre, incluso cuando vestía aquella sonsa y remendada chaqueta del pijama, una meticulosa pulcritud; los cabellos impecablemente planchados, el riguroso afeitado y las cuidadas manos, eran victorias de la personalidad sobre la desmemoria y la derrota. Si bajaba un momento al bar a comprar tabaco o a beber una ginebra, nunca hablaba más de lo preciso y sus ojos no buscaban a nadie. Y sin embargo, ni uno solo de sus gestos tenía para nosotros un sentido literal; su frecuente costumbre, por ejemplo, de tantear por fuera los bolsillos de su americana, una leve presión de la mano que obedecía a un reflejo inconsciente, no sugerían las maneras de un hombre que comprueba distraídamente que lleva las llaves de casa o los cigarrillos, sino el gesto resignado del que confirma una pérdida o una ausencia a la que aún no acaba de habituarse, y que de algún modo –nos gustaba creer a nosotros– le hacía sentirse ante los demás repentinamente indefenso o vulnerable.

A veces, por la mañana temprano, en mangas de camisa y calzado con viejas sandalias de cuero, le veíamos ir a comprar un litro de leche con el cacharro de aluminio abollado colgando de su brazo estirado y rígido, o volviendo del mercadillo de la calle de las Camelias con una lechuga y algunos tomates en la bolsa de rejilla, o sacando el cubo de la basura a la calle; ciertamente eran escenas destrempadoras y zafias, pero ni aun así dejábamos de rastrear en su perfil severo aquella negra magnificencia, una hosca e implacable reflexión consigo mismo, una fatalidad silenciosa y asumida con la cual parecía resignado a convivir desde hacía muchos años: era una prestancia fría y cruel que ocasionalmente se nos mostraba en su denso pelo negro estirado hacia atrás, en su mentón terroso y grávido, en el furor helado de sus pómulos y hasta en su pulcra y a menudo rocambolesca indumentaria casera, algo así como una elegancia sospechosa y fraudulenta de malabarista de circo, la extraña incitación a considerarle un impostor, un profesional de la ilusión. Había en su caminar, yendo o viniendo de estos cotidianos menesteres, una lentitud expectante que sugería una decidida actividad mental, apasionada y obsesiva. La sugestión del peligro iba siempre con él, dondequiera que fuese y en todo momento, especialmente esa tarde que le vimos pararse por vez primera ante el escaparate de la mercería del hombre que lo denunció, el padre de Tito Raich, aparentemente interesado en unas madejas de lana y una muestra de labor de punto... Era chocante, cuando menos: el escaparate no exhibía nada capaz de atraer la atención de un hombre y, en buena lógica, no cabía pensar en un encargo de Balbina (a ella nunca se la vio en estas labores) y sin embargo permaneció allí de pie bastante rato. Pareció que iba a entrar, pero no lo hizo.

Por algún motivo, había optado por esperar, se había impuesto una tregua, decía Néstor. Merecía la pena verle esperar, porque en esa clase de hombres la espera se convierte en un ritual de la determinación. Néstor esgrimió siempre esta teoría con vehemencia y a menudo con los puños, con unas ensaladas de hostias que de algún modo ya traían la pólvora que todos nos habíamos prometido. Cuando en el terrado de Pablo, durante algún improvisado asalto con guantes, su rabiosa izquierda nos llegaba al rostro, casi nos gustaba pensar que era su tío quien pegaba. Y ese desatino de Néstor que siempre nos fascinó, el convencimiento de que Jan Julivert no había vuelto para refugiarse en su soledad ni para morderse las uñas pencando de plantón en el jardín de una casa de señores, sino para conectar nuevamente con sus antiguos camaradas de lucha y llevar a cabo un estudiado ajuste de cuentas, nos llevó incluso a devorar en los diarios las noticias sobre asaltos a Cajas de Ahorro y a entidades bancarias –este verano se incrementaron los atracos a mano armada y se veían muchos *grises* apostados frente a los bancos– en un desesperado intento por mantener vivo aquel viejo fantasma de la violencia acodado al balcón de su casa con un raído pijama gris.

Los acontecimientos no se hicieron esperar, si bien no acabarían de encajar en nuestros cálculos y su efecto inmediato sólo consiguió aumentar la confusión.

Un viernes al atardecer, mientras ensayábamos unas carambolas en el billar del Trola, empezó a circular la noticia del suicidio del viejo Polo. Los primeros comentarios eran confusos; unos decían que la había espichado después de sufrir una embolia en el vestíbulo de un cine y otros que se le había disparado la pistola en su casa, mientras la limpiaba. Más tarde llegó el barbero, que venía de afeitar a un cliente enfermo en la calle Cerdeña, muy cerca de donde vivía el poli jubilado, y se supo la verdad: le habían encontrado ahorcado con la cadena del perro de la señora Grau en los urinarios del cine Proyecciones, colgado de una tubería. La noticia causó estupor y se comentó con extrañeza que un policía decidiera acabar así con su vida, en vez de pegarse un tiro. El señor Sicart insistió en que Polo no tenía pistola, en que se la habían hecho entregar cuando, ya retirado del servicio, perdió aquel empleo de vigilante en los Almacenes El Águila por fisgar en los probadores de señoras... El viejo Suau dijo que no era verdad, que a él le constaba que siempre iba armado. Todo hacía pensar en una decisión repentina y el tabernero recordó que Polo tenía un cáncer de estómago; aquel mal aliento, un olor a veces dulzón, añadió, debía ser eso: se estaba pudriendo por dentro, pobre hombre. El marido de la señora Carmen, un taxista de ideas republicanas que todo se lo tomaba a chacota, quiso bromear diciendo que ese cáncer había hecho justicia al fin, pero nadie se rió. El señor Cárdenas sugirió dejar en paz a los muertos y pidió una cerveza con anchoas y un dominó y se sentó en la mesa de su cuñado. Era un hombre alto y fuerte y de una extrema amabilidad. Suau mostraba desconcierto y una irritación indiscriminada, contra todos, incluido el difunto. Quizá porque en su fuero interno ya había empezado a echar de menos al viejo carcamal, no se avino a razones con nadie y abandonó el bar después de soltar un escupitajo que parecía dirigido contra su propia barriguita de simio pero que, casualmente, rozó la zapatilla de felpa del señor Folch. El taxista se despachó a gusto recordando algunas canalladas de Polo en la época que actuaba con su placa de la brigada político-social, hasta que el señor Raich, que parecía muy afectado por la noticia, le volvió ostensiblemente la espalda y se encaró al mostrador, liquidó su segundo coñac –nunca se le había visto beber más de uno– y se dispuso a ir a cerrar la mercería al otro lado de la calle.

Era un tipo taciturno, gruñón pero sin energía, de frente deprimida y lacio bigote gris. Cruzó la calle bajándose las mangas recogidas de la camisa y mirando con su acostumbrado recelo a un lado y otro lado, el palillo entre los dientes y el ceño arrugado. Le vimos pararse en el bordillo de la acera contraria y agacharse para atar el cordón del zapato. Estaba anocheciendo. Néstor había terminado su trabajo y decidimos ir a sentarnos con Paquita a la puerta del taller y beber de gorra unos tragos de cerveza con gaseosa, si aún quedaba en el porrón y no se había recalentado mucho. Néstor no quería comentar la muerte del viejo poli, parecía disgustado y pensativo. Al pasar bajo su balcón alzamos los ojos y allí estaba Jan Julivert acodado a la barandilla y fumando, la cabeza suspendida bajo un cielo malva tachonado de pálidas estrellas. Miraba atentamente al señor Raich, que en este momento se disponía a entrar en la tienda, y de pronto se retiró del balcón. Un minuto después le vimos salir a la calle y pararse en la acera para encender otro cigarrillo.

Bibiloni, que salía deslumbrado del portal, tropezó con él. Sus manos, como pájaros muertos, lo palparon para identificarle.

–¿Néstor...?

–Soy su tío.

Bibiloni extendió el brazo y señaló el cielo en dirección al mar.

–Por allí vienen otra vez –farfulló con la voz oscura–. Acaban de hacer una pasada a ras del tejado...

–Sonrió afable, solícito–: Tírate al suelo y abre la boca, porque si no, hombre, la onda expansiva te podría reventar por dentro…

–Lo tendré en cuenta.

–Vamos al refugio. Llévame, no veo ni hostia.

Jan Julivert le cogió suavemente del codo y cruzaron la calle en dirección al bar. Bibiloni, riéndose, agachó la cabeza y se tapó los oídos con ambas manos seguramente para no sufrir el rugido de los motores. Su gran cara de niño envejecido, como de seda arrugada, se crispó sin perder la sonrisa mientras explicaba que era un Henkel con dos metralletas y un tirador sentado en el ala. Jan lo llevó hasta el mostrador del Trola, lo invitó a una grosella y volvió a salir cruzando de nuevo la calzada en dirección a la mercería, cuya puerta metálica se disponía a bajar el señor Raich.

Habló con él unos segundos y muy serenamente, las manos en los bolsillos, y Raich le escuchaba mirando al suelo. Algunos parroquianos del bar salieron para verles. Por fin, Raich entró en la tienda y Jan Julivert le siguió. No estuvieron dentro ni dos minutos, pero pareció que había pasado media hora. Cuando salieron no se dijeron nada. Raich bajó tranquilamente la puerta metálica con el estrépito de siempre y se agachó para poner el candado, y Jan Julivert volvió a remontar la acera en dirección a su casa.

En las manos llevaba dos madejas de lana, una roja y otra azul, traspasadas por dos agujas de hacer punto.

# CAPÍTULO IV

## 1

Eran cerca de las once de la noche, un lunes de principios de julio. Un enjambre de mosquitos agobiaba el farol de gas de la calle del Iris cuando Jan Julivert Mon pulsó el timbre junto a la verja de entrada. Llevaba el viejo traje marrón a rayas de americana cruzada recién salido del tinte, camisa azul y corbata marrón claro de nudo estrecho. Mientras se estiraba los puños de la camisa volvió a pensar en lo avanzado de la hora y en la urgencia con que era convocado. Poco antes, al llegar a casa, había encontrado a Néstor haciendo *sombra* en el cuarto de baño, enfrentado a sí mismo en el espejo. Resoplando, Néstor le dijo que la tía monja acababa de llamar: que fuera inmediatamente a ver a la señora Klein. No sabía nada más. Balbina ya se había ido al trabajo, dejando en el baño aquel rastro de perfume de violetas que exasperaba la machacada nariz del muchacho.

Abrió la verja un anciano con chaleco negro y botas de agua que llevaba un hacha en la mano. Su cabeza calva y renegrida estaba orlada de pelo rizado y canoso.

–A este timbre hay que darle fuerte –gruñó–. Menos mal que estaba fuera y le he visto. Qué quiere.

–La señora Klein me está esperando. Vengo de parte de la Madre Teresa.

El viejo sirviente dio media vuelta y enfiló hacia la casa, y Jan le siguió. En el cobertizo junto al garaje había luz y una pila de leños en la entrada. El porche de la torre estaba alumbrado por dos farolillos y la puerta abierta. Elvira apareció en el umbral con su uniforme gris de rayadillo y sus mofletes sanguíneos. Dirigió una tímida sonrisa a Jan y dijo al viejo:

–Deje encendidas las luces del pabellón, señor Anselmo.

–¿Encendidas? ¿Toda la noche?

–Toda la noche.

–¿Lo ha ordenado el coronel?

–La señora.

El hombre se alejó refunfuñando y Elvira se dirigió a Jan:

–Venga, por favor.

El vestíbulo era amplio y circular, con grandes tiestos cuadrados de losetas azules y blancas donde crecían marquesas de lustrosas hojas verdes. En el vitral de colores sobre el porche figuraba un san Jorge matando al dragón. A la derecha había una escalera con barandilla de mármol que subía hasta la galería del primer piso, y a la izquierda un pequeño salón sumido en la penumbra, con altos ventanales y pesadas cortinas color miel. La criada abrió una puerta de cuarterones debajo del amplio hueco de la escalera y condujo a Jan por un corredor de techo alto hasta otra puerta de cristales emplomados, grande y pesada. La golpeó con los nudillos y abrió sin esperar respuesta, haciéndose a un lado para dejar paso. Era un salón-biblioteca que se abría en abanico y comunicaba con la terraza posterior, frente al parque, mediante puertas correderas de cristal.

Virginia Klein estaba de pie en el umbral de la terraza, de espaldas, la cabeza inclinada sobre el pecho y aspirando por la nariz el aerosol de un pequeño pulverizador plateado.

–Pase y siéntese, haga el favor –dijo sin volverse–. Le ruego me disculpe un momento...

–¿Necesita algo la señora? –dijo la criada.

–No. Puedes irte, Elvira.

La muchacha se fue cerrando la puerta. Jan vio a la señora Klein alejarse un poco hacia la terraza, ensimismada en su aerosol y como en busca de aire. La terraza estaba iluminada por invisibles focos a ras del suelo y también el cuadro de césped en suave pendiente que se perdía más allá, hacia el frondoso parque de pinos y abetos sumido en la noche. Mientras esperaba, Jan paseó la mirada en torno. Repletas estanterías de libros llegaban hasta el techo y en medio de la pared frontal había una chimenea con repisa de mármol. Encima de la repisa colgaba un gran cuadro al óleo representando a una mujer joven de corta melena rubia, con falda blanca plisada y blusa camisera, sentada en un sillón de mimbres con dos rosas rojas en la mano y un libro abierto en el regazo. La estancia estaba escasamente iluminada por tres lámparas de pie con pantalla de flecos y pesaba en ella como un exceso consentido pero no deseado de muebles antiguos y sombríos, profundas butacas severamente tapizadas y viejas riñoneras de terciopelo granate que parecían desplazadas o encaradas a nada, como si nadie tuviera nunca que sentarse en ellas. Vio dos vitrinas isabelinas con tacitas, abanicos y otros objetos de marfil, y un espejo modernista orlado de flores y con una serpiente cuya cabeza en relieve, con una manzana en la boca, se miraba obsesivamente a sí misma. En un ángulo, una larga mesa escritorio con soportes de hierro forjado servía para exponer una colección de jarrones antiguos y nada parecía indicar que pudiera servir para otra cosa. Lo único que ofrecía cierto aspecto de inmediata utilidad era la vitrina llena de bebidas y la mesita oriental con vasos, un cubo de plata rebosante de hielo y un sifón.

La señora Klein vio encenderse una luz entre los árboles, al fondo del parque, y entonces se volvió. Llevaba una amplia falda verde manzana con bolsillo y una blusa de seda negra, sin mangas. Era una rubia de rasgos angulosos, alta, de cuarenta y tantos años, grandes ojos oscuros y boca gruesa y pálida. Su cuello y sus brazos conservaban la misma fría calidad de nácar que en el retrato sobre el hogar, pero el suave mentón había ganado en altivez y en torno a su nariz y a su boca entreabierta flotaba ese halo de ansiedad o de alarma de los asmáticos. En el pelo que le caía a un lado de la cara, sobre el pómulo izquierdo, un prendedor de oro y platino con tres pequeños rubíes y en forma de espiga sujetaba una onda rubia cuya misión era ocultar en lo posible la delgada cicatriz curva que se engarfiaba en la comisura de los labios.

Se dirigió hacia él tendiéndole la mano.

—Perdone que le haya hecho esperar... ¿No quiere sentarse?

—Gracias.

Se sentó en una butaca y ella siguió de pie.

—Así que usted es sobrino de la Madre Teresa.

—Sobrino nieto.

—Lamento haberle hecho venir a estas horas, pero tengo cierta urgencia por resolver este dichoso asunto... Supongo que la Madre ya le ha dicho de qué se trata.

—No estaba en casa cuando llamó. Me dieron el recado.

Jan había sacado el paquete de cigarrillos, pero lo devolvió a su bolsillo al ver el aerosol en la mano de la señora Klein.

—Puede fumar si lo desea —dijo ella—. Es esta humedad lo que me fastidia.

–Creo que no me vendrá mal contenerme un rato –sonrió él.

–¿Quiere tomar algo?

–No, gracias.

–Se trata del puesto de guarda, si aún le interesa. –Guardó el aerosol en el profundo bolsillo de la falda y paseó por el salón mientras hablaba. A ratos su voz o su lengua soportaban un pesado lastre de indiferencia o de saliva y sus gestos mostraban la chirriante desenvoltura de una mujer acostumbrada a mandar–. Me habría gustado llegar a un acuerdo con usted mucho antes, pero cuando la Madre me llamó mi marido ya tenía un recomendado. Luego este hombre no se presentó, ni siquiera hemos llegado a conocerle; supongo que empezó a sentirse mal... Hoy he sabido que ha muerto.

–Lo lamento.

–Al parecer se suicidó. Era un policía jubilado y estaba muy enfermo. Tengo entendido que usted también fue policía, señor...

–Mon. Juan Mon.

–¿Dónde vive usted?

–Cerca. En la barriada de La Salud.

–¿Casado?

–No. Vivo con mi cuñada y con su hijo.

–¿Cuántos años tiene, señor Mon?

–Cumpliré los cincuenta en octubre.

La señora Klein se cruzó de brazos y fijó repentinamente la vista en el suelo, en la punta doblada de la alfombra. Habría jurado que este hombre tenía más de sesenta años. Alzó la mano y tocó levemente el prendedor del pelo, sólo como si quisiera asegurarse que seguía en su sitio.

Con una sonrisa vaga, él añadió:

–Espero que mi tía no le haya dado malos informes.

–Es usted pariente suyo y con eso me basta. –Alisó la punta de la alfombra con el pie–. Bien. Antes de nada quería preguntarle si puede empezar enseguida... Esta noche.

–Por mí no hay inconveniente.

La señora Klein esbozó un gesto de disculpa con las manos.

–Verá, no piense que es por temor a que los ladrones vuelvan esta misma noche. Deseo tranquilizar a mi suegra cuanto antes, la pobre vive aterrada desde que supo que entraron a robar. Por eso he dicho que dejen encendidas las luces del pabellón... La Madre Teresa ya le habrá contado que hemos tenido algún problema.

–Algo me dijo.

–Saltaron la tapia del jardín y forzaron la puerta del pabellón. Allí no hay nada de valor, pero últimamente mi marido suele ir a escuchar música después de cenar. Teníamos un perro, un dobermann, y un día apareció envenenado; aunque sospecho que eso nada tuvo que ver con los ladrones. No he conseguido convencer a la familia, pero estoy segura que esta faena se la debo a un vecino bastante carcamal que odiaba al pobre *Riki*...

Se quedó parada escuchando ruidos en la habitación de arriba: la puerta corredera de un armario, abierta y cerrada con excesivo ímpetu, pisadas sobre la madera crujiente del parquet, y enseguida un portazo. Sacó el aerosol del bolsillo, pero no lo usó. Ahora había algo astuto y excitante, casi corrompido en el hermoso diseño de su boca reseca, en la comisura que pellizcaba la cicatriz.

–En fin –agregó volviendo en sí y mirando en torno–, también entraron aquí. Se llevaron un par de porcelanas de Sèvres, eran de mi madre y para mí tenían sobre todo un valor sentimental...

Jan advirtió que su pensamiento seguía en otra parte y contrariado por algo que no tenía que ver con el robo. Y dijo por decir:

–Comprendo. Pero tuvieron ustedes suerte, por lo que veo. Podían llevarse mucho más que eso.

La señora Klein pasó por alto esta observación y dijo:

–Yo no creo que vuelva a ocurrir, pero mi hija y mi suegra están alarmadas, y no digamos el servicio. Mercedes ve fantasmas por todos lados... Perdone que no me siente –añadió reanudando sus cortos paseos–, parece que así noto menos el calor. Veamos. Quisiera explicarle en qué va a consistir su trabajo, pero no tengo una idea muy clara. Supongo que bastará que haga usted alguna ronda por el jardín y por el parque, cuando le parezca oportuno, para asegurarse de que todo sigue en orden. Puede pasar la noche aquí, en este salón, con las luces encendidas. No creo que exista el menor riesgo, pero si quiere llevar algún arma puede hacerlo... ¿Sabe conducir?

Él esperaba esta pregunta.

–Sí. Pero no tengo carnet.

–Nos ocuparemos de eso. En realidad no necesito un chófer, exactamente. Verá, mi marido no está en condiciones de conducir y normalmente no lo hace, si yo puedo evitarlo... Salvo los miércoles, cuando va a recuperación a una clínica. No es que nunca le haya pasado nada, pero me quedaría más tranquila si usted le llevara y volviera a traerle a casa. –Hizo una pausa y le miró, creyéndole indeciso–. Sólo sería una vez a la semana. Antes le llevaba mi hija, pero ahora los miércoles tiene prácticas en San Pablo y sale de casa más temprano...

–¿Dónde está esa clínica?

–En la Avenida Hospital Militar –su mano jugueteaba con el aerosol dentro del bolsillo de la falda. Humedeció sus labios con la lengua y añadió–: Mi marido sufrió un accidente, le supongo enterado por la Madre Teresa.

Jan asintió.

–Me habló también de ciertos anónimos...

–Fue hace años –dijo ella secamente–. Olvídelo, no tiene nada que ver con su trabajo aquí.

Se encaminó hacia los estantes de libros, junto a la vitrina de las bebidas, y, erguida sobre la punta de los pies, introdujo la mano en el hueco entre dos gruesos volúmenes de tapas negras y sacó una pequeña llave. Con ella abrió la vitrina, diciendo con la voz repentinamente opaca:

–Mire usted, voy a hablarle con franqueza. Mi marido, como ya tendrá usted ocasión de comprobar, tal vez necesite un guardaespaldas en determinadas ocasiones, nunca se sabe... –Sonrió con tristeza y añadió–: Pero yo no le pedí eso a la Madre Teresa; yo le dije que me gustaría alguien con... digamos con cierta autoridad o experiencia. Esta casa está un poco apartada y en una zona solitaria, y todos los días se oye hablar de atracos y de robos. Me tranquiliza, por supuesto, que usted haya sido policía, y espero que a mi sirvienta y a mi cocinera las tranquilice aún más, y sobre todo a mi suegra... Pero naturalmente no corremos ningún peligro inmediato y aquí no hay ningún misterio que investigar. ¿Me comprende?

Él asintió en silencio, bastante sorprendido. Tuvo la impresión, por vez primera, que bajo ese expresivo interés de Virginia Klein por desdramatizar su trabajo de guarda se ocultaba la verdadera naturaleza del mismo, otra cosa que ella aún no quería o no se atrevía a exponerle.

Había sacado de la vitrina una botella de pipermint, se sirvió dos dedos en un vaso y le echó hielo. Colocó la botella en su sitio y volvió a cerrar la vitrina con llave, devolviendo ésta a su escondite entre los libros; erguida nuevamente sobre la punta de los pies, los brazos en alto, la fina telaraña negra de la blusa se tensó y clareó revelando una espalda prieta y juvenil.

–Ésta es la única bebida suave que puedo soportar

–dijo al volverse con el vaso en la mano–. Aunque tengo mis dudas acerca de si es una bebida suave... ¿Usted no bebe, señor Mon?

Aunque el tono de la pregunta era convencional, a Jan no le pasó por alto la mirada veladamente inquisitiva de la señora Klein.

–Sí. Pero de noche no tengo costumbre.

–Si luego le apetece ya sabe dónde está la llave. Le ruego que después vuelva a dejarla en su sitio. En cuanto a lo demás –dirigió una lenta mirada a su alrededor– espero que se encuentre cómodo. No solemos utilizar este salón, a no ser que haya invitados. Busque la manera de entretenerse, la noche es muy larga. ¿Le gusta leer? Aquí hay más libros de los que una persona podría leer aunque viviera cien años... Cualquier cosa que necesite la pide a Elvira, la doncella. Vendrá usted cada día al anochecer y se irá a las nueve de la mañana. En la cocina le darán de cenar y el desayuno, Mercedes se ocupará de eso... Bien, había pensado ofrecerle doscientas cincuenta pesetas por noche. ¿Qué le parece?

–Me parece bien.

A través de la terraza entró el ruido de un coche poniéndose en marcha, luego un rumor de neumáticos sobre la grava. La señora Klein suspendió el vaso de menta a medio camino de su boca y su cara reflejó fugazmente una contrariedad. Luego bebió y dijo:

–¿Prefiere cobrar mensualmente o cada semana?

–Cada semana, si no le importa.

–Tal vez no le vendría mal un adelanto. –Y antes de que él dijera nada, agregó–: Mañana Anselmo le dará el importe de dos semanas.

–Se lo agradezco.

–Entonces de acuerdo. –Se encaminó hacia el velador y cogió una campanilla de plata agitándola con energía–. Conocerá a la familia oportunamente. Ahora Elvira le acompañará a la cocina. ¿Ha cenado?

–Sí, señora, gracias.

–Este teléfono –indicó el que estaba sujeto a la pared, junto a una pequeña cómoda-escritorio– se desconecta mediante esta clavija. Si llaman durante la noche y yo no estoy en casa, le ruego que tome el recado. Pero cuando yo esté desconéctelo, para que no le moleste. Mañana le diré a Anselmo que le dé un duplicado de las llaves de la verja, del garaje y del pabellón. Creo que eso es todo.

Se abrió la puerta y Elvira apareció en el umbral frotándose una pierna con la otra.

–El señor Mon se queda esta noche –dijo la señora Klein–. Acompáñale para que conozca a Mercedes y a Anselmo y le atendéis en todo lo que haga falta... –Se volvió hacia él y añadió–: Buenas noches. Espero que todo eso no le resulte muy cansado.

–Seguro que no, señora. Buenas noches.

Cuando Jan ya había salido al corredor y la criada se disponía a cerrar la puerta, se oyó la voz de la señora Klein en el salón:

–Elvira. ¿Qué está haciendo Anselmo? ¿Por qué no ha cerrado el garaje?

–Estaba partiendo leña...

–Qué disparate. ¿Quién le ha dicho que vamos a encender la chimenea, con este calor?

–Se lo ordenó el señor.

Virginia Klein no dijo nada. Elvira cerró la puerta despacio y él aún pudo verla allí dentro, en medio de los pesados muebles sumidos en la rancia atmósfera, con el vaso en una mano y el aerosol en la otra, girando en el vacío la rígida espalda y con la mirada tensa, repentinamente asustada, obsesionada tal vez por alguna alteración brusca del ritmo respiratorio.

Las dependencias del servicio estaban en el ala derecha de la torre. La cocina era grande y luminosa y el zumbido del frigorífico, mal asentado, casi ahogaba la música de la pequeña radio sobre la repisa llena de detergentes y estropajos. A su lado, una puerta abierta dejaba ver la despensa. En el centro había una gran mesa blanca y redonda con un montón de vajilla limpia, y bajo la ventana, desde la que se veía la entrada al garaje, una máquina de coser y una tabla de planchar con ropa lavada. Tras la tela metálica de la puerta que daba al jardín revoloteaban moscardones y mariposas atraídas por la intensa luz interior. Del cobertizo junto al garaje llegaban los golpes espaciados y sonsos del hacha sobre leños.

La cocinera, una oronda gaditana de sesenta años, de porte solemne, tersa papada y boca de piñón, se mostró muy contenta al saber que ya tenían guarda de noche. Le preguntó a Jan si había cenado y le ofreció una taza de café, añadiendo que en la nevera había gazpacho por si luego le apetecía.

–En esta época siempre va bien. –Sonrió mirando a Elvira–: Anda, niña, que ya podrás dormir sin estas angustias…

–¡Bueno! –exclamó la muchacha–. ¡Si es usted la que tiene miedo de los ladrones! Yo lo único que pasa es que a las tres de la madrugada siempre me despierto, pero no es canguelo, que ya me pasaba de niña…

–Anda, deja al señor que se tome su café tranquilo y quita los platos –ordenó la cocinera–. Cotorra.

–Me dijo la Madre Teresa –dijo Jan sentándose a la mesa– que su primo, el señor Anselmo, se va al pueblo.

–Sí –dijo Mercedes–. Su madre está muy enferma, y él ya no piensa más que en volver para allá.

El café era excelente y tomó otra taza. Mientras, la joven criada le informó acerca de los demás miembros de la familia: la abuela, que había venido a pasar unos días –vivía en Santander, con una hija casada con un magistrado–, se acostaba siempre muy temprano; el señor Klein acababa de salir y la señorita Isabel estaba arriba viendo la televisión, seguramente –añadió con un mohín desenfadado– después de haber dejado patas arriba el cuarto de su hermano probándose sus camisas... Su hermano, el señorito Álvaro, pasaba las vacaciones en Santander con sus primos y estudiaba para abogado en la Universidad de Navarra. La señorita Isabel estudiaba medicina y era miope y su madre no la dejaba salir de noche, y si lo hacía –concluyó la criada– nunca regresaba más tarde de las diez y media.

La mirada de la cocinera la instó a callarse momentáneamente y luego prosiguió:

–Se pone las camisas y los pijamas de su hermano y conduce ese trasto de coche como un gamberro. Ya lo verá usted; y sale con un chico casi tan feo como ella... Pero no se puede tener todo en esta vida, ¿verdad, usted?

–Niña, esa lengua –la previno Mercedes.

–¿Suele salir de noche el señor Klein? –preguntó Jan.

–Pues un día sí y otro también –dijo Elvira, y clavó sus vivarachos ojos en la cocinera–: ¿O tampoco se puede decir, Merche?

–¿Por qué ordenó partir leña? –dijo él.

–Ah. –Elvira se rió–. Pensaría que estamos en diciembre. El señor tiene estos arranques... Usted tranquilo. Verá cosas muy raras en esta casa, pero usted tranquilo.

–Será mejor que hable usted con Anselmo –dijo la cocinera–. Ésta se cree una enteradilla y no sabe nada.

Jan se levantó, señalando la puerta mosquitera.

–Supongo que la cierran antes de acostarse.

La cocinera asintió. Dijo que si durante la noche necesitaba venir a la cocina, para un tentempié o para más café, que ella dejaría en un termo, que debía entrar por el interior de la casa.

Jan apuró la taza de café, dio las gracias y salió a dar una vuelta por el jardín. Rodeó la casa por completo y en la parte trasera se paró sobre el césped delante de la terraza. Las luces del salón seguían encendidas, pero la señora Klein ya no estaba allí. Le llegaron atenuadas voces de la pequeña terraza del primer piso, levemente iluminada, mientras se internaba por el parque. Lamentó no haber pedido una linterna de pilas y decidió hacerlo mañana, o comprársela él. Los pinos despedían un intenso olor mientras se orientaba hacia las luces del pabellón. Al llegar vio las rejas nuevas en las ventanas, aún sin pintar. La puerta estaba cerrada con llave y dentro no había nadie. Retrocedió y rodeó la torre hasta alcanzar de nuevo el jardín por el otro lado. La sombría silueta del edificio y los abetos más altos se dibujaban nítidos sobre el cielo estrellado, y a su izquierda, a lo lejos, titilaban las luces de la ladera del Monte Carmelo. Las voces que provenían de la primera planta eran de un televisor. Siguió por diversos senderos entre oscuros parterres, comprobó que la verja de la entrada estaba cerrada y se encaminó hacia el garaje. El viejo había terminado de partir leña y se había ido. El garaje estaba abierto y en medio de las sombras distinguió el Packard castaño, pero no el Volkswagen.

Terminó su primera ronda, fumó un par de cigarrillos sentado en un banco de losetas frente al porche, se encaminó luego hacia la terraza trasera y entró en el salón-biblioteca quitándose la americana. No se oía el menor ruido en la casa y hacía un calor húmedo y sofocante.

## 2

Hacia las dos de la madrugada cerró el libro que estaba leyendo y se levantó de la mecedora. Sacó la llave de su escondrijo, abrió la vitrina y se sirvió una ginebra rebajada con agua de hielo, ya fundido en el cubo. Se sentó de nuevo y cuando saboreaba el primer trago oyó débilmente el timbre del teléfono en alguna habitación del primer piso. Dos minutos después se abrió la puerta del salón y apareció la señora Klein con una bata azul y cara de no haber dormido en absoluto.

–Ya veo que sigue usted sano y salvo –bromeó sonriendo.

Jan se levantó.

–Sí, no hay novedad.

–Creo que el único riesgo que corremos esta noche es morir de calor. Por favor, siéntese… ¿Qué está bebiendo?

–Ginebra.

–Espero que haya encontrado su marca. Si no, pídala mañana a Elvira.

–Todo está conforme, gracias.

–Me alegro.

Virginia Klein mantenía los labios entreabiertos, siempre como si estuviera a punto de decir algo que previamente tenía que abrirse paso en sus pulmones. Él observó su cuello esbelto y redondo y la viveza juvenil de su corta melena rubia, un poco alborotada. Sintió de pronto que la atmósfera, además de sofocante, era demasiado correcta, demasiado afable; no era que la dueña de la casa pareciera estar urdiendo un tanto forzadamente y a deshora una convencional relación de confianza con él, sino más bien consigo misma o con alguna idea que ya traía en su mente al bajar al salón. Estaba allí de pie dándole la espalda, en el umbral de la terraza, mirando la mata de hierbabuena de una gran maceta. Se volvió y dijo:

–Veo que está leyendo literatura buena.

–Debe serlo –admitió él–. Pero me aburre. No soy un entendido. Leo por distraerme.

La señora Klein asintió esbozando una sonrisa:

–No se lo reprocho. Aquí hay toneladas de cultura, según mi marido. –Dejó vagar la mirada por los estantes–. Pero me temo que ninguno de estos libros le ayudará a mantenerse despierto...

Se paseó con aire pensativo y, sin mirarle, añadió:

–Señor Mon, quisiera pedirle un favor. Acaban de avisarme que mi marido está en un bar no lejos de aquí, en el Guinardó. Al parecer olvidó la cartera al salir de casa, o la perdió, es algo despistado. Y van a cerrar el bar... ¿Le importaría ir a buscarle?

–Claro que no. ¿Dónde está?

–Cerca de la Avenida Virgen de Montserrat. Le apuntaré la dirección. –Se dirigió al pequeño escritorio, apuntó algo en el bloc, arrancó la hoja y luego sacó de un cajón tres billetes de cien, que entregó a Jan junto con el papel–. Tenga, coja un taxi. Mi marido se llevó el Volkswagen, pero esperemos que no haya perdido también las llaves –sonrió tímidamente–, en cuyo caso va a tener que oír a su hija... Así que tráigalo en el coche, nadie le pedirá el carnet y menos a estas horas.

Advirtió cierta reserva en la cara del guarda y añadió:

–Si alguna vez se encontrara usted en dificultades por eso, e insisto en que no es probable, puedo garantizarle que yendo con mi marido no le pasará nada.

–Comprendo. ¿Cómo voy a reconocerle?

–Pregunte al encargado del bar.

–¿Su marido está de acuerdo en volver a casa...? –Lamentó la pregunta, que presuponía un conocimiento de los malos hábitos del juez, y se apresuró a añadir–: Quiero decir que él tampoco me conoce a mí; puede disgustarle que un desconocido le diga lo que tiene que hacer.

–Ya he pensado en eso, señor Mon. Haga lo que le digo, por favor. Diríjase al encargado del bar.

–Está bien.

–Perdone, tengo los nervios un poco alterados...

–No, no, está bien. Usted quiere que lo traiga a casa, y eso es lo que voy a hacer.

Se dirigían los dos hacia la puerta y Jan se adelantó para abrir. Ella se paró en el umbral y le miró:

—Pierda cuidado, ni siquiera le preguntará quién es usted. Tráigalo a casa y olvídese de lo demás... —Su voz se había vuelto opaca, extrañamente ajena. Le miró fijamente y él tuvo la impresión de que deseaba comunicarle algo en especial, decisivo—. Puede que esté acompañado; sea quien fuere, incluso alguien que alegara ser amigo suyo, prescinda de su ayuda y obre según le parezca. ¿Me ha entendido?

—Sí. Espero que no haya ningún problema.

—Desde luego. —Salió al corredor y en tono afable agregó—: Usted es un hombre de recursos, sin duda. Confío en usted, señor Mon.

Lo acompañó hasta el vestíbulo, donde le dio las llaves de la verja. Al pie de la escalera, cuando se disponía a subir a su habitación, le recomendó que a la vuelta evitaran hacer ruido para no despertar al servicio. Parecía muy fatigada y con sueño.

Mientras cerraba la puerta del porche, Jan Julivert la vio subir lentamente las escaleras sosteniendo el plateado aerosol ante sus labios un poco exangües, desarmados.

3

La taberna Orense, en el cruce Avenida Virgen de Montserrat con una oscura callejuela en pendiente, cerca de Horta, tenía medio echada la puerta metálica donde campeaba el descolorido anuncio de Orange Crush. En la acera de dos palmos de ancho un gato revolvía las basuras de un cubo volcado. El Volkswagen estaba unos metros más abajo, amorrado a una farola y con las ruedas laterales sobre el bordillo.

Jan dijo al taxista que esperara y fue a echar un vistazo al coche. El cristal del lado del conductor estaba bajado y las llaves en el contacto. En el asiento había un pañuelo de seda negro, una cartera abierta y un tubo de comprimidos. Cogió la cartera y la registró con rapidez; contenía carnets diversos, una agenda grapada, dinero ninguno y una mala fotografía hecha en un local nocturno en la que reconoció a Luis Klein sentado con un joven rubio que le rodeaba los hombros con el brazo. Los dos se reían. Por efecto del flash o del revelado, la foto parecía quemada y los rostros roídos por un ácido. Jan estuvo mirando la cara del rubio acompañante del juez unos segundos y luego metió todo dentro de la cartera y se la guardó. Quitó las llaves del contacto, subió el cristal y cerró la portezuela del coche poniendo el seguro. Después fue a pagar el taxi y lo despidió.

La taberna estaba casi desierta, con las sillas patas arriba sobre las mesas y el suelo lleno de serrín mojado. En el mostrador, con la gorra en el cogote y el bolso en bandolera, un tranviario algo achispado cambiaba con el dueño cartuchos de calderilla por duros y pesetas. Un hombre de bruces en una mesa del fondo ceñía con ambas manos una grande y panzuda copa delante de una botella de coñac. No había nadie más, salvo un joven que salía del lavabo; llevaba pantalones blancos y camiseta negra de manga corta con gaviotas estampadas en el pecho. Se sentó frente al hombre inclinándose para decirle algo jocoso al oído.

Jan Julivert se dirigió al tabernero.

–Vengo por el señor Klein. ¿Qué se debe?

El tabernero le miró con cierta curiosidad.

–¿Le envía su mujer?

–Sí.

El hombre vio la cartera de Klein que Jan llevaba en la mano y suspendió momentáneamente el recuento de la calderilla. El cobrador de tranvía se quitó la gorra y se abanicó con ella.

–¿Dónde la encontró? –dijo el tabernero.

–Dígame qué se debe.

–¿Lo de él también? –señaló con la cabeza al joven de pantalón blanco.

Jan lo miró mientras sacaba el dinero del bolsillo; tendría unos veintitrés años, moreno, de estatura más bien baja. Se había quitado los mocasines y se rascaba la planta del pie.

–También.

–Doscientas cuarenta, con el tabaco y las fichas de teléfono.

–¿Cuánto tiempo llevan aquí?

–Un par de horas.

–¿Llamó él o fue usted?

–Él no puede ni levantarse.

–¿Y por qué no llamó usted antes?

Mientras se calzaba de nuevo, el muchacho le hablaba al juez en voz baja. Pero Klein seguía de bruces sobre la mesa y no atendía, estaba demasiado borracho.

–Se ve que es usted nuevo en eso –dijo el tabernero mientras devolvía el cambio de trescientas–. Las órdenes de su mujer son de avisarla cuando voy a cerrar.

–¿Y si él se larga antes?

–Supongo que tiene amigos en muchos sitios –repuso con aire cansado el tabernero–. Pero no suele alterar su recorrido. Y si lo hace, al final siempre se deja caer por aquí. En eso, por lo menos, sigue teniendo buena memoria.

–Dame cigarrillos. Negro.

El hombre enarcó las cejas.

–Oiga, ¿por qué me tutea? ¿Acaso nos conocemos?

–Tú no sé. Yo muy bien: me has cobrado esa botella de Veterano como si fuera coñac francés.

–Eh, menos guasa, aquí tiene la cuenta...

–¿Conoces al tipo que está con él?

El tabernero meneó la cabeza.

—No es de por aquí.

—¿Han venido juntos?

—Con otro. Uno rubio, fuerte. Se las piró cuando llamé a su casa. No me gustaba… En cambio éste –señaló hacia la mesa–, es un muerto de hambre, no hay más que verle.

—¿El señor Klein ha echado en falta algo, además de la cartera?

—A estas horas ya no se le entiende. –Volvió a sus cartuchos de calderilla, que el tranviario seguía amontonando a un lado del mostrador–. Pero no sé qué dijo de una rosa en el pecho… Menos mal que ha encontrado usted la cartera, pensé que se la habían birlado. No sería la primera vez. Lléveselo, haga el favor. Vino con ganas de cogerla deprisa, esta noche.

—Supongo que tú le has ayudado.

—Se basta solo para eso. Y oiga, yo no soy la niñera de nadie. Aquí tiene el tabaco. Obsequio de la casa –gruñó volviéndole la espalda.

Había alzado un poco la voz y Klein se incorporó mirando a Jan. Era un hombre enjuto y esbelto, de unos cuarenta y cinco años, bien parecido, de ojos azules sorprendentemente claros y pelo lacio, descolorido y veteado por el sol. Llamaba la atención el color de su piel, ceniciento y tenaz como el de algunos vagabundos, en contraste con la calidad y hechuras de su atuendo: un elegante blazier con botones de ancla dorados, camisa blanca de seda, pantalón crema y zapatos blancos. Cierto poroso encanto juvenil vagaba en torno a su decrépita cabeza y a sus frágiles hombros, la espigada supervivencia de una cualidad núbil, una jactanciosa inmadurez que mantenía una relación desleal o cuando menos equívoca con su edad. Se levantó un poco de la silla y escrutaba a Jan a través de la atmósfera enrarecida del bar, y, por espacio de unos segundos, desde la barra, el ex presidiario aguantó la famosa mirada azul con el secreto temor de un súbito entendimiento; pero bajo la pesadez de los párpados abotagados, los ojos no alcanzaban más allá de un par de metros, enredados en la náusea y en una desmemoria seguramente feliz.

Su acompañante depositó una mano en su hombro y le obligó a sentarse. Luego golpeó la mesa con la botella vacía.

—El señor tomará otra copa —dijo.

—El señor no tomará nada —dijo Jan sin mirarle y sin alzar la voz. Se guardó la cajetilla del tabaco, cogió la cartera del mostrador y fue hasta la mesa dejándola encima. Pedirle a Klein que comprobara su contenido, como habría sido su deseo, era perder el tiempo.

—Su esposa me envía a buscarle, señor Klein.

El juez miró la cartera ante él como si viera visiones. Por un brevísimo instante mantuvo los ojos totalmente abiertos, luego los cerró y arrugó el ceño pugnando con alguna idea. Dio un par de cabezadas, farfullando:

—¿Y usted quién es? ¿El nuevo perro guardián?

Jan observó los puños sueltos de su camisa.

—Voy a llevarle a casa. Guárdese la cartera.

—Buenas noches —dijo Klein—. Abur.

—Ya lo ha oído usted, amigo —dijo sonriendo el joven—. El señor prefiere quedarse un rato más… ¿Entendido?

—Levántate —repuso Jan volviéndose hacia él.

—¿Cómo ha dicho?

—Arriba. Te quitaré un peso de encima, muchacho.

—No sé de qué me habla…

—Enséñame el forro de los bolsillos y te puedes ir.

—¿Qué bolsillos…?

No se movió, pero ya no sonreía. Tenía un mentón redondeado y algo prominente de rufián simpático y patillas largas y en punta. Muy arriba en el brazo izquierdo, bajo la corta manga de la camiseta, lucía la satinada marca de la vacuna y un enrevesado tatuaje floral con dos golondrinas dándose el pico. Permaneció acodado a la mesa, acariciándose suavemente el puño con la otra mano.

–Oiga –dijo enarcando las cejas–, ¿no es usted algo viejo para meterse en follones...?

Jan dejó caer la mano en su hombro, con un gesto que en principio más bien parecía de salutación o de pésame, y lo agarró de la camiseta y lo levantó. La banqueta cayó hacia atrás rebotando en el suelo. Ahora, en los fríos ojos grises a un palmo de los suyos, el joven chuleta vio que la cosa iba en serio y obedeció, estirando el sucio forro de los bolsillos a ambos lados de las caderas. Cayó un pañuelo sucio y arrugado, un llavero y algunas monedas. Luego, con aire resignado, llevó lentamente la mano al bolsillo trasero del pantalón, tan ceñido que sólo le permitía introducir dos dedos, maniobrando con dificultad hasta extraer algo que entregó con el puño cerrado. El dueño del bar y el tranviario le miraban desde el mostrador. Jan deslizó los gemelos en el bolsillo interior de la americana de Klein después de echarles un vistazo; eran de oro y tenían la curiosa forma de raquetas de tenis, con un primoroso calado.

–Se le cayeron en el coche –dijo el muchacho–. Pensaba devolvérselos ahora, en serio...

–Seguro –le interrumpió Jan–. Buenas noches.

Jan ya estaba incorporando al borracho. Le cogió del sobaco y, sin muchos miramientos, le obligó a moverse y lo sacó de la taberna. El juez masculló insultos durante un rato, pero una vez sentado en el Volkswagen se calló, inclinó nuevamente la cabeza sobre el pecho y se hundió en un sopor inquieto.

La torre estaba sumida en el mayor silencio cuando llegaron, pero desde la oscuridad del parque la brisa filtrándose entre los pinos llegaba como un rumor de olas al retirarse sobre la arena. La luna estaba alta y los abetos se destacaban oscuros delante de la fachada, en ninguna de cuyas ventanas se veía luz. En el vestíbulo, el juez rechazó su ayuda y al empezar a subir las escaleras tropezó y se volvió a mirarle como si le viera por primera vez.

–¿Qué hace usted aquí?

–Trabajo. ¿Puede arreglarse solo o quiere que le acompañe?

–Lárguese.

Se quitó la chaqueta azul marino y subió con ella colgada a la espalda, dando cabezadas y asegurando los pies en cada escalón.

Él esperó al pie de la escalera hasta verlo desaparecer en lo alto. Ignoraba si su mujer seguía despierta y se ocuparía de él. Oyó una puerta cerrándose de golpe y luego apagó las luces.

Las de la biblioteca seguían encendidas. Se sirvió una ginebra con poca agua y salió a la terraza. Miraba entre los árboles la luz del pabellón cuando oyó sobre su cabeza un reiterado chasquido de labios, como hace uno cuando no da crédito a lo que ve. Alzó la mirada a la terraza superior y vio a Luis Klein asomado al pretil de piedra arenisca, la chaqueta balanceándose en su mano como si fuera a dejarla caer al vacío. Observó que el juez no le veía, que miraba fijamente a la noche y a la nada. Llegaba desde alguna parte, no sabía si desde un estanque vecino o desde el trasfondo de la memoria, una terca sinfonía de ranas croando.

Cuando Klein desapareció en su dormitorio, él entró en el salón, escogió otro libro en los estantes y se sentó en la mecedora bajo la lámpara de pie. Eran las tres de la madrugada. No pasó de la primera página, el primer trago de ginebra resultó decepcionante y los siguientes se le antojaron tardíos e inútiles, como si también el tiempo de beber para recordar se hubiese quedado atrapado en alguna de las malditas cárceles que había conocido.

# TERCERA PARTE

# CAPÍTULO PRIMERO

¿Ese bulto en tu bolsillo es una pistola o
es que te alegras de verme?

MAE WEST

## 1

El *Mandalay* sacó dos billetes de cien de la cartera,
los dejó sobre la cama con la pitillera y el mechero y
regresó junto a la puerta. Era la misma habitación de la
otra vez, pero a una hora más temprana.

—Esto es un horno, no sé cómo podéis follar aquí
—dijo mientras colgaba la americana en la percha—.
¿Quieres beber algo?

—Empieza y no me hagas perder más tiempo —repuso Balbina.

Se había sentado al borde de la cama y parecía tranquila. Sacó la lima del bolso y empezó a arreglarse las
uñas.

El *Mandalay* echó el cerrojo y se volvió apoyando
la espalda contra la puerta, las manos en los bolsillos del

pantalón. Tenía en los labios un cigarrillo sin encender.

—Me han dicho que tu cuñado ya trabaja —dijo con la voz meliflua—. Hay que ver. De guarda en el chalet de unos señores.

—¿Y qué?

—Gente de mucha pela, ¿no?

—Pregúntale a él.

Frunciendo los labios, la leve sonrisa cáustica, el *Mandalay* empinó el cigarrillo hasta casi tocarse la nariz.

—Quién lo hubiese dicho, ¿verdad? Un tipo tan duro, tan orgulloso, un libertario de los de antes convertido en lacayo de señores... —Miró a Balbina de reojo y acentuó el tono burlón—: ¿Te dijo cómo encontró esa ganga de empleo? ¿Fue por casualidad...?

—En cierto modo, sí. Una casualidad.

—¿Eso te dijo? —Chasqueó la lengua y agregó—: ¿No crees que se ha tomado demasiadas molestias para obtener un trabajo tan cabrón y seguramente mal pagado? El hombre que yo conozco no aceptaría por nada del mundo ser el criado de nadie, a no ser que... —Se quitó el cigarrillo de los labios y lo miró pensativamente—. Balbina, he estado cavilando mucho y he llegado a la conclusión de que Jan lleva entre manos un asunto de los buenos. ¿Has oído hablar de Oriol Sansa?

—Yo estoy sorda hace años.

—Es un espadista de tres al cuarto que se quedó sin voz a causa de una explosión de gas... Un desgraciado, muy bueno y servicial, de esos que en la cárcel siempre buscan a quién arrimarse y te lavan los calcetines y te cosen los botones. ¡Pobre diablo! —Cabeceó divertido—. Tenía mala suerte; una vez se pasó casi un año en chirona por algo que hizo otro, en el patio le rompieron dos veces la misma pierna jugando al fútbol y el día que lo soltaron, cuando aún no se había alejado diez metros por la acera, delante mismo de la Modelo, le estalló una tubería de gas bajo los pies.

Soltó una risa gutural y se apartó de la puerta. Cogió la silla y se sentó frente a Balbina poniéndola del revés, colgando los brazos por encima del respaldo. Encendió el cigarrillo y dijo:

—Pues a este Sansa, Jan le escribió desde Carabanchel hará unos tres meses, poco antes de salir, pidiéndole que averiguara el domicilio de un coronel auditor de guerra, que ya no ejerce. Sansa hizo la gestión a través de un primo suyo, un tal Bataller, que entonces empezaba a trabajar de ordenanza en los juzgados, y que también es un viejo conocido de Jan y mío... Jan obtuvo la dirección de este hombre al poco de llegar a casa. Así que de casualidad, en lo del trabajo, nada, monada... Este hombre se llama Luis Klein, es un alcohólico de cuidado y está mal de la azotea, y Jan es ahora su guardaespaldas, o mejor su niñera. ¿Sabías eso?

Balbina suspendió momentáneamente el trabajo de la lima.

—Yo sólo sé que él buscaba trabajo, cualquier trabajo –dijo sin mucha convicción–. Y que lo obtuvo gracias a una parienta monja...

—La monja no hizo más que facilitarle las cosas. Lo repetiré una vez más, porque es importante: antes de salir de Carabanchel, Jan ya buscaba al juez Klein. ¿Para qué? Eso es lo que no sé todavía... En otros tiempos habría pensado que quería ajustarle las cuentas. Este juez fue una verdadera bestia hace años, se cansó de firmar sentencias de muerte y mandó fusilar a muchos de los nuestros en el Campo de la Bota. En dos años apenas, del cuarenta y cinco al cuarenta y siete, liquidó él solito a más gente que toda la cabrona policía de Franco en diez años de represión... Era conocido y odiado por todos los de la resistencia; Freixas juró que le mataría y dicen que el Facerías lo intentó una vez. Pero no fue él quien llevó el sumario de tu cuñado. Ahí está el asunto; cuando a Jan le formaron consejo de guerra, Klein ya había sufrido el accidente de coche que le dejó lelo. –Meditó un rato, mirando a Balbina a través del humo del tabaco–. Jan no llegó a conocerle, así que no puede tener nada personal contra él; de lo contrario ya le habría dado su merecido, no es de los que se andan con rodeos… Por lo tanto, tiene que haber otra razón –concluyó pensativo.

–Tal vez quiere vengar a un compañero –dijo Balbina despectivamente, aparentando un absoluto desinterés. Manejaba la lima con renovada energía–. Yo qué sé. No hay forma de adivinar las intenciones de este hombre. Cuando aceptó el trabajo creí que lo hacía por mí, por nosotros…

El *Mandalay* sonrió burlón.

–No me digas. ¿En serio crees que se ha puesto a pencar para sacarte de puta?

–Yo no he dicho eso.

–Pero te gustaría, a que sí. A fin de cuentas, dicen que ya te acostabas con él antes que Luis te dejara…

Esperaba otra explosión de insultos, pero ella no dijo nada. Había vuelto a suspender la lima ante sus uñas y examinaba algo en la media negra calada, a la altura de la rodilla.

–Y ya que hablamos de jodienda y de viejos amores que renacen –bromeó él, escrutando el menor gesto en la cara de Balbina–, ¿nunca te ha hecho una confidencia? ¿Nunca le has oído comentar algo acerca de sus sentimientos?

–A su edad muchos hombres cometen esa clase de tonterías. Pero él no. Siempre fue un cardo, sin el menor cariño por nada ni por nadie, y si te refieres a mí…

–No me refiero a ti, furcia –sonrió el *Mandalay*–. Me refiero a la mujer del juez. La señora Klein.

Ahora Balbina le miró sin ocultar su curiosidad.

–¿Qué dices?

–Lo que oyes –dejó caer la colilla y la pisó–. Hice algunas averiguaciones y parece que tu cuñado y esa mujer se conocieron hace muchos años. Verás, he estado preguntándome el porqué del comportamiento de Jan, la razón por la cual estaba tan interesado en conseguir este trabajo. Y esta señora… ¿Me escuchas?

–Continúa.

–Su nombre de soltera era Virginia Fisas. Tú aún no conocías a Jan, claro, ni siquiera a Luis… ¿Sabías que en el treinta y ocho, cuando los bombardeos de febrero y marzo, tu suegro expropió un piso de la Rambla de Cataluña que pertenecía a una familia muy rica?

–De expropiación nada, fue un acuerdo entre amigos…

–Bueno, lo que sea –la interrumpió el *Mandalay*–, es una historia complicada y me tiene sin cuidado. Lo cierto es que tus suegros iban por allí de vez en cuando, aunque parece que no llegaron a instalarse. El que más frecuentó el piso, generalmente de noche, fue Jan, que entonces era agente de policía. La hija mayor de Fisas se había quedado en Barcelona, en casa de unos amigos, y trabajaba en no sé qué centro oficial. He sabido por un tal Bayo, que por aquellos días colaboraba con Jan en la captura de quintacolumnistas, que tu cuñado tenía indicios de que Virginia Fisas filtraba información y utilizaba el piso cerrado de sus padres para sus contactos… Jan montó guardia en el piso y, según Bayo, una noche de bombardeo Jan debió pillarla, porque desde la calle la vio entrar estando Jan allí. Pero nadie supo qué pasó entre ellos, y a ella no se la volvió a ver desde esa noche. Jan alegó después que las sospechas eran infundadas y el asunto se archivó. En los días que siguieron, Jan durmió cada noche en el piso y no aceptó visitas de compañeros, ni siquiera de Palau, al que antes había permitido organizar allí alguna juerga con amigas. Bayo opina todavía hoy que Jan tenía su juerga privada cada noche… En todo caso, parece claro que le salvó la vida a esta mujer, a cambio de no sabemos qué…

Balbina no parecía nada convencida y le interrumpió:

—¿Qué me estás contando? ¿Una de amor y de guerra? Por favor, chato, que abajo hay clientes que me esperan.

Pero por casa, es verdad, recordó de nuevo apresuradamente, mientras reanudaba cabizbaja el arreglo de las uñas con la lima, todavía circulaba la porcelana del perro y el niño que, según mi suegra, alguien de aquella casa le había regalado a Jan. Y recordó también que, cuando salió de la cárcel y recuperó los viejos muebles de su madre que el sinvergüenza de Folch le había robado, esta figura que iba en el lote fue lo único que su cuñado salvó del fuego de San Juan…

—Bueno, no digo que fueran amantes ni nada de eso —dijo el *Mandalay* pensativo, pellizcándose la cicatriz del párpado sin dejar de escrutar a Balbina—. Tal vez no se vieron más que dos o tres noches, quizá para ella no fue más que una aventura y ya no se acuerda. Era frecuente en tiempos de guerra. Pero vete a saber si para él fue algo más serio.

—¿Y aún le dura? ¡Vaya encoñamiento más largo, hijo!

—¿Por qué no, qué tendría de raro? Estas cosas ocurren —dijo él con cierta melancolía, mirando el vacío—. Hace muchos años, cuando yo era un chaval, iba por la calle Ros de Olano y vi pasar a una muchacha morena con un vestido verde…

No añadió nada más sobre este particular y miró a Balbina, y ahora sus ojos, extrañamente mansos y reflexivos, parecían ofrecerle un tipo especial de comprensión o de lástima. Al cabo de un rato dijo:

—Tú no puedes entenderlo porque eres una fulana.

Balbina se rió suavemente.

—¿Quieres hacerme creer que el recuerdo de un polvo en una noche de bombardeo es lo que ahora, después de más de veinte años, le ha llevado a convertirse en el guardaespaldas de su marido...? Tú no conoces a mi cuñado, guapo. Será lo que quieras, pero no es ni un sentimental ni un viejo chocho.

El *Mandalay* se había levantado y paseaba con las manos en los bolsillos.

–Supongo que no habéis perdido el tiempo, desde que volvió a casa, ¿eh?

Ella le clavó una mirada glacial y triste a la vez.

–Eres un cerdo. –Cerró los ojos y suspiró–. ¿Has terminado?

–No.

Balbina descruzó las rodillas con un tenue silbido de seda, guardó la lima en el bolso y extendió las manos mirándose las uñas. Aventuró en tono de chunga, casi zalamero:

–¿Quieres saber qué se propone mi cuñado? Secuestrar a este hombre y pedir un rescate a la familia... ¿Cómo no habías pensado antes en eso, eh, listo?

Era una broma y no esperaba del *Mandalay* otra cosa que indiferencia, o todo lo más aquella media sonrisa que a veces tembloteaba al unísono con su maltrecho párpado. Pero le vio sentarse en la silla con aire pensativo.

–No es ningún disparate. Ya se me había ocurrido... Pero no puede hacerlo solo. Incluso para manejar a ese muñeco roto le haría falta ayuda, un lugar donde esconderle, intermediarios...

–Entiendo. –Ella cogió un cigarrillo de la pitillera y él le ofreció lumbre–. Y tú piensas que podrías echarle una mano y así cobrarte aquella antigua deuda...

–Nada de eso –sonrió con ojos displicentes–. Yo me he regenerado, guapa. Ya no soy un terrorista, soy un honrado estafador que paga sus impuestos igual que el alcalde... No, simplemente quiero saber qué está tramando. Tal vez algo muy especial, tal vez nada: conservar este humillante trabajo de niñera. En cualquiera de ambos casos, no puedo permitírselo: Klein no debe ser tocado para nada.

Balbina miraba sus manos largas y secas, escamosas. Dijo:

–¿Ah, no? ¿Y por qué?

El *Mandalay* echó una ojeada a su reloj.

–De momento dejemos las cosas como están. Volveremos a vernos si no hay novedades. Y una vez más te repito que no debes temer nada… Olvidé traerte un regalito, un perfume. Otra vez será. Y lamento las molestias, de verdad, bonita. –Puso la voz ronca y Balbina notó la mano alertada y rasposa en la rodilla–. Tú preferirías echar un casquete, a que sí…

–Contigo no. –Vio que se inclinaba hacia ella–. No me toques, mala bestia.

La mano se deslizó hacia la liga alzando la falda y ella notó los dedos repentinamente crispados, las uñas en la carne.

–Me haces daño, hijo de puta.

Al retirarse, las uñas dejaron tres líneas rosadas en la piel.

–Estás buena, ahora que me fijo… –Sonrió mostrando las poderosas encías–. Y tendría derecho al servicio, he pagado por él.

–Te clavaré una mierda si lo intentas. Sé cómo hacerlo.

Él se levantó recuperando su aplomo, su pitillera dorada y su vistoso encendedor.

–Claro que no, mujer. Prefiero ser tu amigo. Hasta la vista.


## 2

–¿Un poco más de café, señor Juan?

–Venga.

Sentado a la mesa de la cocina, Jan Julivert sacó del bolsillo dos pilas, las ajustó a la linterna y comprobó su funcionamiento. Dejó la linterna a un lado, soltó los gemelos de su camisa y se arremangó hasta medio brazo. Mientras encendía un cigarrillo, Mercedes llenó otra vez su taza de café.

–Come usted muy poco. ¿No quiere más pastel?

–No, gracias.

–Lo pondré en la nevera y mañana se lo lleva a casa.

–Por qué se molesta, mujer.

–Y estos canelones también. Digo, si a su cuñada no le importa que le lleve usted las sobras. –Retiró los platos sucios de la mesa y luego, balanceando sus orondas caderas, la cocinera caminó pesadamente hasta el frigorífico, lo abrió y puso dentro el trozo de pastel envuelto en papel de estaño–. Me he pasado la vida cocinando en casas de señores y he visto desperdiciar mucha comida, señor Juan, pero nunca como aquí… Y su sobrino de usted está en edad de crecer.

–¿Ese caradura? –exclamó Elvira empujando con el hombro la puerta batiente, irrumpiendo en la cocina con un servicio de café en la bandeja–. Ése lo que está es en edad de fastidiar… ¿Sabe que esta tarde –dijo mirando al guarda– me quería atropellar con la carretilla? ¿Y sabe lo que dice, el marrano? Se fijó en la venda que llevo en el tobillo y va y me dice: cuando una chica se pone una venda ahí es que tiene la regla… ¿Será bobo?

Jan bebió un sorbo de café y sonrió.

–No debes enfadarte por eso. Yo de chaval también lo creía.

–Pues vaya, qué listos. Me torcí el tobillo. –Había depositado la bandeja sobre la mesa y él captó un repentino y suave perfume a ginebra. La joven criada se sentó frente a Jan y se sirvió café del que había traído–. Uf, estoy muerta.

Mercedes fregaba platos y se volvió a mirarla.

–¿Queda algo que recoger en el comedor? –Advirtió lo que hacía Elvira y añadió–: ¿La señora no quiere café?

–Quiere un té dentro de media hora, en su cuarto. ¿Dónde está Anselmo?

–Fue al pabellón, a cambiar otra bombilla –suspiró Mercedes–. Si yo tuviera un duro por cada bombilla que se ha fundido en esta barraca, ya sería rica.

A propósito de Anselmo, la cocinera informó al señor Juan que su primo se iba pasado mañana para Lebrija. Su anciana madre estaba muy grave, y él ya no pensaba volver. Después de tantos años al servicio del coronel, añadió, seguro que iba a llevarse un buen regalo.

–Es un viejo cascarrabias, pero no me gusta que se vaya –dijo Elvira con la voz enfurruñada–. De día estaremos solas, Merche.

–Se tiene que ir ya, chiquilla. La tía se está muriendo…

Habían bajado la voz y Jan las oía mal. Permanecía sentado y completamente inmóvil, con el cigarrillo en la comisura de los labios. Su mente evocaba metálicos tijeretazos cortando gladiolos y un escándalo de gorriones cobijándose en las acacias del jardín al caer la noche, mientras observaba en la bandeja, junto al servicio de café que la señora Klein había rehusado, un vaso conteniendo dos rosas rojas de largo tallo. El vaso no contenía agua.

–Sin agua se pondrán mustias –comentó distraídamente.

Elvira le miró sonriendo con malicia.

–El señor se la ha bebido toda. –De codos en la mesa adelantó su vivaracha cara arrebolada y bajó la voz–: Las rosas estaban en el comedor. Huela el vaso, señor Juan, huela… ¡La astucia de este hombre! ¿Le ha visto subir al coche con su hija, hace un rato? Han ido a cenar a casa de la abuela… La señora no se encuentra bien y se ha quedado… –Elvira esbozó una mueca mirando

el vaso con las rosas–. Pero huela eso. Él ya iba coloca-
do cuando se fue, ¿comprende?

–No seas tan cotilla, niña –le amonestó Mercedes, y
al pasar por su lado palmeó su espalda con su robusta
mano mojada–. ¿Me oyes?

Elvira esperó hasta verla entrar en la despensa y
prosiguió:

–Ahora se ha inventado el truco del vaso con flores
y bebe ante las mismas narices de la señora. A don Luis
siempre le han gustado mucho las flores.

Ahogó una risita con la mano y se levantó a conectar la radio en la repisa. Mercedes volvió de la despensa y puso a calentar agua para el té. Riñó a la criada
cuchicheando, pero con energía.

Jan encendió otro cigarrillo observando las dos rosas envenenadas de ginebra. Un par de horas antes, al
llegar, había visto a Luis Klein con batín y pañuelo de
seda al cuello inclinado al borde de un macizo de flores
delante del porche. Hablaba con su antiguo ordenanza
y sostenía el vaso con las rosas en una mano; en la otra,
un manojo de gladiolos color naranja y unas tijeras de
podar. Entregó los gladiolos y las tijeras a Anselmo y
éste entró en la casa. El guirigay de los gorriones llenaba todo el jardín. Klein se convirtió de pronto en una
furtiva sombra jorobada al borde rosa y violeta de la
noche: remiso, entumecido, la mano en el pecho como
en un remedo teatral y espantable –y riéndose de sí
mismo, de su parodia de sí mismo sin público–, dio
unos pasos, volvió a pararse, quitó rápidamente las rosas del vaso y bebió un largo trago.

Elvira se sentó a la mesa frotándose el tobillo ven-
dado. En la radio discutían los tenebrosos villanos de
una nueva aventura de Taxi Key. Jan se distrajo haciendo rodar la linterna en sus manos.

–Dime una cosa, Elvira. ¿Cuándo empezaron estas
escapadas del señor Klein?

–¿De noche, quiere decir?

–Sí.

–Hará cosa de un año. Antes las cogía buenas también, no crea, pero en casa. Yo creo que al principio la señora se lo consentía por lástima. El pobre, a veces, no parecía estar en este mundo.

–¿Tan grave fue el accidente?

–Terrible, señor Juan –intervino Mercedes–. ¡Cómo quedó aquel coche, Virgen Santa!

–¿Dónde ocurrió?

–En la costa, cerca de Tossa. Se cayó por un barranco...

–Tengo entendido que la señora iba con él. ¿Quién conducía?

–Él –dijo la criada–. La señora no se hizo nada. Bueno, sí, pero sólo le queda esta cicatriz que se tapa con el pelo... En cambio él estuvo entre la vida y la muerte durante meses, y luego no se acordaba de nada y casi no sabía hablar. Hablaba como los tontos y hubo que enseñarle otra vez como si fuera un niño. Pero de muchas cosas no se acuerda...

–A mi primo –la interrumpió Mercedes– suele preguntarle por cosas de antes, de cuando le tenía de ordenanza, y le pide detalles sobre el trabajo y nombres de militares y de amigos, y sobre todo acerca de aquellos tribunales... Pero siempre acaba por ponerse triste y lo deja correr, todo se le borró de la memoria. Digo yo que si no hubiese empezado a beber de esta manera, a lo mejor se habría curado.

–Para mí que toma demasiadas pastillas –opinó Elvira–. Para los dolores de espalda y de cabeza, para dormir, para espabilarse, para la mala circulación en las piernas... Si lleva una farmacia en los bolsillos. Y eso, con la bebida, pues ha de ser malo a la fuerza. Y mire que a veces es atento y considerado... Pero qué desastre. Una vez perdió todos los documentos y las llaves del coche de la señorita, y en otra ocasión le birlaron un reloj de oro y una sortija. Y como luego no se acuerda dónde estuvo ni con quién... Se aprovechan dc él. Juraría que más de una vez se ha traído a sus amigotes de juerga al pabellón, de noche. Un día vi la colilla de un puro en la chimenea, y él no fuma puros, y Anselmo tampoco. –Cruzó por sus ojos una sombra de tristeza y añadió–: A la señora no le gusta que lo veamos cuando llega en ese estado. Y también ella procura no verle; desde hace un año duerme sola, en el cuarto del señorito Álvaro, pero puede que sea por el asma... La única vez que le vi fue una noche que lo trajo un camarero de un bar de la calle París, en un taxi, y oiga, daba pena verle...

Jan inmovilizó la linterna en sus manos y miró a la muchacha:

–¿Cómo sabes que el camarero era de un bar de la calle París?

–Se lo oí decir a la señorita Isabel. Uno de esos bares que ahora se han puesto de moda, chiquitos y muy oscuros, con discos para bailar y parejitas sobándose...

–¿Cómo se llama el bar?

–Eso no lo dijo. Pero seguro que la señorita lo conoce bien –añadió con la voz resabiada.

Bajando los ojos, Jan dedicó nuevamente su atención a la linterna de pilas.

–¿Viste a ese camarero? ¿Era un hombre alto, rubio, con el pelo muy corto, como de cepillo?

–No lo sé. Ya se había ido.

–¿Cuándo fue eso? ¿Antes o después del robo?

Elvira reflexionó unos segundos. Mercedes se le anticipó:

–Antes. Fue una de las primeras salidas del señor... ¿Por qué lo pregunta? ¿Cree que este camarero...?

–¿La señora Klein habló con él? –dijo Jan a Elvira.

–Sí. Le dio una buena propina y le dijo que si alguna otra noche veía al señor en su bar, que hiciera el favor de llamar aquí. Oí comentarlo después a la señorita Isabel, que es muy tacaña; le dijo a su madre que por qué le había dado tanta propina, que el camarero era un aprovechado y un mangante y que no había más que verle, y que en vez de repartir dinero para que otros cuidaran de su padre más le valdría no dejarle solo...

—¿Qué dijo su madre?

—Nada. Tiene una paciencia esta mujer. Y quiere mucho a su marido, a pesar de todo.

—Eso es verdad —terció Mercedes, que ahora fregaba el suelo con el mocho. No resistía la tentación de intervenir, siempre en un tono de voz convencionalmente bajo y como enfurruñada consigo misma—: Pero mire lo que le digo, señor Juan: si no fuera por la señorita Isabel, la señora ya lo habría encerrado otra vez en un manicomio.

—Hala, tú también. En un sanatorio —la corrigió Elvira.

—Es lo mismo, hija. El sanatorio es para los ricos y el manicomio es para los pobres, pero es lo mismo. ¿No es verdad, usted?

Él sonrió.

—Me temo que sí, Merche. —Miró a Elvira—. ¿Cuándo lo internaron?

—Hace dos o tres años... Tres —dijo la muchacha—. En Suiza, en un sitio carísimo. Decía la señorita Isabel que ya no saldría nunca de allí, y lloraba, ¿te acuerdas, Merche? Fue cuando la señora tuvo una aventurilla con aquel médico de pelo rizado que se parecía a Jorge Mistral...

—Tú qué sabes de eso —la interrumpió la cocinera—. No la haga caso, señor Juan, es una lianta.

—Pero el señor se puso bien y volvieron a traerlo a casa —siguió Elvira, volcada sobre la mesa frente a él, abriendo mucho los ojos—, y durante algún tiempo se portó de maravilla. Luego empezó a quejarse otra vez de insomnio y de dolores muy fuertes en la espalda, y volvió a las andadas.

–Súbele el té a la señora –ordenó Mercedes disponiendo la bandeja–. ¿Me oyes, cotorra? Y limpia la mesa.

La criada suspiró resignada y se levantó.

Jan consultó su reloj y apagó la colilla en el cenicero.

–Son casi las doce. Voy a dar una vuelta.

Cogió la linterna y fue hasta la silla donde tenía la americana colgada y la cartera de mano. Abrió la cartera y sacó una cajetilla de tabaco; dentro de la cartera llevaba las gafas en una funda marrón, un pañuelo limpio doblado, una novelita del Oeste, dos madejas de lana y agujas para hacer punto.

–Gracias por la cena, Merche. Todo estaba muy bueno.

–Hasta mañana si Dios quiere, señor Juan.

–¿Necesita alguna cosa, antes que me acueste? –dijo Elvira.

–Lleva esto al salón –indicó la cartera y la americana–. Y cubitos de hielo. Buenas noches.

3

Sobre el brillante césped alumbrado por los focos rasantes revoloteaba una nube de mosquitos. Persistían la humedad y la neblina, no corría el menor soplo de aire y no se veía ni una estrella. Al internarse por el parque, Jan encendió la linterna. El angosto sendero del pabellón estaba bordeado de esparragueras y resecas matas de romero. El foco de la linterna acentuaba el verde translúcido del hinojo; cortó una brizna tierna y se la llevó a la boca y su íntimo sabor a anís le devolvió por un instante a los polvorientos caminos alrededor del pueblo de Sant Jaume, quince años atrás, cuando los recorría empujado por el odio en busca de los amigos diezmados por la derrota... Entonces como ahora, los grillos iban enmudeciendo a su paso.

Las luces del pabellón estaban encendidas y a través de la reja de la ventana vio la encorvada espalda del viejo ordenanza, la escoba en la mano izquierda y en la otra una botella de gin, mirando lo que quedaba de su contenido al trasluz de una lámpara de pie. En los flancos del pabellón florecían tardías rosas blancas con vetas sanguinolentas. Jan se alejó dando un amplio rodeo, echó un vistazo a la pequeña y herrumbrosa puerta de hierro en la tapia trasera, inutilizada desde hacía años y medio oculta tras la hierba alta y la enredadera, y regresó a la torre por el otro costado. Descendió el paseo central flanqueado de acacias, comprobó que la verja estaba cerrada y se sentó en un banco de azulejos a fumar un cigarrillo.

Poco después, al otro lado de la verja, vio encenderse los faros de un coche parado en la calle. Se abrió la verja y entró la señorita Isabel. El coche emprendió la marcha, ella saludó con la mano y luego cerró. Llevaba el vestido desabotonado en la espalda. Sus gafas de miope lanzaron destellos cuando Jan, levantándose, enfocó el sendero con la linterna y le dio las buenas noches. Ella ya le había visto y se paró. Traía un sofoco en las mejillas, el pelo revuelto y la falda arrugada.

—¿Ha vuelto mi padre? —preguntó.

—No. ¿Quiere que la alumbre hasta el porche?

—No se moleste, gracias.

Aceleró el paso atusándose el pelo.

Más tarde, cuando Jan remontaba la pendiente de césped, salía de un ventanal del primer piso la voz de la muchacha discutiendo con su madre: después de cenar en casa de la abuela, su padre le había quitado del bolso las llaves del Volkswagen, dijo que iba al baño, y aún le estaban esperando. La señora Klein, muy nerviosa, le replicó que no se preocupara tanto por su coche y que no debía haber llamado a su novio a estas horas de la noche, que podía haber tomado un taxi, y la muchacha se enfureció y alzó aún más la voz afirmando que ella no estaba preocupada por su coche, sino por su padre... Se oyó un portazo y luego silencio.

La puerta corredera de la terraza estaba abierta y prendidas las luces del salón. Su cartera de mano y su chaqueta yacían en una butaca. Además del cubo del hielo, Elvira le había traído un termo de café. Dejó la linterna sobre la mesa, sacó de la cartera las madejas de lana y las agujas y se sentó en la mecedora.

Una hora después se abrió la puerta interior y apareció la señora Klein. Llevaba una bata color tostado con el cinturón muy ceñido.

—Vaya —dijo sonriendo—. Es usted sorprendente. Nunca habría imaginado que un hombre hecho y derecho se dedicara a estas labores tan femeninas... Está muy gracioso.

Las gafas en la punta de la nariz, los codos pegados a los flancos y las madejas de lana en el suelo, Jan movía las agujas con notable rapidez y habilidad. Paró y dijo:

—Ridículo, más bien.

—Al contrario —repuso ella dirigiéndose hacia el teléfono. Movió la clavija a un lado y añadió con un deje de risueña tristeza—: Creo que si todos los hombres de este país hicieran calceta, nos habríamos ahorrado bastantes tragedias... ¿Qué es?

—Una bufanda para mi sobrino.

—Por favor, no lo deje por mí...

Jan se había levantado.

—Tengo toda la noche. —Se quitó las gafas y las plegó despacio—. ¿Ha sabido algo de su marido?

Ella negó con la cabeza, sacó el aerosol del bolsillo

de la bata y lo pulsó. La pálida y desfallecida boca giró un momento hacia la luz mortecina de la lámpara, buscando alivio en el aire renovado. Guardó el aerosol y miró en torno como buscando algo. Dijo:

–¿Le apetece una copa? Permítame que se la prepare yo, a ver si le gusta...

Salió a la terraza y hurgó en la mata de hierbabuena, regresando con cuatro o cinco hojas tiernas. Las echó en un vaso ancho y bajo con dos cubitos de hielo, presionó el hielo en el culo del vaso macerando las hojas y luego abrió la vitrina y sacó una botella de Gordon's y otra de agua mineral sin gas. Echó ginebra en el vaso hasta cubrir el hielo y seguidamente un dedo de agua, y ofreció el vaso a Jan.

–Nada del otro mundo –dijo–. Lo mismo que hace usted pero con sabor a menta.

Jan bebió un sorbo.

–Está muy bien. Gracias.

–¿De verdad le gusta?

–Resulta... estimulante.

–El primer sorbo es el mejor. A propósito, la otra noche olvidó usted guardar una botella en la vitrina y apareció en el pabellón. Tengo que rogarle el máximo cuidado en eso.

–Lo lamento. No volverá a ocurrir.

–Estoy segura.

La señora Klein sonrió con aire de complicidad y agregó:

–Verá, lo que me molesta es que alguien pueda estropear una buena ginebra metiendo rosas dentro... ¡Qué ocurrencia, ¿verdad?! En fin, puede que le dé un sabor más estimulante que el de la hierbabuena.

–Quién sabe. Hay gustos para todo.

Ella iba a añadir algo pero sonó el teléfono. Acudió a atender la llamada sin mostrar la menor impaciencia. No era Klein ni alguien que llamara en su nombre, pero ella dejó entrever cierta alegría, que reprimió en el acto.

–Igual –decía pegada al aparato, de espaldas a Jan–. Nembutal para dormir y anfetaminas para despertar, y sigue con dolores de cabeza, muy fuertes, generalmente por la tarde... No, eso no, y tampoco ha vuelto a sufrir ningún desmayo, no en casa, por lo menos. Pero insiste mucho en lo de la falta de equilibrio... Toda su voluntad parece emplearla en esos ejercicios de recuperación en la clínica, cada miércoles, no se pierde ni uno; si no fuera por eso ya me lo habría llevado a la costa, allí estaría más vigilado... Sí, el guarda está aquí –se rió–. Qué tonto eres; estamos en el salón... ¿Cuándo vendrás...? Entonces seguro que nos veremos antes en San Sebastián... Es otra cosa lo que no me deja dormir, Augusto, yo estoy bien. En los últimos tres meses ha librado talones por valor de casi cien mil pesetas, y dice que no se acuerda... Pues sí, es para preocuparse... Te escucho.

Estuvo callada un buen rato. Él se asomó a la terraza con el vaso en la mano y volvió a entrar. La señora Klein añadió algo en un susurro, esperó unos segundos, repitió el susurro y colgó. Al volverse evitó los ojos de Jan y se encaminó directamente hacia la puerta.

–Le dejo con sus labores de punto –dijo con media sonrisa–. Aunque haría usted mejor procurando dormir unas horas; puede que no llamen en toda la noche, no sería la primera vez... Que descanse.

–Buenas noches.

A la media hora el teléfono volvió a sonar; ella se había olvidado de mover la clavija. Jan se levantó de la mecedora y descolgó el aparato, pero al oír la voz de la señora Klein volvió a colgar. Había entendido, sin embargo, e instantes después, cuando ella bajó de nuevo al salón, él ya estaba poniéndose la americana.

–Tengo que molestarle otra vez...

–No es ninguna molestia.

–Me dicen que ahora mismo estaba en la barra del Bolero. –Traía el ceño arrugado y la boca entreabierta, y sobre la lengua el centelleo fugaz y esmeralda de un caramelo–. Debí suponerlo: desde la casa de mi madre, en Rambla de Cataluña, no habrá ni cien metros hasta ese cabaret. Y aun así tenía que llevarse el coche.

Jan cogía los cigarrillos y el mechero.

–¿Va solo?

–Con dos individuos, que Pedro nunca había visto…

–¿Quién es Pedro?

–El barman. Pero dice que se acaban de marchar, al parecer le han convencido de ir a comer algo en un sitio que se llama… Tenga, he apuntado las señas. –Sacó un papel del bolsillo de la bata, añadiendo–: Si no le encuentra aquí, a esta hora ya sólo puede estar en el Pastís, o en Jamboree, en la plaza Real.

Estaba más tranquila que otras veces, algo distraída incluso, con el pensamiento en otras cosas y el caramelo rodando en su boca con un ruido de guijarros entrechocando.

Jan se dirigió a la puerta y antes de abrirla se volvió.

–¿Llevaba algo de valor encima?

–No que yo sepa… Últimamente, ya lo habrá notado usted, se ha encaprichado otra vez de este pasador –se llevó la mano al pelo, a la onda rubia que lucía la pequeña joya– y cuando me descuido me lo quita y se lo pone en la corbata. Afortunadamente siempre vuelve con él, supongo que gracias a usted.

Él sonrió vagamente.

–Está más seguro en su pelo.

Virginia Klein se adelantó y dijo:

–Señor Mon –la mano en el bolsillo tanteando el aerosol, la breve melena rubia un poco alborotada y a la vez estable, fijada en un desorden jovial y expectante–. Le agradezco mucho las molestias que se toma por nosotros.

Jan asintió y abrió la puerta.

Luis Klein recostaba la espalda contra el mostrador, los codos echados hacia atrás y un largo vaso de vodka en la mano.

–Hola, perro –dijo al ver a Jan–. ¿Qué bebe?

–Nada, gracias.

–Hoy casi consigo despistarle, ¿eh?

–Debemos irnos, señor Klein.

–Tome antes una copa, perro.

–No me gusta el sitio. ¿Dónde ha dejado el coche?

–No tengo la menor idea. Oiga, esto tiene gracia: en el asiento de atrás había un preservativo sin usar, seguramente de este idiota que sale con mi hija… ¿Qué debe hacer un padre amnésico en semejante situación?

–Vámonos, señor.

–Pida un trago, maldita sea. Se me acabaron los cuartos, pero llevo el talonario.

Era una pequeña bodega en un callejón lleno de bodegas y pensiones baratas próximo a la plaza Real. Apenas había un metro de espacio entre la mugrienta pared y la barra casi desierta. Las vidrieras pintarrajeadas con rótulos y dibujos de tapas variadas no dejaban ver la calle y el humo del tabaco flotaba inmóvil como una gasa. Al fondo en penumbra sonaban palmas y de cuando en cuando se erguía la fina cabeza azabache de un gitano joven de ojos alertados, habituados a captar el lenguaje mudo de las miradas. Junto a Klein, en el lado contrario al que Jan se había situado, discutían de pie dos tipos bien trajeados y una furcia madura con indumentaria doméstica, chancletas y rulos en el pelo. Al ver al desconocido abordando a Klein, los dos individuos estuvieron un rato observándole distraídamente y luego, dejando a la mujer con la palabra en la boca, se dirigieron a Klein:

–¿Quién es éste? ¿Qué quiere? –dijo el más joven y

bajito. Tenía el oscuro rostro afilado y diminutos ojos rasgados, y vestía un ajustado traje príncipe de Gales con corbata blanca. Bebía un chato de tinto–. ¿Le está molestando, coronel?

–Es el perro de mi mujer –masculló Klein–. Ya os dije que daría conmigo.

–Mándelo a paseo y pida otra ronda.

–No se meta en eso –dijo Jan.

El juez lanzó una carcajada ronca y se frotó la pierna dolorida. Dijo:

–Tiene malas pulgas.

–¿Ah, sí? –sonrió el más alto–. Pues se las vamos a sacudir, si se pone pesado.

Era un poco grueso, cachazudo, de unos treinta y tantos años, cabello rizado y sonrisa pintada. Llevaba un arete de oro en el lóbulo de la oreja izquierda y un clavel rojo en la solapa de la vistosa americana color burdeos. Sin hacerle caso, Jan dijo mirando al juez:

–¿Tiene las llaves del coche?

–Oye, tú, parece un tío bragado –dijo el otro–. ¿Es amigo suyo, coronel? Llévelo al Calipsso alguna noche, le trataremos bien…

–Sí –añadió el alto–, allí le quitaremos las ganas de aguarnos la fiesta.

Klein le puso la mano en el hombro.

–Calma, Antonio. Este señor cumple órdenes. No busca camorra.

Como siempre, sus inteligentes ojos azules, risueños y limpios, no acusaban ningún exceso, y hablaba todavía con fluidez; pero su cuerpo daba la impresión de que al menor roce podía caerse. Jan había hecho una seña a la mujer gorda y sonrosada que atendía la barra y ella dijo que todo estaba pagado. Entonces vio la cartera de Klein entre los vasos sucios, del lado de ellos. La alcanzó, deslizándola en el bolsillo interior de la chaqueta del juez, y observó de paso su camisa de seda limón manchada de salsa, lo mismo que el pañuelo negro anudado al cuello. No vio su reloj en la muñeca y dijo, repitiendo el truco de otras noches en sitios como éste:

–¿Tiene hora, señor Klein?

–Tempranísimo –sacó el reloj del bolsillo y se lo mostró.

–Pues ya podemos irnos. Andando.

–Eh, usted, déjele en paz, cojones –dijo el llamado Antonio–. ¿No ve que no quiere irse? Ahora vamos a casa de Silvia y allí estaremos tranquilos, ¿verdad, coronel?

–Habíamos dicho de ir al Copacabana –protestó su compañero–. Esto no es serio...

–Ya estará cerrado –repuso el otro oliéndose el clavel.

–Mi bondadosa suegra –farfulló lentamente Klein– guarda en su casa una botella añeja de coñac Tres Ceros...

–¡Pues vamos por ella, me cago en sus muertos...!

–Él no irá a ninguna parte –dijo Jan sin mirarle. Tampoco vio, o simuló no ver, que el del arete en el lóbulo se desplazaba a un lado pasando por detrás de la furcia, que se había acercado y desde hacía rato sólo tenía ojos para Jan. Éste volvió a preguntar a Klein–: ¿Recuerda dónde dejó el coche?

El juez meditó la respuesta:

–En la cárcel. Lo están pudriendo en la cárcel...

–El coche de su hija, el Volkswagen.

–Le digo que está en la cárcel, pobre diablo.

Jan registró sus bolsillos en busca de las llaves. Los otros se echaron a reír y sonaron más briosas las palmas al fondo del local. Klein añadió:

–Ya lleva diez años. ¿Cree que finalmente lo matarán...? Le estoy hablando de ese Chessman, el asesino de la linterna roja. ¿Usted cree que se librará de la cámara de gas?

Sin dejar de mirar a Jan, el tipo alto del clavel palmeó la espalda de Klein:

–Usted ya le habría condenado, ¿verdad, juez?

Él masculló una respuesta incongruente, y, por vez primera, una sombra temerosa cruzó por sus ojos. Luego dijo en voz alta:

–No recuerdo lo que yo habría hecho...

–Ese tal Chessman es un jabato –opinó la furcia.

–Lárgate ya, mujer –ordenó el bajito cogiéndola del brazo–. Tenemos que hablar de negocios con el coronel. ¡Amparo, otra ronda, que paga el coronel!

–Di que no, Amparo –repuso la fulana–. Que le han dejado sin un duro.

Jan intentaba sujetar al juez para sacarle de allí, pero se dio cuenta que no se tenía en pie. Uno de los gitanos, un muchacho, se había acercado a mirar.

–Hazme un favor, chaval –dijo Jan–. Búscame un taxi.

El chico se fue corriendo y Klein resopló:

–Ahora me acuerdo. El coche lo dejamos delante del Pastís.

–Iremos en taxi hasta allí.

–¡¿Otra vez el malaje éste?! –exclamó el del clavel y la sonrisa pintada–. ¡Usted quiere follón y lo va a tener! ¡El señor se queda, ¿estamos?!

Jan había adoptado una paciente actitud de espera junto a Klein, pero algo en su cuerpo estaba tenso y vigilante. De algún modo, la furcia lo advirtió y se apartó de él.

–Sí, nosotros nos ocuparemos de llevarle a casa –dijo el otro–. Más tarde, ¿verdad, coronel?

Jan seguía mirando al alto, aunque habló dirigiéndose al juez:

–Despídase de sus amigos, señor Klein. Ya se van.

–¡Es usted muy gracioso, oiga! –El alto se dobló riendo y palmeó su hombro.

–Quita esa mano.

–Zúrrale ya, Antoñito –dijo su amigo.

Jan notó en el hombro la crispación súbita de la mano y se inclinó un poco hacia él, despacio; pareció un gesto irreflexivo, como si se dispusiera a oler el clavel de su solapa. Le golpeó sordamente, con el puño que no se vio, en el costado derecho, a una distancia de menos de tres palmos. Antoñito seguía mirándole a los ojos, sonriendo, y pasaron unos segundos, como si el golpe le hubiese llegado con un extraño efecto retardado, hasta que la cara morena empezó a ponerse amarilla. Su mano tanteó torpemente el borde del mostrador, puso los ojos en blanco, se le doblaron las piernas y se desplomó como un abrigo de una percha. Antes de llegar al suelo, su amigo le sujetó por los sobacos.

Klein ni pestañeó, en lo alto del taburete. Parecía dormido.

5

Al llegar a casa no quiso acostarse y le propuso al guarda una partida de ajedrez en el pabellón. Jan declinó la invitación alegando sueño y dolor de cabeza, y Klein pasó con él al salón. Vio el termo de café y pidió una taza, se quitó los zapatos y se repantigó en una butaca.

Dormitó media hora mientras Jan hacía punto sentado en la mecedora. Cuando despertó, pidió más café y se paseó descalzo de un lado a otro, muy despabilado y con ganas de charla. Después de servirle otro café, Jan se dejó caer de nuevo en la mecedora y apoyó la cabeza en el respaldo, las manos cruzadas en la nuca. Klein se había parado y observó atentamente, con una reflexiva intensidad, su manera de sentarse. Le explicó que, a veces, el hocico de la memoria le jugaba malas pasadas husmeando pistas falsas, por ejemplo cierta manera que tenía Jan de moverse o de gesticular –no lo que hacía o decía, precisó con viveza, visiblemente satisfecho de su teoría– y que producía de pronto una especie de chisporroteo en su descalabrado sistema nervioso... «Ésa es la abominable jerga de mi neurólogo», se disculpó. El asunto le fascinaba y al mismo tiempo, en ocasiones, le causaba pavor; no es que evocara una cara, dijo, sino una expresión, una forma de reírse, o de callarse, o de estar simplemente cerca de él; no recordaba unos ojos, sino una manera de mirar...

Una vez más, Jan creyó que iba a reconocerle.

–El otro día, por ejemplo –prosiguió Klein muy animado–, viendo a Anselmo llevarse mis zapatos para lustrarlos, se me encendió una lucecita en el coco y por un instante volví a ver mi despacho en el Juzgado... Fue por algo que hizo este gandul con los zapatos. –Se interrumpió y chasqueó los dedos–. Se lo demostraré ahora mismo, verá qué divertido.

Jan alegó que era muy tarde y que Anselmo estaría en el mejor de los sueños. Klein ni le escuchó y fue a sacar al viejo de la cama, golpeando en la puerta de su cuarto. Volvió al salón y poco después apareció Anselmo con el pantalón del pijama medio caído, el albornoz ajado y una cara de fatiga y de resabiada paciencia.

–A sus órdenes.

–Llévate mis zapatos, los quiero limpios para mañana a las ocho –ordenó Klein secamente.

El viejo ordenanza le miró un instante con sus ojos apagados, como si no entendiera, y cogió los zapatos del suelo agachándose con parsimonia. Cuando se iba, cabizbajo, frotó distraídamente la puntera del calzado con la manga del albornoz.

–¿Ha visto? –exclamó Klein eufórico, una vez solos–. Pues fue sencillamente eso, su manga frotando mis zapatos. Verle ese gesto me abre una puerta en la memoria. Asombroso, ¿no le parece?

Jan asintió. Lo único que había visto era un anciano aturdido y con sueño manejado sin consideración ni respeto. Miró al juez con frialdad: había olvidado lo sórdido que podía llegar a ser, y de lo que era capaz.

–Con su permiso voy a hacer mi ronda –dijo levantándose.

–No diga tonterías, Mon. No necesita hacer niguna ronda.

–De todos modos la haré. Buenas noches.

Cuando volvió, veinte minutos después, Klein se había ido a acostar.

# CAPÍTULO II

## 1

Después de desayunar en la cocina, un poco más temprano de lo habitual –era miércoles y tenía que llevar al juez a la clínica–, Jan sacó de la nevera la carne redonda envuelta en papel de estaño, la guardó en su cartera de mano y dio las gracias a Mercedes despidiéndose hasta la noche, por si luego no la veía; generalmente, al volver de la clínica, Klein se ponía al volante y él bajaba del coche para abrir la verja, luego cerraba y se iba a casa.

También era el juez, y siempre puntualmente a las nueve menos cuarto, quien sacaba el Packard del garaje –complicada maniobra que le ayudaba a despertarse del todo, según él, y que aliviaba sus calambres matutinos– mientras Jan le esperaba en la calle, delante de la verja que Anselmo ya tenía abierta. El viejo ordenanza, con la manguera de regar en la mano y sentado en un banco, ensimismado, rociaba una hilera de hortensias. Jan avanzó hasta el centro de la calle con la cartera en el sobaco y encendió un cigarrillo. No pasaba nadie y sólo se oía el piar de los pájaros detrás de los altos muros que ocultaban los jardines. A unos doscientos metros calle abajo, junto a la frondosa buganvilla malva que colgaba en la esquina de un jardín, un hombre delgado con mono de mecánico y una gorra a cuadros jovialmente encasquetada en la nuca, se inclinaba bajo la capota alzada de un viejo Balilla.

Jan le observó atentamente.

Luis Klein salió muy erguido al volante del Packard y con chirrido de frenos. Iba escudado tras unas severas gafas de sol, estaba muy pálido y acusaba los excesos de la víspera, pero parecía haber recuperado el dominio de sí mismo. Paró junto a Jan echando el freno de mano, abrió la portezuela y se corrió al asiento contiguo.

—Las mujeres no entienden nada –se lamentó–. Conducir es bueno para la resaca y además aplaca los nervios… Suba, ¿a qué espera?

Jan apartó los ojos del mecánico, tiró el cigarrillo y se sentó al volante.

—Su esposa sabe lo que le conviene a usted –comentó mientras dejaba la cartera en el asiento trasero. Pisó el embrague y el pedal del freno, puso la primera y soltó el freno de mano. Lo hacía siempre con el mayor cuidado y empleando más tiempo del necesario, y Klein le miraba irónicamente con el rabillo del ojo.

—¿Tanta necesidad tenía, Mon?

—¿A qué se refiere?

Dejó que el coche se deslizara lentamente cuesta abajo.

—Usted no ha cogido un coche en su vida más de una docena de veces, o llevaba muchos años sin cogerlo… ¿Por qué se dejó convencer por mi mujer?

—No quería perder el empleo. ¿Le parece mal?

—No. Me hace gracia.

Jan guardó silencio un rato y luego dijo:

–¿Hoy no tiene que ir a la oficina?

Klein suspiró.

–Debería ir, si no quiero que me echen. Déjeme en la clínica y puede irse, cogeré un taxi cuando salga... Y quite el pie del freno, Fangio, o le morderá –sonrió dejando emerger por encima de la resaca el tono irónico de la víspera–. Dígame, Mon, ¿cometí alguna barbaridad irreparable anoche?

–Haría bien alejándose de ese tipo; el del anillo en la oreja.

Aminoró la marcha.

–¿Antonio? –dijo Klein–. Es un fresco, pero simpatiquísimo... ¿Qué ocurrió?

Pasaban junto al Balilla y Jan se volvió a mirar al hombre del mono.

–¿Me oye? –dijo Klein–. ¿Qué está mirando? ¿No teme estrellarse a esta velocidad de vértigo, hombre de Dios...?

–Creí que era un viejo amigo.

–¡Al diablo con los viejos amigos!

Y estirando la pierna hacia los pies de Jan, pisó el acelerador a fondo.

## 2

Cuando llegó a casa eran las diez y Néstor ya se había ido al trabajo, Balbina aún dormía y el gato le esperaba en la cocina. Al verle abrir la cartera empezó a maullar y a restregar el lomo en sus tobillos. Jan puso un trocito de carne en su plato y guardó el resto en la nevera. Sobre el mármol de la cocina había un billete de cien pesetas y la bolsa del pan, vacía.

Volvió al recibidor, descolgó el teléfono y marcó un número.

–¿Bataller...? Soy Jan.

–Hola, qué hay.

–Escucha. Le prometí a mi sobrino un saco de entrenamiento y no sé de dónde diablos sacarlo… Me estaba acordando de Lambán.

–¿Te refieres al *Rubio*?

–Sí. ¿No tenía un gimnasio por San Andrés?

–Se mudó hace siete u ocho años. Ahora está en la calle del Oro, en Gracia. –Hizo una pausa y añadió con la voz resabiada–: Si esperas que te informe acerca de nuestros amigos, pierdes el tiempo. También él dejó el club… ¿entiendes?

–Lo sé. Dame la dirección y el número. –Mientras lo anotaba agregó–: Alguien me dijo que había vuelto a su antiguo oficio de camarero.

–A temporadas, y sólo de noche. Hace un par de años me lo encontré sirviendo en el bar Marisol de la plaza Gala Placidia.

–¿Cómo le va?

–Mal. El gimnasio no le da un duro y tiene a la María muy enferma. Por eso hace horas extra con la chaquetilla… Al *Rubio* siempre le gustó vestir de smoking, ya sabes lo presumido que era.

–Sí. Bueno, gracias.

–¿Piensas hacerle una visita? No se alegrará de verte…

–Adiós, Bataller.

Colgó. Cuando entraba en el baño oyó pasos amortiguados en el corredor y en la cocina y casi enseguida la puerta del piso cerrándose sin apenas ruido. Se duchó y se afeitó, y al ir a peinarse no encontró ningún peine. En la repisa siempre había dos, además del cepillo de púas de alambre que usaba Balbina. Pensó que Néstor habría dejado alguno en su cuarto, pero no, y tampoco los encontró en la galería. Vio la puerta entornada del cuarto de Balbina y pensó otra vez en Néstor… Se ajustó mejor la toalla liada a la cintura y entró sin hacer ruido.

Su cuñada yacía bocabajo, casi enteramente cubierta por la sábana. El cuarto olía a humo de cigarrillos rubios y a sudor, él apenas dirigió una mirada al lecho; los dos peines y el cepillo estaban efectivamente en la mesilla de noche; la sábana tenía una pesada textura de humedad y gravidez y se adhería a las nalgas de Balbina como si el aire de un ventilador la aplastara desde el techo; en la mesilla había dos tazas con restos de café, la rodilla doblada emergió un momento bajo la sábana y, al coger el peine, Jan observó también que una de las tazas había sido utilizada como cenicero y contenía colillas espanzurradas... Salió del dormitorio con la misma discreción que entró.

En la cocina ya no estaba la bolsa del pan ni el dinero. Fue a su cuarto y se vistió con una premura repentina que, sin embargo, por la precisión de los movimientos, parecía tener ensayada mil veces, y luego, mientras se ajustaba los puños de la camisa limpia, salió al balcón y miró la puerta del Trola. Néstor estaba cargando una caja de botellas en la carretilla.

Dos minutos después estaba a su lado con la americana echada sobre los hombros y las manos en los bolsillos del pantalón.

–¿Adónde llevas eso?

–A la calle Tres Señoras –dijo Néstor, y en un tono de resentimiento–: ¿Tampoco hoy le has visto? Hablo del *Nene*... Acaba de salir a comprar el pan.

Su tío miraba la carretilla cargada.

–¿Vuelves de vacío? –preguntó.

–Sí –gruñó Néstor–. ¿Por qué?

–Te acompaño. De paso iremos a ver a un amigo que tiene un gimnasio. ¿No querías un saco?

Néstor se tragó su mal humor. Caminó resuelto empujando la carretilla, entregó el pedido sin esperar propina y después siguió a Jan Julivert hasta la calle del Oro, cerca de la plaza del Diamante.

Era una planta baja; al fondo de un oscuro zaguán, donde resonaban voces de parvulario, había una angosta escalera con barandilla de hierro pringoso y debajo una puerta entornada. Antes de entrar, Néstor se fijó en el rótulo: GIMNASIO LAMBÁN. El apellido le sonaba de alguna conversación entre su madre y el viejo Suau acerca del famoso asalto a la fábrica de coches de Hospitalet: el tercer hombre que no compareció cuando más falta hacía, el cobarde, cuya misión aquel día era estar con una furgoneta en el lugar convenido y a la hora convenida... y no estuvo.

Su tío le hizo entrar la carretilla en el zaguán y dijo:

—Déjala aquí y ven conmigo.

El gimnasio era un local pequeño y mal ventilado, de paredes literalmente cubiertas de carteles anunciando veladas de boxeo y de lucha libre con nombres que para Néstor ya empezaban a ser leyenda: Luis Romero, Boby Ros, Fred Galiana, Tarrés *Cabeza de Hierro*... Olía a serrín mojado y sólo tenía una ventana baja y alargada que daba a un patio interior, donde se veía un retrete y una ducha. Además de algunos aparatos de gimnasia, había todo lo necesario para el entrenamiento de un púgil: espejo, comba, punching-ball y saco. Con un espejo así, pensó Néstor, corregir defectos y adquirir estilo debe ser cosa fácil. En un rincón había una pequeña garita de vidrios sucios con una mesa llena de papeles, un teléfono y dos sillas. En el rincón opuesto, un muchacho con calzón corto y destrozadas bambas saltaba a la comba con ojos de poseso; movía los pies a una velocidad tan vertiginosa y con tal variedad de saltos y cambios de ritmo, que Néstor se le quedó mirando fascinado. No había nadie más, salvo un hombre en cuclillas revisando el mecanismo de un aparato de remos.

Se incorporó al verles entrar y, con cierto apresuramiento, le pareció a Néstor, se frotó las manos sucias de grasa con un trapo. Era un tipo esbelto y rubio, de fina cintura y anchos hombros, de unos treinta y cinco años. Vestía una camiseta blanca de manga corta y usaba muñequeras de cuero hasta la mitad de sus robustos brazos lampiños, de piel lechosa.

–Hola, Lambán –dijo Jan con la voz neutra, y, al volverse ligeramente para observar al muchacho que saltaba a la comba, rehuyó el deseo o la necesidad de estrechar la mano que ya le tendía el otro–. Éste es mi sobrino.

–¿El hijo de Balbina? –Le dio la mano al chico–. Vaya, cómo ha crecido.

Algo en su rosada expresión de suficiencia, en sus finas cejas altas y en el parpadeo constante de sus enrojecidos ojos de invisibles pestañas, le recordaban a Néstor al joven igualmente rubio y de apariencia musculosa que un día estuvo en el bar preguntando por su tío.

–Me dijeron que habías salido –decía Lambán–. Y que ya trabajas. Me alegro de verte, hombre... ¿Quieres beber algo? ¿Una cerveza?

–Ahora no. Veo que has trasladado el negocio.

–Tuve que hacerlo. Las he pasado muy putas, Jan –seguía frotando vigorosamente sus dedos en el sucio trapo deshilachado y con cada presión de la mano se encabritaban los músculos de su antebrazo. Parecía un hombre fuerte, pero con esa fortaleza agarrotada y pesarosa que exuda un excesivo desarrollo de los dorsales. Néstor observó también su débil mentón, levemente caído. Con la voz más deprimida, Lambán añadió–: Sentí mucho lo que pasó en Hospitalet...

Jan esbozó una media sonrisa.

–Un poco tarde para eso, ¿no crees?

–Yo no quería dejaros en la estacada. Pero no servía para esa clase de trabajo... Te lo dije, y también al *Mandalay*, ¿te acuerdas?

–No.

–Tuve… tuve problemas con aquella maldita camioneta, la segunda no entraba bien. Y cuando llegué vi una docena de policías delante de la fábrica. –Había bajado mucho el tono y ahora su voz se enredaba en el persistente chasquido de la comba bajo los endiablados pies de su pupilo–. Me puse nervioso y decidí no esperar… No pude evitarlo.

–Dejemos eso, Lambán. He venido a otra cosa.

–De todos modos pudisteis escapar de allí –dijo Lambán– y tengo entendido que con bastante dinero… Si luego os pescaron no fue por mi culpa. Parece que a ti ya te estaban marcando desde hacía una semana, eso me dijo el *Mandalay*, y que al final te denunció un vecino de tu misma calle…

Miraba a Jan como esperando de él algún signo de aprobación. Éste encendió un cigarrillo y paseó la mirada en torno. Ahora sólo se oía el rítmico silbido de la comba y los trallazos contra el suelo. El saco de lona estaba colgado frente a la ventana y tenía una difusa mancha mugrienta en un costado. Los ojos de Jan se fijaron en él y dijo:

–¿Qué tal por Jaca? ¿Vive aún tu padre?

–Por allá que me anda dando guerra… ¿Y Balbina?

–Bien. –Hizo una pausa y agregó–: Necesito un saco para mi sobrino, el chaval tiene afición. Éste parece bueno. ¿De qué está relleno?

–De borra.

–Descuélgalo –se acercó al saco–. Habrá que vaciarlo un poco, el chico tiene los nudillos de vidrio.

Néstor se mordió la lengua, pero no se contuvo:

–No es verdad. Tengo buenos puños.

Su tío se volvió mirándole con el cigarrillo en la boca.

–Nunca presumas de eso. Sólo te servirán para que puedas llamarle gallina a alguno. No es gran cosa, hijo.

Dirigiéndose a Lambán, añadió:

–Ya me has oído. Bájalo.

–Es un saco muy duro para el chaval. Y además no...

–¿Cuánto pesa?

–Cincuenta kilos. –Esbozó media sonrisa de disculpa–: Pero además no lo vendo, no puedo.

–No pienso comprarlo. ¿Tienes algún otro?

–No.

–Entonces no se hable más. Lo llevaremos en la carretilla.

–Que no vendo, Jan. Tengo un socio...

–No te oigo, habla más alto.

Se acercó a él. Néstor imaginó sus manos, hundidas en los bolsillos del pantalón, convirtiéndose en puños. Tal vez Lambán también lo pensó, porque su media sonrisa se había trocado en mueca.

–Espera –dijo–. Me gustaría poder complacerte en alguna otra cosa...

–No me hace falta ninguna otra cosa. Descuelga el saco y se lo regalas a mi sobrino. No te vas a arruinar por eso y el chico siempre te recordará con afecto. Anda, no seas roñoso.

Lambán fue en busca de una pequeña escalera de mano apoyada en la pared. Caminaba muy tieso, como si le escociera la entrepierna musculosa y tuviera ganglios en los férreos sobacos.

Cuando el saco estuvo en el suelo, Jan dijo a Néstor:

–Llévalo al taller de Suau. Que no lo vea tu madre.

–¿Tú no vienes?

–Luego.

Néstor se llevó el saco arrastrándolo por el suelo. El muchacho de la comba había parado de saltar y lo miraba desde el rincón, resoplando. Se puso frente al espejo y empezó a boxear contra su imagen.

Jan vio salir a Néstor y se volvió a Lambán:

–¿No tienes un sitio más tranquilo donde podamos hablar?

El otro asintió, encaminándose hacia la garita. Jan tiró la colilla, la pisó con el zapato y fue tras él. Lambán se sentó detrás de la mesa escritorio con aire cansado y empezó a golpearse el dorso encallecido de la mano con un lápiz. Jan se sentó en la otra silla, acomodó la americana en sus hombros y dijo:

–Cálmate. Sólo quiero hacerte unas preguntas.

–Tú dirás.

–¿Cómo está tu hermano?

–¿Julio? –pareció sorprenderse–. Supongo que bien...

–¿Dónde está?

–No lo sé. No viene por aquí, nos llevamos mal.

–Trabaja en lo mismo que tú antes, ¿no? De camarero.

–Ya es encargado. Éste va muy deprisa. ¿Y sabes para quién trabaja? Agárrate.

–Creo saberlo.

–Para el *Mandalay*. Raúl Reverté. –Lambán sacudió la cabeza tristemente–. Lo que hay que ver... Tu viejo compañero de fatigas puso una especie de *boîte* en el Ensanche, en unos sótanos de la calle París. Hace apenas un año, Julio estaba allí lavando vasos en la barra y hoy es el brazo derecho de este sinvergüenza...

–Creía que eras tú –dijo Jan.

–¿Que yo era quién...?

Lambán enarcó las rubias cejas. Jan se explicó:

–Un rubiales estuvo en la taberna donde trabaja mi sobrino preguntando por mí. Quería saber si ya tenía trabajo y dónde. Pensé que eras tú de parte de Freixas.

–Comprendo –dijo Lambán–. Si era mi hermano, fue por orden del *Mandalay*.

–Eso creo.

–Seguro. ¿Qué iba a querer Julio contigo? El chico

apenas te recuerda, no tendría más de diez años cuando venías por casa en San Andrés...

—Sí —dijo Jan pensativo—. Ahora tendrá veinticuatro; los que tú tenías cuando hicimos aquel último trabajo en Hospitalet. Y es tu vivo retrato, idéntico a como tú eras entonces. Eso es lo que me confundió. Por dos veces.

—¿De qué estás hablando? ¿Has visto a Julio?

—En una foto. La foto era mala y tardé un poco en reconocerle; es decir, en reconocerte a ti. Porque creía que eras tú.

Lambán cerró los ojos y se dedicó a sí mismo una sonrisa conejil.

—¡Hombre, esto tiene gracia! Han pasado bastantes años, Jan. Y han pasado volando.

—No para mí.

—Bueno, eso también es verdad...

De nuevo centró su atención en el lápiz que ahora hacía rodar entre sus dedos.

—¿Has estado en lo de Raúl? —preguntó Jan.

—Una vez. Fui por trabajo, cuando Julio aún estaba en la barra. El *Mandalay* no quería ni recibirme. Dijo que le daba grima ver a un valiente patriota sirviendo coca-colas en su local, el cínico... Que me buscaría algo mejor. Anda metido en muchos líos.

—¿Cómo le va el negocio?

—¿El Calipsso? Aquello es una buena mierda. Una bombonera con luces rojas y reservados. No va casi nadie. Por la tarde se ven parejitas de novios compartiendo una naranjada que hacen durar hasta la noche; meterse mano lo que quieras, eso sí. —Sonrió melifluo—: Tendrías que ver qué cuadros se dan hoy en estos sitios, Jan, el país está cambiando, empieza a haber un poco de tolerancia...

—No me interesa el país. Háblame de Raúl.

—No suele dejarse ver por allí. Antes frecuentaba los frontones de las Ramblas con un par de navajeros de la peor especie, pero ahora no sé. —Miró a Jan fijamente y añadió—: Cuídate del *Mandalay,* hazme caso...

—¿Has vuelto a tener tratos con él?

—Ni pensarlo. No quiero saber nada de sus chanchullos. Y si el golfo de mi hermano me hubiera escuchado...

—¿Qué clase de chanchullos?

—Este local es la tapadera de algo —dijo Lambán—. Hace tiempo oí decir que el *Mandalay* controla el negocio de los futbolines y de las máquinas del millón, además de algunas furcias caras que de noche se dejan caer por el Calipsso... Me revienta que Julio ande con él, pero ya es mayorcito para saber lo que hace. Espero que no se meta en ningún lío.

—Ya lo ha hecho —dijo Jan. Encendió un cigarrillo con parsimonia, cambió de postura en la silla y escrutó los recelosos ojos de invisibles pestañas—. Te diré la clase de lío en que se ha metido tu hermanito... No estoy muy seguro del papel que Raúl ha jugado en todo esto, seguramente Julio podría explicártelo mejor; pero me he hecho una idea de cómo debió ocurrir. Todo empezó hará cosa de un año. Una noche, en el Calipsso, tu hermano se compadeció de un borracho que había estado bebiendo solo y que a la hora de cerrar no se tenía en pie. Lo metió en un taxi y lo llevó a su casa. La mujer del borracho le recompensó con una buena propina y le rogó que si alguna otra noche, al cerrar el bar, veía al señor en aquel estado, hiciera el favor de acompañarlo a casa o de llamar por teléfono. Este tipo era el juez Klein, pero naturalmente el apellido no le dijo nada a tu hermano. —Lambán puso cara de sorpresa y fue a decir algo, pero Jan se le anticipó—: ¿Sabías que yo trabajo para Klein?

Lambán asintió sin abrir la boca, mirándole con recelo. Él añadió:

—Luego hablaremos de eso... Decía que tu hermano no podía saber quién era Klein; pero el *Mandalay* sí, claro está. Imagino que tu hermano le contaría lo ocurrido, y entonces el *Mandalay* se volcaría en atenciones hacia el nuevo cliente, un tanto sorprendido al ver qué quedaba de aquel terrible juez: se trata de un desdichado, un alcohólico perdido en una extraña amnesia... –Hizo una pausa y un gesto vago con la mano, como buscando nuevas palabras para expresar lo que quería, y añadió–: Un hombre vulnerable, enfermo de los nervios. De modo que Raúl, que siempre será un chorizo, ya le conoces, empezaría a rumiar el modo de aprovecharse de la situación... No me refiero al robo en casa de Klein, desde luego. En realidad, aún no sé qué puede estar tramando. ¿Me sigues?

–¿Qué robo? –dijo Lambán.

–Tampoco estoy muy seguro –prosiguió Jan sin hacerle caso– de cómo ocurrieron luego las cosas. Supongo que, de momento, el *Mandalay* ordenó a tu hermano que siguiera volcando sus atenciones y su rubio encanto al borracho, llevándole a su casa cuando hiciera falta... Julio lo depositaba en el pabellón del jardín, seguramente a instancias del propio Klein, que a veces duerme allí y suele tener una botella escondida, y tomarían juntos una última copa. Ignoro si fue idea de tu hermano o de Raúl, aunque me inclino a descartar a Raúl, porque juraría que él quiere picar más alto, pero lo cierto es que una noche de ésas el complaciente camarero limpió algunas cosillas de valor de la casa del juez.

Lambán le miraba perplejo.

–¿Estás seguro de eso? ¿Que Julio robó...?

–No lo llamaría exactamente un robo. Digamos que hizo que Klein se las regalara.

–No es lo mismo...

Jan se inclinó hacia adelante en la silla, apoyó los codos en las rodillas y juntó las manos grandes y nudosas con un lento fervor.

–Está bien –dijo entre dientes–. Pero escucha esto, Lambán, y díselo al mangante de tu hermano: si vuelve a aceptar un regalo o un talón firmado por ese borracho y yo me entero, iré a buscarle y le machacaré el hígado hasta que lo saque por la boca. Díselo.

Lambán se quedó parado. En su fuero interno se alegró de ver ahora, a través del cristal, al joven gimnasta mascando furtivamente el chicle rigurosamente prohibido durante los entrenamientos; eso le permitió reponerse un poco de la sorpresa que acababan de causarle las palabras de su antiguo jefe, al tener que salir a llamarle la atención al muchacho. Éste, remiso, se sacó el chicle de la boca, lo pegó al soporte de la barra fija y fue otra vez al encuentro de su cetrina y sudorosa imagen en el espejo.

–Julio no tiene dos dedos de frente, lo sé. Pero mal chico no es... –dijo Lambán al volver a su sitio tras la mesa–. Está siendo utilizado por Raúl.

–Ya. Y qué más.

–Nada más. Nada que valga la pena, Jan. Una vulgar historia de chulos... ¿A nosotros qué puede importarnos?

–Cuando dices nosotros, ¿a quién te refieres?

Lambán le miró con aprensión.

–Pues a todos, no sé... No vamos ahora a preocuparnos porque Raúl o quien sea le esté sacando los cuartos a este hijo de su madre. Klein debe tener mucho dinero; por mí que le desplumen y le den por el saco, todo me parecerá poco...

A Jan le pareció que recitaba una lección aprendida; que el odio que expresaba no era más que una burda estratagema encaminada a despertar en él un eco del mismo odio: entrever su estado de ánimo respecto al juez, y sus intenciones... Lambán añadió con aparente desinterés:

–¿O te importa algo?

Jan meditó sus palabras antes de hablar:

–Me importa que a este hombre no le pase nada. Me pagan por ello y no quiero perder mi empleo. –Hizo una pausa y añadió–: ¿Has comprendido? Que no me compliquen la vida. Díselo a tu hermanito, y que el *Mandalay* tome también buena nota.

–¿Puedo preguntarte una cosa, Jan? –Lambán carraspeó–. ¿Cómo es que trabajas para Klein? ¿Cómo ha sido eso?

–¿Qué te preocupa, hombre?

–Bueno, imagino las putadas que tendrás que aguantar...

–¿Has estado alguna vez en la cárcel?

–No.

–Entonces no hables de aguantar putadas.

–No puedo creer que hayan acabado contigo –repuso Lambán amargamente–. No es posible que te guste exhibirte por ahí como guardaespaldas y chófer de este asesino... Por muy buena que sea la paga.

Jan guardó silencio, sin dejar de mirarle. Se llevó la palma de la mano a la oreja maltrecha y presionó haciendo ventosa. No había cenicero en la mesa y arrojó la colilla al rincón. Lambán insistió:

–Y aun así, nadie va a creer que lo haces por la paga. Y menos que nadie nuestros viejos amigos...

–Yo no tengo amigos. Y acabemos con eso. –Se levantó, sacó del bolsillo trasero del pantalón un pañuelo doblado y lo apoyó suavemente contra la oreja–. Dile a tu hermano que se ande con mucho cuidado. Y que transmita mis saludos al *Mandalay*, y le explique el asunto.

–¿Has venido a verme sólo por eso?

–Y por el saco para mi sobrino. Pero ya que has mencionado a los amigos, no estará de más que también les prevengas. Empieza a haber demasiada gente interesada en lo que hago o dejo de hacer, Lambán. Demasiada gente rondando al juez.

–No te entiendo.

–¿De veras? ¿Qué hacia Félix Mayans cerca de su casa esta mañana, camuflado de mecánico de coches?

–¿Félix? No puede ser. Falcón le envió a Toulouse a trabajar en una imprenta hace por lo menos siete años... Te habrá parecido que era él. En todo caso yo no he vuelto a ver a nadie, estoy jubilado.

–Eso me dijeron. –Le miraba fijamente. Esperó unos segundos y agregó–: ¿Cuándo viste por última vez al responsable del grupo?

De pronto Lambán acusó una pesadumbre muscular y su torso acartonado se removió en la silla, incómodo. Con la voz blanda dijo:

–A Freixas lo cercó la Guardia Civil en Rialp, cuando volvía de ver a tu hermano. Pero no lo mataron allí, sino en el tren en que le traían a Barcelona los de la brigada social; le dieron una paliza en el retrete, esposado, y un subteniente, un tal Polo, le pegó un tiro en la cabeza...

–Eso ya lo sé. Te pregunto por el que manda ahora, quienquiera que sea.

–Falcón.

–Falcón –repitió él absorto, y dio unos pasos de un extremo a otro de la garita. Se paró junto a la puerta y puso la mano en el pomo–. Sí, el chico prometía... ¿Sabías que a los diecisiete años colgó una senyera en la montaña del Tibidabo? Si no podía darle pronto al gatillo se mordía las uñas... Recuerdo su primer arrebato a mis órdenes; no hubo necesidad de un solo tiro y él casi se comió el pulgar. Un puro nervio.

–Tenía motivos –dijo Lambán–. Klein hizo fusilar a su padre y a su hermano.

–Klein hizo el trabajo que le habían encomendado y Falcón hizo el suyo. Y los dos lo hicieron bien.

Lambán parpadeó.

–Hostia, ¿eso es lo único que se te ocurre decir...?

–¿Cuándo viste a Falcón por última vez?

–Pues hará… ocho años. Cuando le devolví la pistola y me fui una temporada al pueblo de mi mujer. Poco después ellos pasaron a Francia y no volvieron hasta hace un par de años. No, el año pasado.

–Para estar fuera del asunto, pareces bastante enterado.

–Una noche vinieron a pedirme que les dejara el gimnasio para una reunión… Pero me negué. Yo ya no creo en nada, no quiero saber nada. Es perder el tiempo, esto ya no lo cambia ni Dios… ¿Tú qué opinas, Jan? –No obtuvo respuesta y añadió–: También a ti irán a verte y te pedirán que te reenganches…

–Diles que no pierdan el tiempo. –Abrió la puerta de la garita–. Me voy. No olvides lo que te he dicho de tu hermano.

Lambán se levantó y fue tras él. Cruzando el gimnasio, Jan observó distraídamente al bisoño boxeador amagando golpes frente al espejo.

–Debería trabajar más la cintura.

–Todos son lo mismo –comentó Lambán con desánimo–. Flojos. Ninguno tiene pegada… El último bueno de verdad ha sido Romero, ¿no crees?

–Tienes poca gente.

–Vienen al salir del trabajo. Éste penca de noche, es panadero.

En la puerta, Jan se volvió a mirarle.

–Gracias por el saco, Lambán. Te devolveré el favor algún día.

–No me debes nada. Salud.

3

Lambán regresó a la garita, descolgó el teléfono del escritorio y marcó un número.

–¿Lourdes...? Soy Pedro. Dile a tu hermano que ya tengo el mono de entrenamiento que me encargó... Sí. *Mersi.*

Media hora después, Pedro Lambán compraba *El Mundo Deportivo* en un quiosco-portería de la calle Asturias, cerca de su casa. Cruzó la calle y se sentó muy tieso en el murete que delimita la zona central de la plaza del Diamante, desplegó el diario y empezó a leer. El sol batía la plaza casi desierta, un niño pedaleaba agazapado en su triciclo y dos mujeres con la bolsa de la compra se habían parado a conversar. Planeaba una bandada de palomas y en la única antena de televisión visible, asomando en lo alto de un edificio, se había enredado una cometa roja, que colgaba descalabrada. Las palomas se posaron alrededor de un hombre rechoncho en mangas de camisa que, en medio de la plaza, arrojaba puñados de cañamones de un cucurucho. Vestía pantalón negro ancho y deformado, como si llevara piedras en los bolsillos, y protegía su cabeza de los rayos del sol con un periódico doblado en forma de capilla. Al poco rato, con algunas palomas picoteando en su mano, el hombre estaba sentado junto a Lambán en el murete.

–¿Qué hay?

–Jan Julivert ha venido a verme –dijo Lambán.

–Vaya. Esto facilita las cosas... ¿Qué impresión has sacado?

Lambán hojeaba calmosamente su diario.

–No creo que se pueda contar con él.

–Tú sacas conclusiones muy deprisa...

–Se está tomando su trabajo demasiado en serio.

–Eso crees tú –dijo el otro–. En mi opinión está fingiendo.

Estrujó el cucurucho vacío y sacó otro del bolsillo del pantalón. Las palomas seguían picando a sus pies. El diario de la mañana que le cubría la cabeza había resbalado un poco hacia adelante y Lambán veía de reojo los sudorosos pliegues de la nuca y el borde raído del cuello de la camisa.

–Explícame eso –dijo Lambán–. Su trabajo consiste precisamente en protegerle.

–Así es. Y qué.

–Klein suele meterse en follones de taberna, y cuando esto ocurre él tiene que jugarse el tipo… ¿Crees que se puede fingir hasta ese punto?

–Si conviene a sus planes, sí. Ya hablamos de eso.

–No conmigo, Ángel –dijo Lambán ásperamente, y el otro giró la cabeza y le miró por debajo del borde de su improvisado sombrero.

–¿Qué te pasa ahora?

–Pasa que nos vemos poco…

–También hemos discutido eso, y no vamos a empezar otra vez. –Calló unos segundos y añadió–: Qué más, por favor, no voy a estarme aquí todo el día. ¿Le has notado algún interés hacia nosotros, o por saber algo de Falcón…?

–Respecto a lo que estabais esperando, nada.

El hombre gordo reflexionó y luego dijo:

–Pero ha ido a verte, y eso ya significa algo.

–No ha venido por mí –dijo Lambán–. Ha venido por mi hermano.

–¿Tu hermano?

–El juez frecuenta el negocio del *Mandalay* y tiene un lío con Julio… Jan cree que le están sacando los cuartos.

–¿Ah, sí? ¿Y cómo lo hacen?

–Yo qué sé –repuso Lambán irritado–. Mi hermano es un fachenda. Se ha convertido en el gancho de Raúl.

El gordo reflexionó y dijo:

–Nada de eso debe importarnos. Nosotros a lo nuestro. Ya sabes que hay un viejo pleito entre Jan y el *Mandalay*… –Observó una de las palomas con atención y añadió–: Y bien, ¿esto es lo único que has sacado en claro? Pues estamos igual que antes… Tiene una pata rota, mira.

Lambán agitó las rubias pestañas, deslumbrado por el sol, mientras doblaba su diario.

–También me ha dicho que no perdáis el tiempo.

–Podemos perder todo el tiempo que queramos.

–Pero no con él. Falcón se equivoca en eso: no debe contar con Jan, ya te lo he dicho…

–¿Ah, sí? ¿Y qué quieres que haga? –le interrumpió el otro impaciente–. ¿Qué harías tú, vamos a ver, después de meses preparando el asunto, después de no sé cuántos viajes y reuniones para obtener el visto bueno de Luis, y cuando ya está decidido Jan sale de la cárcel y ves que lo primero que hace es meterse en la misma casa del juez?… ¿Qué pensarías?

Lambán chasqueó la lengua.

–Lo mejor sería exponerle el plan claramente.

–No. De momento, no. Hay que tomar precauciones. Tal vez no se pueda contar con él, o tal vez sí. Primero hay que averiguar eso: si va a ser una ayuda o un estorbo.

–En mi opinión, un estorbo.

–Entonces se le aparta y ya está. Pero yo sigo pensando como Falcón: que Jan puede haber tenido la misma idea que nosotros. No olvides que se trata de un viejo proyecto suyo, de cuando él mandaba…

–Ahora no podría hacerlo solo.

–No sabemos si está solo, Pedro. Y de todos modos es capaz de intentarlo.

Lambán se abanicaba con el diario. En el de la cabeza de su amigo leyó distraídamente un titular: *Caryl Chessman consigue otro aplazamiento de la ejecución.* Hostia, qué tío, pensó. Al otro lado de la plaza, bajo el toldo azul desvaído de la verdulería, había un papagayo en una jaula. Erguida sobre las puntas de los pies, una muchacha morena con un vestido verde hablaba con el papagayo. Lambán observó sus bonitas piernas color canela, las corvas esbeltas y luminosas.

–¿Has leído eso del Chessman? Qué tío –dijo.

El gordo asintió, acomodando el periódico en su cabeza. Sus ojos oscuros y suaves, de sedosas pestañas negras, escrutaron el perfil de Lambán.

–¿Cómo está tu mujer?

–Regular. Duerme muy malamente… Si alguno hace un viaje, que traiga esas píldoras franchutis, dice que la alivian mucho…

–Bueno –estrujó la segunda bolsa vacía y la tiró, las palomas se dispersaron–. ¿Algo más?

–Sí. ¿Quién se ha encargado de vigilar a Klein?

De nuevo había en su voz el resentimiento del que sabe que podría dar mucho más de lo que se le pide con desgana y a menudo con desdén, y el gordo lo captó.

–Creemos que no es necesario que lo sepas. Lo único que puedo decirte es esto: cada miércoles, a las nueve de la mañana, Klein sale de su casa para ir a una clínica. Fue lo que acabó de decidirnos; puede faltar a su trabajo, si se le puede llamar trabajo a su enchufe en el Consorcio, pero nunca a sus sesiones en la clínica… Bien. Hasta hace poco iba en su coche, solo, pero ahora le lleva un chófer. ¿Y sabes quién es el chófer?

–Sí.

–Entonces ahí tienes el problema. ¿Comprendes ahora?

–Te he preguntado quién se encargó de averiguar todo eso.

El gordo suspiró con expresión de cansancio y dijo:

–Félix.

–Pues él ya lo sabe. Le vio esta mañana.

–¿Y lo ha reconocido? Sólo se habían tratado una vez, hace quince años…

–A Jan no se le borra una cara.

–Bueno, no importa. Tarde o temprano, tenía que enterarse.

–¿Y qué dice Falcón? ¿Ha fijado ya la fecha?

–No. Mañana viaja a Douzens. Pasará quince días con su familia y luego irá a Toulouse a ver a Luis para ultimar detalles. Supongo que le hablará de su hermano, de cómo están las cosas por aquí… Cuando vuelva decidiremos. Tal vez para entonces Jan se haya buscado otro trabajo y tengamos el campo libre.

–¿Y si estáis en lo cierto, si va por él y lo liquida antes de que vosotros podáis hacer nada…?

–No anda en eso; matarle, no. Si quisiera, lo habría hecho.

Mientras se levantaba añadió:

–Si vuelve, aunque sólo sea por este asunto de tu hermano Julio, avisa.

–Está bien.

–Recuerdos a María.

Se alejó despacio cruzando la plaza en diagonal, hacia la fuente pública, sujetando el diario sobre su cabeza con la mano gordezuela.

Pedro Lambán permaneció un rato sentado, los robustos brazos en jarras, observando cómo Ángel se inclinaba torpemente, espatarrado, la boca abierta bajo el caño de la fuente. Luego le vio doblar la esquina y desaparecer con su paciente, trasudada voluntad de anonimato en la espalda. De algún balcón abierto salía una música de radio y el esplendor del día en la plaza tranquila sumió repentinamente a Lambán en un hondo desconcierto. Pensó con envidia en el voluntarioso muchacho que boxeaba en el oscuro gimnasio frente al espejo, mirándose en los furiosos ojos de mañana; pensó en la ducha que luego se daría, en su alegre carrera por las calles con la bolsa deportiva en la espalda y los puños ardientes, hacia el bar de la plaza donde encontraría a sus amigos… Él había sido ese muchacho, y también Jan Julivert lo fue, y Ángel Boyer y Falcón…

Consultó su reloj y se levantó.

# CAPÍTULO III

## 1

Jan cerró la puerta corredera de cristal que daba a la terraza y antes de sentarse en la mecedora comprobó que la clavija del teléfono estaba en posición correcta; no había nadie en casa y él debía atender las llamadas. Una hora antes, mientras cenaba en la cocina, Elvira le informó que la señora estaba de viaje, que la señorita Isabel había llamado anunciando que se quedaba a cenar y a dormir en casa de su abuela, donde seguramente tenía al novio de amagatotis –pues la vieja estaba medio cegata, añadió la criada–, y que el señor salió de casa a media tarde y aún no había vuelto. «Ojalá esta noche lo traiga alguien y usted no tenga que salir, señor Juan», había rogado la cocinera. Desde que Anselmo se había ido, a las dos sirvientas no les hacía la menor gracia quedarse solas en casa, de noche.

Debía estar lloviznando desde hacía rato, a juzgar por el estado de la terraza, pero él no se dio cuenta hasta que salió a tomar el fresco. A las doce y media sonó el teléfono. Era la señora Klein y pidió hablar con su hija.

Jan respondió escuetamente: no estaba en casa, y el señor Klein tampoco. No, nadie había llamado con noticias de su marido...

–Era de suponer –se lamentó ella, y su voz se alejó adquiriendo un tono más confidencial, como si no hablara con él, sino con alguien que estaba a su lado. Jan la oyó pronunciar el nombre de Augusto y luego captó una bien timbrada voz masculina que expresaba impaciencia o fastidio en medio de un apagado rumor de conversaciones y música bailable: «... acabarás enferma, mujer, deja de preocuparte»–. ¿Cómo no voy a preocuparme? Hoy tenía que ver al reumatólogo y habrá ido sin Isabel. –La voz de la señora Klein volvió a Jan con nitidez y sin la menor afectación–: Usted quédese al tanto del teléfono, no se puede hacer otra cosa... Volveré mañana por la tarde. Adiós.

–Buenas noches, señora.

Sentado en la mecedora, ahora tejía con parsimonia la bufanda azulgrana mientras al otro lado de los cristales caía una lluvia fina y silenciosa sobre la terraza y el parque. Estaba midiendo a ojo el trabajo ya hecho cuando volvió a sonar el teléfono. Eran casi las tres de la madrugada.

–¿Señora Klein, por favor? –preguntó una voz decidida y juvenil.

–Diga.

–Quiero hablar con la señora.

–No está. Déme el recado...

–Es un asunto personal...

–¿Se trata de su marido?

–Sí, señor. ¿Puedo saber con quién hablo?

–Dígame lo que sea –apremió Jan.

–Pues que este señor acaba de llegar y ha organizado en el ascensor un follón de puta madre.

–Pero ¿dónde?

La voz dio las señas de un meublé de ínfima categoría, en el Paralelo, e informó que el juez iba con dos fulanas y un amigo.

–¿Está muy borracho?

–Se cae, oiga.

Jan dijo que iba para allá y colgó. Se quitó las gafas y se puso la gabardina y el sombrero.

No había ningún coche en el garaje y cogió un taxi. Media hora después se apeaba al final de una breve rampa, en un túnel que parecía la entrada de un parking, y apartaba con la mano una deslucida cortina roja que daba acceso a un vestíbulo diminuto donde gemía un anticuado ascensor. El conserje, un viejo decrépito con gafas ahumadas y traje gris cruzado, leía una revista acodado al mostrador de recepción, en un cuchitril donde sonaba muy bajo una radio portátil con la correa colgada de un clavo en la pared.

–¿Es usted quien ha llamado? –dijo Jan, y en este momento se paró el ascensor que subía del sótano y salió un camarero joven y regordete con una bandeja con bebidas. El camarero le indicó por señas que aguardara, dejó la bandeja en recepción y habló con el viejo:

–Puede irse un rato, señor Cosme, yo atenderé.

El hombre cogió la radio y la revista y desapareció tras una pequeña cortina que había a su espalda.

Jan miraba al camarero.

–¿Dónde están?

–En la 12 y la 14.

–¿Llevan mucho rato?

–Poco más de media hora. ¿Quiere que llame?

–No.

Consultó su reloj, y, como si de pronto no tuviera la menor prisa, se quitó el sombrero de tela de gabardina, lo sacudió cuidadosamente y recompuso su forma, lo dejó encima del mostrador, sacó los cigarrillos y encendió uno.

El camarero le observaba indeciso:

–Entonces, ¿qué hago? –señaló la bandeja–. Han pedido unas copas.

–Súbelas.

–Pero...

–Haz lo que te digo.

El muchacho se encogió de hombros, agarró la bandeja y se metió en el ascensor. Llevaba una botella de coñac sin descorchar, copas, dos cafés con leche y dos bocadillos de jamón y queso.

Cuando bajó, Jan le pidió una ginebra con agua y la pagó. Parecía abstraído y el camarero le miraba con curiosidad. Jan volvió a consultar su reloj. Llevaba la gabardina bastante mojada en los hombros, pero no se la quitó. Recostado contra el mostrador, apoyándose en el codo, bebió un sorbo de ginebra, miró nuevamente su reloj y luego al chico y dijo:

–¿Cómo te llamas?

–Fermín.

–Esta ginebra que me has dado huele a rata muerta.

–No tengo otra. –De pronto una idea inquietante cruzó por su cabeza–: ¿Usted es el que ha cogido el teléfono...? No será usted de la bofia...

Jan negó con la cabeza, distraídamente. Agitó el contenido del vaso y, con aire de sueño y de fatiga, se recostó un poco más sobre el costado.

–¿Dos parejas, has dicho?

–Sí –dijo el camarero–. Habitaciones en la misma planta, ya me entiende...

–¿Y si viene una inspección?

–Qué va. Además –sonrió malicioso–, lo que hacen los clientes no es cosa mía. A mí qué.

–¿Y de qué conoces tú a este señor?

–Una vez su amigo lo dejó tirado en el pasillo. No éste que lo ha traído hoy; era un tío pencas, un melenudo con un anillo de oro en la oreja. Vinieron con dos furcias que oiga, vaya pendones. Entre todos le dejaron sin una pela y además se escoñó la clavícula al caer... Él mismo me pidió que llamara a su casa, figúrese cómo estaría el pobre...

–¿Quién vino a buscarlo?

–Nadie. Su mujer me pidió que lo llevara en un taxi.

–¿Ha vuelto, después de eso?

–Un par de veces.

–¿Por qué no has avisado a su mujer?

–Se portó bien. Ella me dijo de avisar solamente si le veía muy mal, de no poder valerse... Como hoy, que lleva un pedo de campeonato. –Abrió mucho sus ojos negros avispados y agregó–: Oiga, aquí nadie debe saber que yo he llamado, ¿eh? Si el jefe se entera perdería el empleo. Esto lo hago como una especie de favor.

–¿Y qué te sacas por esa especie de favor?

–La señora me dio veinte duros y un cartón de tabaco rubio.

Jan se llevó la mano al bolsillo.

–El rubio lo venden en los estancos –dijo mientras sacaba un billete de cien y lo ponía sobre el mostrador–. Llama un taxi y que espere en la puerta. ¿Has dicho primera planta?

El chico repitió los números mientras le abría el ascensor. Jan subió hasta la primera planta y se internó por un pasillo en penumbra, alfombrado con una estrecha arpillera teñida de verde y polvorienta. Llamó a la puerta 12 con los nudillos al mismo tiempo que abría girando el pomo con la otra mano.

Sentadas al borde de la cama, frente a una banqueta conteniendo restos de bocadillos y las tazas de café con leche, dos mujeres interrumpieron su charla y se volvieron a mirarle. Parecían recién llegadas o a punto de irse y las dos iban muy puestas y maquilladas y con impermeables de transparente plástico lila echados sobre los hombros; una se arreglaba las cejas con una pinza y un espejito, y la otra fumaba un cigarrillo. Jan se disculpó torvamente y cerró la puerta.

La 14 estaba cerrada por dentro. Llamó suavemente y a la voz de «¿quién?» respondió «camarero». Cuando abrieron metió el pie entre la puerta y el quicio y empujó. Vio a un joven rubio, con pelo de cepillo, que se hacía a un lado con expresión de sorpresa y enseguida de fastidio. Llevaba una toalla sujeta a la cintura a modo de falda y calcetines rojos. Se oía el chorro de un grifo en el baño contiguo, cuya puerta estaba abierta.

Luis Klein yacía desnudo sobre la cama, bocabajo, el brazo estirado hacia la botella de coñac de la mesilla; dejó caer el brazo y se quedó inmóvil. Jan apartó los ojos de él, tiró el sombrero sobre la cama y echó un rápido vistazo al deprimente cuarto sin ventanas. Las sucias paredes lucían un color fresa pálido, barridas por luces ocultas bajo adornos de yeso despintado y roto.

Con las manos en los bolsillos de la gabardina, miró a Julio Lambán.

–¿Me conoces?

–Sí… De oídas.

Se había cruzado de brazos y chasqueó la lengua. Jan indicó a Klein con la barbilla.

–Vístele, tengo un taxi esperando.

–No hacía falta entrar así –dijo Lambán en tono dolido. Tenía una voz soñolienta, con una leve ronquera–. No le ocurre nada.

–He dicho que lo vistas. Vamos, muévete.

Julio Lambán le miró unos segundos con aire tranquilo y luego se dio media vuelta encaminándose al otro lado de la cama. Jan observó los movimientos elásticos de su cuerpo largo y lívido, el delicado vigor de sus flancos y la fuerza en reposo de sus hombros un poco encogidos. Al otro lado de la cama había ropa en una silla y algunas prendas por el suelo. Después de recogerlas, Lambán fue a cerrar el grifo del cuarto de baño y al volver dijo, en un tono levemente irónico:

–¿Por qué se toma tantas molestias? Sé dónde vive el señor Klein, yo mismo le habría acompañado...

–Te aconsejo que no vuelvas por allí.

–Oiga, ¿de qué presume usted, de protector? Usted no manda en él. Y no podrá controlarlo, nadie puede, ni siquiera yo.

Jan no le prestaba atención. Miraba la espalda del juez; una gran cicatriz en forma de lagarto brillaba como la púrpura sobre su paletilla derecha. Lambán había empezado a vestirle, y al incorporarlo, aunque lo hizo sin brusquedades, Klein emitió un gruñido. El muchacho aproximó los labios a su oreja:

–Señor Klein –llamó suavemente–. Eh, oiga... Nada, está roque.

–¿No había un sitio peor donde llevarle? –dijo Jan tras echar una nueva ojeada al cuarto.

–A él le gusta porque no hay espejos.

–No te entretengas, se hace tarde.

–Las putas no han cobrado.

–Luego te ocuparás de eso. –Reflexionó un rato y añadió–: ¿Y por qué esta comedia? ¿Por cubrir las apariencias?

El muchacho se encogió de hombros.

–Él lo prefiere así.

Tenía a Klein sentado en la cama y le ponía un liviano jersey blanco de cuello de cisne. Con la barbilla en el pecho, la despeinada cabeza apoyada en el hombro de Lambán, Klein parecía un muñeco desarticulado y murmuraba incoherencias. Cuando le tuvo vestido, el joven rubio lo recostó suavemente de espaldas y empezó a vestirse él. De vez en cuando miraba a Jan con el rabillo del ojo. Viejo y cansado, pensó. Le vio acercarse a la mesilla de noche y coger el reloj y el billetero de Klein. Debajo del billetero había un talonario de tapas azules.

Jan lo guardó todo en el bolsillo de la gabardina y permaneció de espaldas a Lambán, que tenía un pie en la cama y se ataba el cordón del zapato. En el respaldo de la silla colgaba una cazadora de cuero.

–¿Es tuya?

Lambán asintió. Jan registró los bolsillos y sacó una agenda, un pañuelo, dos sobres con aspirinas y un pequeño peine verde, y lo fue tirando sobre la cama. También sacó dos dados de marfil.

–Eh, ¿qué hace?

–Vacía tus bolsillos –ordenó Jan acercándose a él.

Lambán apartó las manos del zapato y las cruzó apaciblemente sobre la rodilla doblada.

–¿Lo dice en serio? Creí que en la cárcel le habrían quitado esa mala costumbre.

–Ya ves que no.

–No querrá usted que se la quite yo, ¿verdad? –Irguió la cabeza y los nervios de su fornido cuello se tensaron–. Ya es un poco mayorcito para andar por ahí fastidiando al personal, ¿no le parece?

–¿Tu hermano no te previno contra mí, muchacho?

–Sí que lo hizo. Me reí mucho –dijo Lambán–. Así que ya puede esperar sentado, a mí no me registra nadie...

El revés de la mano le giró la cara y cuando se revolvía Jan se la centró con la izquierda; la mandíbula de Lambán se dirigió resueltamente al encuentro de la mesilla de noche, con una expresión anhelante y ciega en el rostro, pero fue la nariz la que chocó con el canto. Lanzó un aullido y se levantó maldiciendo para tropezar con el puño del intruso en la boca del estómago. Lambán se encogió y giró como una peonza, sentándose en la cama. Con ojos de pasmo y la boca abierta, sin resuello, miró un instante a Jan preguntándose el porqué de un castigo tan duro. Luego, doblado por el dolor, la cabeza en las rodillas, no podía introducir las manos en los bolsillos del pantalón para mostrar el forro. Se tomó tiempo y finalmente se incorporó un poco y pudo hacerlo, mientras Jan hurgaba en su bolsillo trasero, del que sacó un talón bancario. La cifra era de cinco mil y llevaba la firma de Klein.

—¿Tu amo Raúl conoce estos ingresos?

—Son asuntos privados, ¿entiende, maldito cabrón? —Aspiró por la nariz y escupió saliva rosada—. ¿Con qué derecho...? ¿Qué va usted a hacer?

Creyó que iba a romper el talón a trocitos; lo tenía cogido como para hacerlo. Pero Jan examinó la cifra una vez más y luego miró al muchacho.

—Creo que no vales tanto. Pero lo sabremos enseguida.

Se guardó el talón y cogió a Lambán por el cuello de la camisa.

—A ver, explícate. ¿Cuál es el negocio?

—¿De qué me está hablando...? ¿Es que uno no puede aceptar el regalo de un amigo?

—No me refiero a eso. Ya veo cómo te ganas la vida. Quiero saber cómo se la gana tu amo, Raúl Reverté, y si también es a expensas de él. —Indicó a Klein con la cabeza—. Empieza.

—Yo no sé nada... Este dinero es mío, devuélvamelo.

—Aún te lo puedes ganar. Veamos. Raúl Reverté conoció a este hombre hace algo más de un año por mediación tuya. Empecemos por ahí.

Lambán masculló insultos en voz baja. Luego se fue serenando. Con la voz deprimida dijo:

—Yo no era más que el barman... Sólo me ocupaba del bar y de que no faltaran bebidas en las fiestas de Silvia, pero yo no iba.

—¿Quién es Silvia?

—La amiga de Raúl. Tiene un piso en la Barceloneta... Si no me suelta la camisa no puedo hablar. —Hizo una pausa y tanteó su nariz con el pulgar–. Antes de aparecer usted, el señor Klein asistía a las juergas de Silvia invitado por Raúl y a veces se quedaba a dormir allí... Pero yo no iba, nunca me cayeron bien los amigos de Silvia, demasiado loquitos...

–Todo eso no me interesa –le cortó Jan–. Háblame de Raúl.

–Un respiro, oiga.

Sentía una quemazón creciente en el interior de la nariz. Cerca, en algún cielo raso, se oía la lluvia rebotando con fuerza en los cristales. Klein seguía dormido; sus párpados abotagados se entreabrieron un instante dejando ver una rajita de ojos glaucos. En la habitación contigua sonaban pasos, un taconeo femenino. Lambán no se libraba de la mirada fría e inquisitiva de aquel hombre y comprendió que tendría que desembucharlo todo... o casi todo. Recompuso el cuello arrugado de su camisa y dijo:

–Que no se entere Raúl que le cuento todo eso.

–Continúa.

–Tampoco es ningún secreto, vaya –consideró Lambán, y volvió la cabeza para dirigir a Klein una mirada entre burlona y compasiva–: Aunque éste ni se enteró que le metían en un embolado... Se ve que toda su vida ha sido un reprimido, y tenía ganas de soltarse el pelo.

Contó cómo Raúl Reverté se dio cuenta de ello enseguida, y cómo, asistido por Silvia, le proporcionó lo que andaba buscando con las mayores garantías de discreción e impunidad... Estableció con él una complicidad parrandera, aparentemente banal y desinteresada, una dependencia estricta de amigotes noctámbulos y borrachines cuyos excesos Lambán nunca compartió –insistió el muchacho mirando a Jan con recelo: su amistad con el señor Klein era otra cosa– y luego, cuando le vio convertido en una loca desorejada, Raúl empezó a frecuentar su despacho buscando el intercambio de favores. Así de sencillo.

—Su despacho de asesor jurídico en el…, ¿cómo se llama? —vaciló Lambán—. ¿Sector del Consorcio…?

Contuvo un gemido y se apretó el estómago con ambas manos. Jan había recostado el hombro contra la pared, frente a él, y le observaba atentamente. «Consorcio de la Zona Franca», corrigió. Lambán asintió, añadiendo con la voz desganada que al principio Raúl sólo utilizó la influencia de Klein para resolver asuntos de poca importancia relacionados con la delegación de Hacienda y cosas así… Pero su intención era picar más alto, y esperó su oportunidad.

—Este invierno pasado, la empresa del señor Klein efectuó unas expropiaciones de terrenos en el Prat y Raúl intervino con su gente en un trabajo previo, al parecer bastante sucio…

—Procura ser más claro.

—No me gusta hablar de eso, no estoy muy enterado. —Se mordió el labio y bajó la cabeza—. Se ve que algunos propietarios no estaban conformes con la indemnización y plantearon problemas, no querían irse. Entonces aparecían los amigos de Raúl, les iban a visitar…, ¿entiende? Por iniciativa propia, digamos. Oficialmente Raúl nunca ha tenido nada que ver con la empresa.

Jan meneó la cabeza señalando al juez:

—No veo a este hombre contratando bajo mano los servicios de un matón. No le veo llevando ningún asunto del Consorcio ni decidiendo nada, no está capacitado…

—Hace un año no estaba tan jodido —repuso Lambán—. No de la cabeza, por lo menos. De todos modos, y por mediación suya, Raúl ya había empezado a relacionarse con otros jefazos. Quizá directamente no lo tramitó con el señor Klein, no lo sé; pero solían comentar estos asuntos, desahucios ilegales y todo eso... Ahora ya no, ahora es diferente. –Volvió a mirar al borracho con velada conmiseración y agregó–: Él no quería contarme nada. Procura mantenerte al margen, Julito, me decía, deja que este trabajo lo hagan los charnegos de Raúl... Se refería a dos camareros del Calipsso que el jefe reclutó en Can Tunis, usted ya los conoce, según me han dicho.

Jan asintió. Encendió un cigarrillo y dijo:

–¿Y cómo están ahora las cosas?

–Oiga, le he dicho todo lo que sé –suspiró el muchacho–. Vámonos ya, coño.

Se levantó encarándose con él, los brazos en jarras, y aguantó su mirada. Jan admiró un instante la simetría atlética del mentón juvenil respecto al cuello poderoso sobre el que se asentaba, una familiar combinación de bisoñez y de virilidad.

–Devuélvame el talón. Al señor Klein no le gustará lo que ha hecho...

–Siéntate y procura calmarte. No hemos terminado.

–¡¿Pero qué quiere?! ¡¿Que pierda mi empleo?! Si Raúl se entera de esto me echa a la calle.

–No perderías gran cosa. Siéntate.

Lambán le volvió la espalda y dio unos pasos por la habitación, la mano en la mandíbula, moviéndola de un lado a otro. De pronto notó un flujo caliente en la nariz, que resbaló hasta sus labios. «Mierda –dijo sentándose al borde de la cama–, ¿lo ve?» Cogió el pañuelo que estaba a su lado y contuvo la hemorragia echando la cabeza hacia atrás.

Jan se asomó al cuarto de baño y echó un vistazo, volviendo a su sitio. Cuando cesó la hemorragia, Julio Lambán arrojó el pañuelo manchado contra la pared. Abatido, dijo:

–¿Qué hostias anda buscando?

–Hablaremos cuando te calmes.

–Déjese de puñetas. ¿Qué quiere saber?

–Más cosas de Raúl Reverté.

–Le va muy bien, mejor que a usted –masculló el muchacho con rabia–. Le va de puta madre, ¿sabe? Ahora lleva una empresa que saca arena del delta del Llobregat, una zona que pertenece al Consorcio. El jefe es un tío listo. Los permisos de extracción los obtiene de la Jefatura de Minas por mediación del señor Klein, que tiene un amigo en el Consorcio, un tal Gamero, cuyo yerno trabaja en la Jefatura..., ¿entiende? Pues vaya aprendiendo. Y Raúl vende la arena a las constructoras, un negocio muy bueno, sí señor. Tanto es así, que está pensando en traspasar el Calipsso, ya no le interesa.

Jan meditó unos segundos.

–Poco después de salir yo de la cárcel –dijo mirando el cigarrillo entre sus dedos–, cuando la idea de trabajar para Klein ni siquiera se me había ocurrido, Raúl te envió al bar Trola a husmear lo que estaba haciendo. ¿Por qué?

–Creía que usted había vuelto para... matar a este hombre.

Jan negó con la cabeza.

–Raúl no te diría eso.

–Más o menos. Yo sabía algo por mi hermano y entonces me acordé... ¿El señor Klein no había sido juez o algo así, hace años...? –inquirió Lambán, ahora con mal reprimida curiosidad–. ¿Verdad que sí? ¿Ustedes no se la tenían jurada, toda esa pandilla de locos exaltados que iba con mi hermano, aquellos maquis o como se llamen...? No lo niegue, lo sé por Pedro.

–Sigue.

–Pues por eso estaba preocupado Raúl desde que salió usted de la cárcel. Supo que estando todavía preso usted había hecho averiguaciones sobre el señor Klein y su mujer... Me dijo: si este loco se ha propues-

to acabar con don Luis Klein Aymerich, adiós negocio.
–Lambán sonrió torvamente al añadir–: Raúl se pasó
dos meses yendo de culo.

–¿Era él quien llamaba a mi cuñada?

–Sí.

–¿Hizo por verla alguna vez?

Lambán tanteó sus fosas nasales con el dedo.

–¿Cómo voy a saberlo? No joda más, ¿quiere?
Y déjeme ir ya.

–Te irás cuando yo diga. –Indicó a Klein con la cabeza y añadió–: ¿Sales con él por iniciativa propia o es
idea de Raúl?

–Raúl desea que le vigile… Yo sólo había estado con
él una vez, y más bien se me quitaron las ganas. Este
hombre se está matando, oiga; se zampa las pastillas de
codeína con martinis. Y sufre la hostia, tiene dolores
de espalda y de piernas, una vértebra dislocada, artritis,
flebitis, no puede dormir por las noches, la tira, vaya…
Dice que tiene problemas con el equilibrio; a veces, para
cruzar una habitación, tiene que armarse de valor… El tío
va drogado todo el tiempo y encima bebe como un cosaco. Raúl le sugirió un acompañante, un amigo que se
ocupara de él, alguien decidido y lo bastante fuerte… por
si se metía en líos. Bueno, así empezó la cosa. Un trabajo parecido al suyo, mitad enfermero y mitad guardaespaldas… Y mire, acabé tomándole afecto, pobre diablo
–añadió volviendo la cabeza hacia Klein–. De acuerdo, le
he sacado algún dinero, pero no me he portado mal con
él… Bah, usted no puede entenderlo, es demasiado animal y además un viejo rencoroso y chaquetero.

Se incorporó arqueando la espalda, las manos en los
riñones. En el rubio pelo de cepillo, sobre la frente
amplia, impoluta, se formaba un pequeño remolino
dorado. Jan dejó caer el cigarrillo y miró al juez; se había volteado y yacía bocabajo, resoplando. Sacó del
bolsillo el talón bancario y lo echó sobre la cama.

–Coge tus cosas y vete.

Con sonrisa displicente, el muchacho se guardó el talón, su agenda, su peine y sus dados. Vio los cordones sueltos de los zapatos de Klein y se los ató, e inmediatamente, sacando de nuevo el peine, se arrodilló sobre la cama, volteó al juez con delicadeza, alzó un poco su cabeza y empezó a peinarle. «Llévelo presentable, por lo menos», murmuró sin ironía ni afectación alguna. Se esmeró con el peine, daba la impresión de haberlo hecho toda la vida.

Jan le miraba en silencio.

–La última vez que te vi –dijo al cabo de un rato– tenías diez años y te entrenabas en el gimnasio de tu hermano. Parecías un chico listo.

–Ah. Quiere decir que ya no lo soy.

–Si lo fueras no estarías aquí sangrando por la nariz.

Lambán esbozó una sonrisa burlona.

–Vale, ya sé lo que viene ahora. Que debería cambiar de vida y buscarme otro trabajo, y volver a casa con mi hermano y portarme bien y toda esa gaita, ¿verdad?

–Nunca le he dicho a nadie cómo ha de vivir.

–¡Venga ya! Usted es como mi hermano, que siempre anda sermoneando a la gente y no es más que un infeliz, un muerto de hambre… –Soltó a Klein y se incorporó–. Un gilipollas y un tocho, eso es mi hermano, un jodido idealista. Toda la vida conspirando no sé qué hostias en compañía de cuatro mangantes desgraciados, esperando el cambio, darle la vuelta a la tortilla, ¿y qué tiene ahora? Una mujer enferma y amargada, un piso de mierda y deudas… A mí no me pasará esto.

–Me tiene sin cuidado lo que pueda pasarte –dijo Jan con la voz cansada. Cogió la cazadora del respaldo de la silla y la arrojó contra él–. Pero juraría que no será nada bueno, si sigues con el *Mandalay*. En todo caso este chollo –indicó al juez con la cabeza– se te acabó. Lárgate.

Mientras se ponía la cazadora Lambán advirtió que aún le sangraba un poco la nariz y miró en torno buscando el pañuelo. Jan alcanzó la toalla sobre la cama y se la ofreció, pero él no hizo caso.

–No le va el papel de fiscal, ¿sabe? Usted ha estado en la cárcel muchos años por ladrón, ha quebrantado la ley cientos de veces con el revólver en la mano. Usted es un atracador. Y la política, cuando le ha convenido, se la ha pasado por el culo. Así que no venga a darme lecciones de moral...

Jan se pasó la lengua por las encías, entornó los párpados con una mansedumbre irónica y dijo:

–He venido a romperte los morros, muchacho. Creí que lo habías notado.

El joven rubio masculló algo y alcanzó la puerta de dos zancadas. Dijo:

–Volveremos a vernos.

–Espero que no –repuso él–. Apártate de Klein, no quiero que nadie me dé más trabajo del que me da él. Y a propósito: si alguna noche le ves bebiendo en lo de Raúl, te conviene llamarme.

Julio Lambán le miró fijamente un instante, luego le volvió la espalda, abrió la puerta y salió cerrando de golpe.


2


Durante la vuelta a casa, bajo un aguacero que golpeaba con fuerza la capota del taxi, Klein dormitaba con la cabeza apoyada en el hombro de Jan. A ratos tenía sobresaltos, manoteaba el aire y luego volvía a caer en un sopor. Cerca de casa abrió los ojos y miró el perfil huraño del guarda desde una remota conciencia encharcada en el pavor, murmuró «está muy lejos» y, en medio de espasmódicas sacudidas, vomitó una bilis interminable sobre el asiento y la gabardina y los pantalones de Jan.

La lluvia lo espabiló un poco mientras cruzaban el jardín. Lo subió a su cuarto y lo desnudó, acostándole en la cama. Klein estaba excitado y volvía a trasudar aquella sordidez mental que crispaba a Jan:

–¿Dónde está mi mujer?

–Durmiendo.

–¿Aún no se la ha cepillado, señor guardabosques? –farfulló riéndose–. No sé a qué espera. Yo no voy a estar toda la vida saliendo de noche…

–Estése quieto.

–¿Por qué miente, perro? Ella no está en casa…

–Volverá mañana. Duérmase.

Después buscó en el armario un pantalón limpio, cogió la ropa apestosa de Klein y la envolvió en su gabardina, apagó las luces, bajó a la cocina, entró en el cuartito de la lavadora y echó el envoltorio al cesto de la ropa sucia. Se quitó los pantalones, se puso los de Klein y tiró los suyos al cesto. En el fregadero de la cocina se lavó las manos y cogió un vaso, apagó las luces y se encaminó hacia el salón. Eran las cuatro y media. Le echó ginebra al vaso hasta más de la mitad, lo acabó de llenar con agua del hielo deshecho en la cubeta y se sentó en la mecedora. Más allá de la terraza, borrosa tras los cristales azotados por la lluvia, el viento zarandeaba los abetos del parque y el farol encendido del pabellón. El aguacero caía oblicuo y tamizado por un vivo resplandor. Jan bebió un sorbo de ginebra, y, al apoyar el vaso sobre el muslo, notó un pequeño objeto metálico en el bolsillo. Metió la mano y sacó el pasador del pelo de Virginia Klein que el juez solía ponerse en la corbata –o era tal vez el pasador de corbata de Luis Klein que su mujer solía ponerse en el pelo, rumió irónicamente– y lo estuvo mirando largo rato, mientras bebía, y luego lo dejó en la mesita junto a sus gafas y la labor de punto. Volvió a beber, sacó el pañuelo, frotó con él sus zapatos mojados, retomó la labor...

Y aun así, aun aferrándose de forma implacable a esta atrafagada cadena de cometidos triviales pero llenos por lo menos de sentido práctico, inmediato, aun así volvió a experimentar súbitamente en su ánimo el tirón hacia abajo, el mismo vértigo que sintiera el primer día de cautiverio en una fría celda del penal de Burgos, años atrás, cuando algo le hizo comprender de pronto que su vida se descolgaba de la vida, que perdía pie, que ya jamás nada volvería a tener sentido, ni siquiera los recuerdos.

Se levantó, abrió la puerta corredera de cristal y vomitó en la terraza, bajo la lluvia.

# CAPÍTULO IV

## 1

Desde que el viejo Suau le permitió a Néstor colgar su saco en un rincón debajo del altillo, solíamos vernos en el taller con más frecuencia que antes. Néstor había pintado en la tela del saco una cara de pavero con sonrisa cafre y pelo rizado que pretendía ser la del *Nene*. Nada más llegar del Trola se quitaba la camisa y sin guantes ni vendaje se liaba a hostias con el fardo hasta quedar bañado en sudor. Luego subía al terrado a lavarse bajo el grifo y nosotros podíamos entrenar un rato.

En el terrado, Paquita trenzaba guirnaldas y recortaba flecos en las tiras de papel de seda que adornarían la calle en la Fiesta Mayor; un trabajo que la junta de vecinos le encargaba a ella todos los años, por ser coja. A veces Néstor se sentaba a ayudarla. Era a finales de agosto.

–Paqui, perdona que te haga una pregunta tonta... ¿Tú crees en el amor?

–Sí. Claro.

–¿Tú crees que alguien puede llegar a enamorarse de una furcia?

–¡Qué pesado, hijo!

–Dime. ¿Tú qué crees?

Ella frunció la boca y soltó un resoplido:

–¿Y de una coja? ¿Eh? ¿Puede alguien enamorarse de una coja, lo crees de verdad?

–Claro que sí. Yo podría.

–Mentiroso.

Las multicolores guirnaldas de papel rizado serpenteaban por el suelo en torno a ella y en su regazo las tiras de flecos cortados velozmente a tijeretazos eran de un verde intenso, como la hierba en primavera. Paquita sonrió de reojo y volvió a decir: «Mentiroso.» Sus pupilas violeta, cuando les daba el sol, parecían hechas de la pulpa de la uva.

–Pero a ti el que te gusta es el Pablo, lo sé –dijo Néstor–. El otro día vi cómo le echabas los brazos al cuello cuando te bajabas del tranvía…

–Toca la armónica y calla, Ray Sugar Néstor.

Paquita estuvo una semana en cama con dolor de piernas y la visitaba el doctor Cabot y le contaba chistes de médicos la mar de divertidos. Su cuarto no era más grande que el quiosco-portería de la señora Carmen, estaba al fondo del altillo y había también una diminuta cocina con un ventanuco abierto sobre un pequeño patio de tierra negruzca, detrás del taller, que el viejo Suau llamaba jardín y donde crecía una rinconada de lirios malva y un rosal trepador. Ya todos habíamos convenido en que éste podía ser el rosal entre cuyas raíces Jan Julivert habría enterrado su pistola dentro de una caja de galletas, bien engrasada y envuelta en una gamuza, con intención de recuperarla algún día… Cuando se murió el viejo gato negro de Balbina, Néstor propuso que lo enterráramos en este patinillo y escogió el sitio con mucha vista, precisamente debajo del rosal. Pero no pudo ser, porque Suau nos vio y dijo que no iba a permitir que nadie le estropeara el rosal, obligándonos a enterrar el gato unos metros más allá, entre los lirios.

Después del entrenamiento subíamos a ver a Paquita –y de paso, siempre, nos asomábamos al ventanillo para ver el rosal– y la animábamos un poco prometiéndole llevarla al cine y a pasear al parque Güell. El cuarto olía a ungüento de futbolista y ella estaba destapada porque hasta el roce de la sábana le causaba un dolor insoportable. Coleccionaba programas de cine y los tenía esparcidos sobre la cama, entre las tiras de papel de seda, porque también en la cama trabajaba, y le gustaba ordenarlos una y otra vez y que le dijéramos cuál nos gustaba más entre los que ella consideraba sus favoritos. Y nos gustaba sobre todo aquel de Marilyn Monroe con una falda blanca plisada revoloteando en torno a sus muslos, pero nunca se lo dijimos, no podíamos decirle eso a una pobre tullida.

Un día que la estaba visitando el doctor Cabot nos quedamos abajo esperando, viendo trabajar a Suau sentado en un cajón de madera. Ya era viejo para pintar en la calle como hacían otros, en lo alto de una escalera apoyada en las fachadas de los cines, y sólo le encargaban carteles pequeños para los locales del barrio. Tenía el cartel a medio pintar, clavado en el bastidor de madera, y copiaba sin muchos miramientos el programa de mano prendido con una chincheta en el respaldo de una silla: una azotea gris y un borroso palomar sobre un fondo de nieblas portuarias, y, en primer término, un joven estibador con chaquetón a cuadros y una paloma muerta en las manos. Oímos a Paquita gimiendo en su cuarto y después su risa, y entonces el viejo Suau murmuró algo en voz muy baja, como si hablara consigo mismo:

–Cuando yo tenga que irme a un asilo, qué será de esta niña…

La paloma tenía el pico abierto y un ala caída. Las

manos del estibador eran del color de la ceniza, y sus ojos de púgil sonado, mirando la paloma muerta, parecían cerrarse poco a poco: el viejo Suau había corregido excesivamente la línea de los párpados.

Ese día el doctor Cabot ordenó a Paquita levantarse de la cama y ella subió al terrado con sus guirnaldas y se instaló en la colchoneta. Néstor llenó el cubo de agua y se lo llevó, sentándose a su lado.

–¿Has pensado en lo que te dije, Paqui?

–Sí. Pero no se me ocurre nada...

–Pues a ver qué hacemos. No podemos seguir abusando del mismo truco.

La muchacha introdujo sus afilados dedos en el agua del cubo y salpicó cuidadosamente la piel satinada de la pierna.

–¿No? ¿Qué pasa con el dragón?

–Se llama salamanquesa –dijo Néstor.

–¿Cómo la haces aguantar en el techo?

–Le pongo pegamil en las patas.

Ella sonrió.

–¿Y no se te escapa la risa?

–¡Es la monda! ¡A veces he tenido que correr a esconderme con el pañuelo en la boca! –Néstor guardó silencio un rato y añadió–: Pero hemos de inventar otra cosa.

–Un ratón –dijo Paquita.

–Algo que no se pueda coger, si no él verá que es de goma.

–Un olor a gas. Compras una bomba fétida, la tiras en el dormitorio, y dices: ¡tío, corre, hay un escape de gas...!

–Pero eso no huele a gas, huele a pedo.

Paquita reflexionó.

–Pues no sé.

–¡Piensa, Paqui, piensa!

Ella movió el parasol desplazando la sombra y frotó la pierna buena con la pomada. Estaba absorta, amohinada. Néstor la miraba en suspenso.

–¿Te hago un masaje, mientras piensas? –Sus manos ásperas y enrojecidas, de nudillos pelados, se posaron suavemente en el muslo duro y bronceado. Ella permaneció en silencio un rato y luego dijo:

–Se me ocurre otra idea. Pero ahora sí que tiene que estar bien dormida.

–Por eso no temas. Siempre toma las pastillas.

–El termómetro. Se pone el termómetro y se olvida y se duerme... ¿comprendes? O sea, tú se lo pones y luego sales y dices: tío, mamá se ha dormido con el termómetro puesto y al moverse se puede hacer daño.

Néstor parecía perplejo.

–Bueno, pero...

–Y antes la destapas un poco, y que esté guapa. Le pones una pizca de perfume detrás de la oreja. Imagínate que está dormida de lado, un poco así...

–Házmelo ver, Paqui.

–Ella está así. –Se ladeó sobre el colchón y alzó la cadera, ocultando la pierna enferma bajo la falda. El sol centelleó un breve instante en la mojada cara externa del muslo–. Así, ¿ves? Y el termómetro en el sobaco, así. No puede fallar. No se puede dejar a una persona dormida con el termómetro puesto, no se puede...

A través de la tirante botonadura de la blusa, Néstor vislumbró sus pequeños y atolondrados pechos.

–¿No se puede?

–Claro. Se rompe y qué.

–Pero él me dirá: bueno, pues quítaselo tú mismo. Y no entrará a verla. ¿Por qué iba a entrar?

Paquita le miró con la boca abierta. Se había pintado mucho los labios y el sol se remansaba en ellos como una espesa mermelada de cereza. Dijo:

–Pues es verdad... –Y enseguida sus ojos violeta

chispearon de nuevo–: Oye, ¿y si tuviera puesto el termómetro en otro sitio?

–¿Dónde?

–Pues en el culo, hombre. Hay personas que se lo ponen ahí. Y entonces vas y le dices: es que lo tiene en un sitio que yo no me atrevo... ¿Comprendes? ¡Piensa un poco, hombre, haz trabajar la imaginación!

–Pero es un poco raro, ¿no? El termómetro en el ojete sólo se lo ponen a los bebés... No me acaba de convencer, Paqui.

Sacó la armónica del cinto, pensativo, y añadió:

–Me estaba acordando de una vez que vi a mi madre dormida en el sofá, después de comer... Tenía un número de teléfono apuntado con lápiz de labios aquí, un poco más arriba de la rodilla, casi borrado. Hace mucho tiempo de eso, yo era muy pequeño...

–¿Y qué?

–No, nada. –Se encogió de hombros–. Me he acordado, no sé por qué.

Paquita suspiró. Después de meditar un rato, mientras seguía aplicando pomada a su pierna favorita, dijo:

–¿Sabes qué pasa? Que no le interesa. Que no se puede enamorar otra vez, que ya es demasiado viejo... Ella no le gusta y ya está.

–¡Pero, ¿qué dices?! –exclamó Néstor–. ¿Cómo puedes pensar eso? Siempre le gustó. El otro día lo pillé mirándola de un modo... Nos habíamos sentado a comer y ella estaba de pie sirviendo los platos, y cuando llenaba su plato de arroz yo me fijé en él y le vi mirándola mientras desplegaba muy despacio la servilleta... Ya lo creo que le gusta. Si yo no hubiese estado allí en ese momento, creo que la habría besado, mira.

–Para eso no hace falta estar enamorado.

–Lo que pasa es que es tímido. Y un tío finolis, educado. ¿Le has visto comer? ¿Le has visto pelar una naranja, sin tocarla? De coña. Y luego está el moscón del *Nene*...

–Es muy simpático. Ayer vino a verme y me trajo una botella de agua de colonia.

–¿Ah, sí? Pues un día le voy a hacer una cara nueva.

–Lástima. Con lo guapo que es.

–Me cago en la leche puta. Un muñeco, eso es lo que es.

–No te enfades. Anda, toca la armónica.

## 2

–¿Cómo ha encontrado a mi nieta, doctor? –dijo Suau.

–Está mejor que tú.

–Se queja mucho de la cadera. ¿Le ha traído esa pomada, cómo se llama, Midalgán...? Dice que la alivia.

El doctor Cabot sonrió tristemente.

–No le hace ni bien ni mal. Y los baños de sol tampoco, una terapéutica del año de la quica. Pero en algo se tiene que entretener, la criatura.

–Me parece que esta niña no está bien de la cabeza, doctor. Lo digo en serio. Sigue poniéndose la pomada en la pierna buena.

–Porque ésa es la que le duele.

–¿Y cómo puede ser eso?

Suau trabajaba sentado en el cajón de madera y a ratos de pie, a la luz del ventanillo. En la pared mohosa y desconchada había garabatos de pintura, números de teléfono apuntados a lápiz y jirones de carteles antiguos pegados con cola. El doctor rumiaba una respuesta de las suyas sin tecnicismos –no de sabio facultativo, sino de avispado observador de las mujeres y sus rarezas y caprichos–, pero se distrajo un momento mirando en la pared aquel rompecabezas descolorido de viejas películas. Recostado al pie de una palmera en una playa tropical, un joven marinero con camiseta a rayas y el oscuro pelo revuelto abrazaba a una indígena semidesnuda que por cierto se parecía a Balbina Roig... Luego, ya con el santo al cielo, se volvió del lado de Suau, se inclinó sobre su hombro y observó cómo el pincel, sorprendentemente firme en la mano temblorosa del viejo, repasaba los párpados azules y borrosos del melancólico personaje con la paloma muerta en sus manos.

—Eres un artista, abuelo.

Suau emitió un gruñido, dejó el pincel y se limpió los dedos con el borde del guardapolvo gris.

—Vamos fuera –dijo–. ¿Quiere una cerveza, doctor? ¿Un vasito de vino?

—Nada.

—Le estaba preguntando cómo es que a mi nieta le duele la pierna buena.

—Ah, sí. No hagas caso, es algo sicosomático. –Cabot siguió al viejo hasta la puerta del taller y consultó su reloj–. Siempre nos duele aquello que más queremos, Suau.

—No me venga con hostias.

—Si con una operación se pudiera resolver, sabes que ya me habría ocupado.

—Últimamente no hago más que preguntarme qué será de ella cuando yo falte...

—Qué dices. Tú nos enterrarás a todos.

Suau se sentó en su silla con el respaldo apoyado en la pared. Pensó que el médico se iría enseguida, como hacía siempre, pero hoy seguía allí de pie en la acera, indeciso, abanicándose con una revista. Hoy, con su bien planchada guayabera de manga corta y cuello aplanado y muy abierto, el doctor Cabot parecía más gordo y más imponente; uno de esos gordos prosopopeyos y lustrosos cuya edad suele ser un misterio.

–¿No has vuelto a tener noticias de su madre?

–No –dijo Suau–. Ni siquiera sabemos si aún está en Alemania con aquel sinvergüenza...

–Sería mejor que ya no volviera nunca.

Por la otra acera, con dos barras de pan bajo el brazo y unos andares desganados, pasaba la mujer del carpintero, Palmira, una rubia muy fea de cara, pero de cuerpo espléndido. Saludó sonriendo, y Cabot siguió con la mirada experta su bonito trasero ceñido por la falda.

–Hay caras que no merecen ciertos culos, Suau –murmuró pensativamente.

No has cambiado, matasanos, se dijo él. Cinco años atrás aún se le adjudicaban al doctor Cabot algunos líos con casadas y gozaba de un prestigio popular y fantasioso como médico; ahora se le consideraba un simpático gandul, un hombre que había malgastado su talento y su dinero en asuntos de faldas. De aquella época galante le quedaba el empaque, el gusto por la palabra soez y el airoso y ondulado pelo blanco.

–Y qué –suspiró sentándose finalmente en la banqueta frente a Suau–, qué dice el hombre del día.

Suau enarcó las cejas como si no entendiera, aunque sabía muy bien a quién se refería. Con excesiva jovialidad, Cabot añadió:

–Nos hemos cruzado un par de veces en la plaza Rovira, pero no me ha saludado. Allá él. Tal vez no me ha visto.

–Está algo sordo del oído izquierdo –observó Suau incongruentemente–. Y parece que al orinar las pasa canutas; debe ser la próstata, o una piedra.

–Nos hacemos viejos, me cago en la hostia.

Sacó de la cartera de mano un puñado de caliqueños envueltos en un papel.

–Toma, envenénate.

–Hombre, gracias.

—Parece que tuvo suerte de encontrar trabajo enseguida. —Suau asintió con la cabeza y el médico prosiguió—: Me alegro por su cuñada, la pobre lo ha pasado bastante mal. ¿No te parece?

Suau dijo que sí, que le parecía que sí.

—En cuanto a él —añadió Cabot— no le reprocho nada. A fin de cuentas, luchó por un ideal.

Suau dijo que sí, por un ideal.

—Pero a veces me pregunto —insistió Cabot— si un hombre así es capaz de perdonar ciertas flaquezas humanas. Me refiero a Balbina.

Ah, era eso, pensó el viejo Suau. Te veo venir, puñetero.

—Es raro que ahora que Jan ya trabaja —agregó el médico— ella siga correteando por el barrio chino.

—La costumbre. O le debe gustar...

—Me cago en la leche, hombre, no seas animal. No he conocido a ninguna ninfa que le guste su trabajo. Y he conocido bastantes. Tuve hace años una enfermera, una pelirroja alta... bueno, pues esta pájara empezó por afición, pero a las dos semanas ya lo hacía por la pela. ¡A ver!

Suau escupió a un lado y dijo:

—¿De verdad no quiere beber nada, doctor? Mandaré a un chico al bar...

—Nada. No tengo tiempo —puso la voz engolada y entonó distraído—: Porque mi barca tiene que partir, a surcar otros mares de locuraaaa... Jem. Me voy enseguida.

Pero no se iba. Con la cartera sobre las rodillas, parecía uno de sus pacientes en su propia consulta, en el fresco y sombrío recibidor de su piso antiguo de la calle Escorial. Su mirada como enfurecida, pero a la vez afable bajo las gruesas cejas canosas pobladas de tics, fulgores y sobresaltos, vagaba ahora a lo largo de la calzada batida por el sol. Abajo, al fondo de la calle, la borrosa fachada del cine Delicias y el tranvía que giraba delante flotaban en el aire en medio de una reverberación de vapor; la calle en pendiente parecía replegarse sobre sí misma como el último tramo de un tobogán.

–Me figuro que él ya estará enterado de todo –dijo el médico–. Que tú le habrás puesto al corriente. En veinte años no ha pasado nada en esta barriada que el viejo Suau no sepa. Pillastre.

–Bueno, si se refiere usted a Balbina, Jan no parece muy interesado en los detalles... A mí no me ha preguntado nada.

Cabot cabeceó con aire preocupado.

–Pero lo hará. No puede desentenderse del asunto, conoce a su cuñada, conoce el paño. ¡Y vaya paño...! Balbina tenía, y tiene todavía, el culo más importante de este barrio. Merecía mejor suerte, la verdad. ¡En quince años no ha pasado por estas calles nadie ni nada digno de ser visto ni contado, salvo este formidable culo con tan mala suerte...! –Enarcó las fastuosas cejas y añadió–: Yo digo lo que pienso, Suau, ya me conoces; ahora bien, me jodería mucho que Jan pensara que he tenido algo que ver con la mala estrella de esta mujer. No sé si me explico.

–Bueno –dijo el viejo Suau–, supongo que ella misma le habrá aclarado las cosas.

–Pienso lo mismo.

–Cómo empezó y con quién, y por qué...

–Eso no creo. –Bajando un poco la voz, el médico añadió–: A ninguna puta le gusta hablar de eso, quizá porque no lo tienen muy claro. Ni ellas ni nadie, por cierto. –De nuevo se abanicaba con la revista, pensativo–. Aquí, por ejemplo, cuando se habla de qué modo y cuándo Balbina se hizo una fulana, es para cabrearse. Creen que empezó hace seis años mientras la suegra se le moría, cuando ya no podía con los gastos y debía dinero en todas las tiendas, y también a mí, claro... Yo la ayudé en lo que pude. Pero fue entonces que la chafardería lo decidió: viuda y estando tan buena, y además sola, sin dinero ni trabajo y con un niño... La madre que los parió. Te diré una cosa, y se lo dices a Jan por si le interesa: cuando la gente empezó a decir que lo era, una meuca, esta mujer no lo era. Y esto va a misa, Suau, me cago en los curas. Fíjate que ya por aquel entonces había que ver la prisa que tenían por verla pintada como una mona y meneando el culo como lo hace hoy, fíjate que ya entonces se decía que también se había cepillado a su cuñado, ¿te acuerdas?

Suau admitió que también se dijo esto.

—Y también sé lo que cuentan de mí —prosiguió Cabot—. Pero honradamente yo pregunto: ¿quién puede asegurar cuándo esta mujer empezó realmente a vivir del cuento? No cuando yo visitaba a la vieja, y menos cuando ella trabajaba en la clínica Santa Fe. Hostia, seamos serios, Suau; que la gente es muy burra, pero que muy burra. Aunque es posible que ya hubiese tanteado el terreno, de hecho Balbina empezó la carrera después de todo eso, incluso después de aquel desdichado incidente en la clínica por el que se tuvo que ir, o decidió irse ella misma, nunca conseguí aclarar eso... ¿Quieres saber de verdad cómo y dónde empezó a abrirse de piernas? Pues empezó como otras que todos conocemos: de pajillera en el Roxy. Ésta es la verdad y no te hagas de nuevas.

Suau había desenvuelto los caliqueños y los miraba. El doctor Cabot sudaba más de lo normal, pero ya no quería abanicarse o se había olvidado del calor.

—Y en cuanto al célebre merdé de la clínica —dijo— fue una tontería, un caso de mala suerte. Entonces aún trabajaba allí el doctor Mariano Bernal, un neurocirujano bastante bueno, pero una auténtica mala bestia, y él te lo podría contar. Bernal trataba a un hombre que años atrás había sufrido un accidente y estuvo mucho tiempo internado en la clínica, quedando con graves lesiones en el coco... Era hermano del doctor Klein, que hasta muy poco antes había sido director de la clínica y que murió de forma muy extraña y comprometida en un meublé de la Diagonal una noche que iba con su cuñada, fue muy comentado en su tiempo...

–Lo mataron.

–Bien, pues cinco o seis años después de eso, en la época en que Balbina fregaba los suelos de la clínica, el hermano del doctor Klein acudía regularmente a ver a Bernal. Era un hombre deshecho, drogado por aquel bruto; daba pena. A veces lo veíamos vagando perdido por los pasillos del ala nueva de la clínica, en la segunda planta, casi vacía porque los servicios aún no funcionaban del todo. Sufría de amnesia y el tarambana de Bernal no lo controlaba... Un día que Balbina fregaba una habitación desocupada, de rodillas, me paré en la puerta a saludarla. Casi no tuve tiempo de preguntarle cómo iban sus cosas... Oye, de pronto la vi desplomarse de cara sobre la bayeta y volcó el cubo de agua. Me di cuenta que era un simple desvanecimiento, causado seguramente por el calor y el cansancio. Lo primero que hice fue acostarla en la cama, y en este momento apareció en el umbral aquel desgraciado amnésico, me cago en su padre, y se nos quedó mirando alelado y empezó a gritar insultos. Supongo... bueno, supongo que yo estaría inclinado sobre Balbina, desabrochando su ropa para facilitarle la respiración, no sé, esas cosas que se hacen en situaciones así, pero aquel loco imaginó la hostia y se puso a insultar a grito pelado y a reírse...

–Vaya.

–Aquello le trastocó no sé por qué. Y se fue corriendo por el pasillo, y Dios sabe qué sucias barbaridades contó a las monjas. Y eso fue todo lo que pasó con Balbina, y que conste.

–Vaya.

Suau había sacado una navajita del bolsillo y partía un caliqueño apoyado en sus rodillas. Guardó las dos mitades en el bolsillo del guardapolvo y siguió partiendo los demás.

–Y cuando se dio ese malentendido, ya la habían visto en las últimas filas del Roxy –prosiguió el doctor–. Pregunta a cualquier mocoso de por ahí con dieciocho años, a ese que llaman el *Nene*, por ejemplo, que por cierto el año pasado me vino con unas purgaciones como una catedral... Y fue aquel sinvergüenza del Roxy que al principio le controló el negociete de las pajas, sentando chavales a su lado, aquel acomodador que luego estuvo en el Windsor de portero con uniforme rojo de mariscal, el primero que se la benefició... Así que –concluyó palmeándose las pantorrillas, masajeándolas por debajo del pantalón– dejémoslo correr, que la vida privada de una persona es cosa seria, cago en Satanás.

Calló un buen rato y miraba absorto el lado de la calle batido por el sol, pensativo y melancólico, como quien contempla el viejo escenario de un fracaso. Suau le escrutó de reojo: camándulas, pensó, hablas con segundas... Pero apreciaba su campechano sentido de la buena vecindad, su gorda desfachatez y su humor implacable y ácido, vinculado siempre de algún modo al dolor y a la muerte en hospitales.

–Me voy, ahora sí –dijo Cabot, pero no se movió–. ¿Me regalas unos programas? Para el hijo de Berta, la comadrona de la calle Bruniquer, ya sabes, el pobre hace colección. Sigue en cama con el pulmón como un colador, no tiene remedio... No creo que llegue a fin de año.

Suau entró en el taller y estuvo revolviendo en una estantería metálica, entre periódicos viejos y saquitos de pintura en polvo, hasta dar con dos maltrechas cajas de zapatos llenas de programas de cine. Cogió una caja y salió.

–Usted mismo –dijo sosteniendo la caja ante el médico, que se había levantado y empezó a hurgar–. Que no lo vea Paquita; los tiene repetidos, pero también los guarda. Aunque un día se los encontrará todos en la basura... Algunos tienen más de quince años. Coja este de *Las mil y una noches* en colores, al tísico le gustará.

–Ya lo tiene, y bien sobado por cierto... Creo que cada día se la pela con la María Montez, pero es igual, de todos modos la diñará muy pronto. Me llevaré unos cuantos de los grandes, y éste de la Marilyn –dictaminó con ojo clínico, incisivo–, a ver si este pandero le levanta un poco más el ánimo y por lo menos se va contento al otro barrio, el chaval.

–Coja los que quiera.

–Ya vale. A veces se necesita muy poco para hacer feliz a la gente, Suau.

–Tiene usted razón, doctor.

–Hala, a pasarlo bien.

–Hasta otra. Y gracias.

3

Asomándose desde la galería, unos veinte metros por encima de Néstor y Paquita, Jan Julivert descolgó del alambre una toalla de baño. En la esquina del edificio que daba a la calle vio aparecer el avión de papel de Bibiloni, giraba puntualmente sobre el terrado y descendió planeando hasta posarse a los pies de Néstor. En las pequeñas terrazas inferiores colgaba la colada y cacareaban gallinas, y el aire denso y caliente traía la melodía de la armónica, zureos de palomas, rumor de vajilla, la voz de una madre llamando a su hija con suaves acentos del sur: Araceli, bonita, a comer.

Mientras se afeitaba oyó a Balbina tosiendo en la cama y súbitamente se preguntó, pensando en este muchacho que tocaba la armónica en el terrado de Suau, sentado junto a una pobre tullida que no tenía amigas ni apenas diversiones, cuál debió ser su reacción al descubrir un día que su madre era una puta; qué años tendría entonces y qué defensas, y hasta qué punto ese conocimiento pudo alterar su relación con el barrio, con los amigos y consigo mismo, marcándole tal vez para siempre. Y volvió a pensar en la mansa salamanquesa obstinadamente aferrada al techo, decorando una fantasía, velando el reposo de su madre… Balbina caminaba hermosa, difamada y descalza por los sueños del muchacho, que seguía buscando un padre.

Se duchó y se vistió. Por lo general, desde que trabajaba, dormía tres o cuatro horas por la mañana. Antes de comer solía acercarse al Trola a tomar una copa, compraba vino y un sifón y volvía a casa con Néstor. Si Balbina se había levantado, la mesa ya estaba puesta y comían los tres juntos.

Pero hoy no había ido al bar. Cuando Néstor llegó, él estaba en la cocina preparando una ensalada y Balbina aún dormía.

–Habría que despertarla –dijo Néstor–. Se pasa la vida durmiendo…

–Será mejor que vayas por el vino.

–Son estas píldoras que toma. Es como una droga. Se las recetó hace años el doctor Cabot y ahora no hay quien le quite el vicio. ¿Por qué no se las tiramos al váter, tío?

–Eso debe decidirlo tu madre.

Néstor apoyó el hombro en el quicio de la puerta y reflexionó.

–Oye, ahora que tienes un empleo seguro, ¿no crees que ella podría mandar a la mierda su trabajo de camarera…? ¿O también eso lo tiene que decidir ella?

–Creo que sí. ¿Tú qué opinas?

–Que no deberías dejarla pencar de noche.

–Yo también penco de noche. Saca unos rábanos de la nevera.

Néstor obedeció y luego volvió a recostar el hombro en el marco de la puerta, cabizbajo. Mientras descabezaba los rábanos con el cuchillo, Jan le lanzó su mirada furtiva y añadió:

–El problema es que no gano lo bastante, ¿comprendes? Además, tenemos que darle un poco de tiempo... Tu madre está acostumbrada a que nadie le diga lo que tiene que hacer. Y eso es una gran cosa, ¿no crees? ¿Dónde está el vinagre?

Al volverse, el chico ya no estaba allí. Poco después, cuando entraba en el comedor, oyó pasos en el dormitorio de Balbina. Pensó que ella se había levantado. Pero el que salió del cuarto era Néstor. Sus pupilas parecían dilatadas por alguna visión espantable.

–¡La ha mordido! ¡Tiene unas marcas aquí! –Se tocó el muslo.

–Vamos, vamos.

–¡Ha sido el dragón! –Néstor acentuó su expresión de alarma–. ¡Se ve que esta noche se ha descolgado del techo y se ha paseado por sus piernas, agggchsss...!

–Basta de tonterías. Anda, coge la botella y vete por un litro de vino y un sifón.

–Te digo que tiene unos arañazos aquí, entra y lo verás, tío. Habría que ponerle yodo antes de que se le infecte... ¿Te traigo el yodo? Por lo menos entra a verla mientras voy por el vino.

Echó a correr por el pasillo y se oyó el golpe de la puerta.

Y se va sin la botella y sin el sifón vacío, pensó. Encendió un cigarrillo, se quedó pensando un rato y luego entró en el dormitorio.

Olía a tabaco rubio y a laca de uñas. A través de la penumbra, lo primero que sus ojos buscaron fue el tubo de somníferos en la mesilla; a su lado había una cajetilla de cigarrillos Players y una taza con restos de café, colillas mojadas y cerillas de madera. Balbina dormía con la cabeza ladeada, un brazo pegado a la cadera, el otro cruzado en diagonal sobre el vientre y con la mano desmayada sujetando, o más bien soltando, el borde del viso negro subido hasta la cintura: un gesto de singular ambigüedad –lo mismo cabía pensar que acababa de remangarse como que intentaba taparse en sueños– que le hizo aproximarse al lecho y mirar de cerca, tal como imaginaba que el muchacho habría deseado que mirara. Efectivamente, en el muslo izquierdo, un poco más arriba de la rodilla, se veían tres arañazos; habían cicatrizado hacía bastantes días... Pero otra cosa estaba ya reclamando su atención: una rosa roja de papel de seda en su pelo, puesta allí como en sueños y milagrosamente intacta. Se le antojó un detalle tan artificioso y temerario, esta vez, un artilugio tan endeble y a la vez tan simple y tan rebuscado, y de una inocencia tan indefensa y pueril, que durante un buen rato no pudo apartar los ojos de la rosa. Las fabricaba la cojita con un alambre, para sus guirnaldas de Fiesta Mayor, recordó... Cubrió a Balbina con la sábana, le quitó la rosa con cuidado, desenredándola del pelo, y la guardó en el bolsillo.

Antes de salir alzó los ojos al techo y la vio otra vez allí, casi descolgada, pendiendo del frágil hilo de su mentira. Fue al lavadero en busca de la escalera de mano. Cuando volvió, Balbina se desperezaba.

–¿Qué haces con la escalera...?

–Nada.

–¿Cómo que nada?

–No mires al techo.

Era prácticamente una invitación a mirar y ella miró. El bicho se balanceaba a punto de despegarse. Balbina ahogó un grito y se sentó en la cama, ladeándose, pero no tuvo tiempo de evitar la salamanquesa. Golpeó blandamente su hombro y rebotó en su pecho, cayendo panza arriba sobre la sábana. Jan, que acababa de desplegar la escalera, vio a su cuñada saltando del lecho despavorida y se la encontró en los brazos.

—Tranquila, mujer...

—¡Quita eso de mi cama! ¡Quítalo, por el amor de Dios!

—No te va a morder. Mira.

Cogió el bicho por la cola y se lo mostró. Aún tenía pegamil reseco en las patitas y en el vientre. Balbina lo miró un breve instante y volvió la cabeza, seguía abrazada a él y entonces algo en la inercia y en el calor de sus caderas, en la adhesión inconsciente de su vientre, en su olor y en su desvalida quietud les remitió fugazmente a los dos a un remoto y vasto dormitorio con goteras y perfume de melones debajo de la cama, a una lluviosa noche en Sant Jaume del Domenys, dieciocho años atrás... Se separaron al mismo tiempo, suavemente, y él insistió:

—Míralo bien —cogido el bicho por la cola, balanceándolo—. Es de goma, de mentira. Se me ocurrió... gastarte una bromita.

Ella se ponía la bata.

—¿Tú una broma? —Rozó el bicho con la punta de los dedos—. Es asqueroso. ¿Qué te proponías? ¿Matarme de un susto? —Sonrió con una mueca dulce, maliciosa, mientras se ajustaba la bata—. Es una chiquillada... ¿Cómo se te ocurrió hacerme eso, Jan?

—Bueno, no ha pasado nada. —Guardó la salamanquesa de goma en su bolsillo y cargó con la escalera—. ¿Vas a comer con nosotros o quieres seguir durmiendo?

Todavía aturdida, Balbina alcanzó los cigarrillos de la mesita de noche y encendió uno.

—Lagarto, lagarto —entonó mirando risueña a su cuñado—. Si no lo veo no lo creo. Tú gastándome bromas... En fin. ¿Qué hora es?

—Hora de comer.

—¿Y Néstor?

–Ha ido a por vino.

Salió del dormitorio con la escalera y la intención de tirar el maldito bicho a la basura. Pero lo pensó mejor y lo guardó en un cajón de la cómoda de su cuarto, junto con la rosa de papel.

Poco después, Balbina se servía un café en la cocina. Pasó al comedor y encendió la radio y al asomarse a la galería vio a Jan sentado en el sillón, leyendo, con los pies en una silla. Recostó la cadera en la mesa camilla y le miró mientras sorbía lentamente el café. Dijo:

–¿Cómo te va el trabajo?

–No puedo quejarme.

–Pesado, ¿verdad? –No obtuvo respuesta y añadió–: ¿Has dormido?

–Sí.

–¿Quieres una copa?

–No. Vamos a comer enseguida.

Balbina desvió su atención blanda y somnolienta a la música de la radio. Alzó los ojos con aire sensiblero y tarareó algo al compás de la radio.

–Me gusta esta canción. ¿A ti no?

Jan seguía leyendo, como si la pregunta no fuera con él. Balbina apretaba la taza de café contra su pecho, con ambas manos y cierto fervor, como si fuera el viático, y miraba el vacío.

–Ya sé que es un poco tonta, pero me gusta –dijo con la voz soñadora–. Es mi canción favorita, como dice la pobre Paqui... ¿Tú nunca has tenido una canción favorita, cuñado? ¿Ni cuando eras joven y alegre?

–¿Una qué? –gruñó él distraídamente.

Balbina hizo un mohín de fastidio:

–Nada. Pensé que te gustaría hablar un rato.

Jan se acordó de su madre. Lo mismo que ella, Balbina era de esas personas que le ven a uno leyendo en casa y acuden solícitas a darle conversación porque creen que se aburre, que está muy solo. También en la cárcel había constatado el amable equívoco en compañeros de celda maleados por la soledad. No era en rigor una falta de consideración: cuando Balbina abría un libro, lo abría porque realmente no tenía nada mejor que hacer ni con quién hablar.

–Sí –dijo Jan cerrando el libro y levantándose–, creo que un trago me vendrá bien.

–Deja, yo te lo traigo.

Néstor tardó bastante en volver del bar y ellos ya estaban comiendo. Traía un sofoco y el pelo más alborotado de lo habitual y antes de sentarse a la mesa se quitó la camisa.

–¿Te has peleado otra vez? –dijo su madre mientras le servía un plato de verduras con patatas.

–No... Le he dicho cuatro cosas a uno.

–Ponte la camisa.

–Tengo calor. Oye, yo quiero de eso que ha traído el tío.

Indicó el plato con la carne redonda, que reposaba todavía en el papel de estaño con que Mercedes la había envuelto. Era un día de intenso calor. A través de la galería abierta se oía el vuelo circular de las palomas del padre de Araceli y extraños silbidos. Balbina se había duchado y llevaba una banda negra en el pelo, tenía ojeras, comía con desgana y liquidó dos vasos de sifón, uno tras otro. Néstor observó la marca de la vacuna en su brazo y luego, de reojo, a su tío sentado a su derecha. Cogió el sifón y lo agitó antes de soltar un chorro en su vaso mediado de vino; salió con tanta fuerza que salpicó el mantel y los platos. Su madre le riñó distraídamente y él se echó hacia atrás oscilando sobre las patas traseras de la silla, alargó la mano y alcanzó sobre el bufet una novela del Oeste que abrió mientras comía, apoyándola en el sifón.

Balbina fue por algo a la cocina y Néstor aprovechó

para decir en voz baja, sin apartar los ojos de la novela:

–¿Viste las marcas? ¿Tenía yo razón o no?

–Te he dicho muchas veces que en la mesa no se lee.

–¿Pero se las has visto o no?

–Sí. Y no ha sido tu amiguita la salamanquesa –le miró severamente al añadir–: ¿Sabías que estos bichos, además de inofensivos, son comestibles?

–No es verdad –repuso Néstor, receloso.

–Ya lo creo. Tienen una carne muy fina. Así que, el día que lo coja, te lo haré probar. Creo que te gustará.

«*El Coyote* se estaba quitando el antifaz en el sótano secreto del rancho de San Antonio –leyó nerviosamente Néstor–, cuando el rumor de unos pasos precipitados en la escalera que conducía a la puerta secreta le hizo volvérselo a poner y llevar la mano derecha a su revólver…»

Pero la voz de su tío lo atrapó de nuevo:

–¿No me has oído? Mientras se come no se lee.

–Sólo esta página…

¿Por qué será tan severo en la mesa?, pensaba a menudo. ¿Cómo podía dárselas de fino y educado un sujeto así, un hombre que no respetaba nada, un libertario según decían, un anarquista? Nunca, ni en los días más calurosos del verano, le había visto sentarse a comer en camiseta o en pijama, nunca se levantaba de la mesa sin antes haber doblado meticulosamente su servilleta misteriosamente inmaculada siempre, nunca dejaba una miga de pan sobre el mantel ni quedaba sucio el borde del vaso en el que bebía… Manías de manual de urbanidad. Con la espalda erguida, los codos pegados a los flancos, manejaba el cuchillo y el tenedor con una precisión y una pulcritud que asombraba, y, además, masticaba con la boca cerrada. ¡Hostia, qué paliza de tío!

–Dile a tu hijo –observó Jan cuando Balbina regresó de la cocina– que es la última vez que se sienta a la mesa sin camisa. Tampoco he visto que fuera a lavarse las manos.

Balbina suspiró.

—Ya lo oyes, Néstor.

—¡Es la repera comer en este plan, vaya! —protestó él, y lanzó una torva mirada a su tío—. ¿Para eso has vuelto a casa, para fijarte en mis manos...? ¿Es lo único que te interesa, estas chorradas?

—Cállate, hijo —murmuró Balbina—. Quita la novela y ve a lavarte las manos.

Jan observó sus nudillos enrojecidos.

—Has estado pegándole al saco sin los guantes. Te dije que usaras un vendaje, por lo menos.

Néstor cerró la novela bruscamente, se levantó y la arrojó al diván. Pero El Coyote, en el aire, efectuó una parábola con revuelo de hojas y se desvió para chocar en el hombro de Balbina y caer al suelo. Néstor se precipitó al lavabo.

—Se había acostumbrado a comer solo —dijo Balbina—. No seas muy severo con él.

—Lo soportará, no te preocupes.

—Pero no te das cuenta... Es muy sensible, aunque no lo parezca. —Bajó la voz, un poco alterada—. Y lo ha pasado muy mal desde chico, ha recibido muchos palos en la calle y en el trabajo y toda clase de burlas, reconozco que a causa mía...

—Néstor no tiene problemas contigo —opinó él—. Los tiene conmigo.

Balbina seguía el hilo de su pensamiento:

—A los doce años ya traía dinero a casa. Siempre esperó tu vuelta, pensando que, estando tú aquí, todo iba a cambiar; especialmente su madre, ¿comprendes? No sé... —Como interrogándose a sí misma miraba a su cuñado, le veía masticar despacio con la boca cerrada y la vista baja, una máscara impasible—. No sé, yo creo que esperaba a alguien... distinto. ¿Y qué ha encontrado?

A un hombre que le regaña por no estar presentable en la mesa y al que en cambio no parece importarle que su madre sea lo que es y que reciba en su casa a un muchacho que podría ser su hijo. Sí, hay que decirlo con todas las palabras, porque así es... Siempre decía: cuando vuelva el tío haremos esto y haremos lo otro, y le contaremos aquello y lo de más allá, y ya verás qué pronto se meten la lengua en el culo algunos que yo me sé, y aprenden a respetarte...

–Tranquilízate.

–... Y has vuelto por fin, ¿y qué ha pasado? Nada. Todo sigue igual y Néstor cada día más irritable y violento... –Oyeron la puerta del piso cerrándose de golpe. Balbina apartó su plato y prosiguió–: Tal vez no he sabido educarle; tal vez en algún momento, cuando estaba tan desesperada de todo, fui débil con él y alenté esas tonterías. Puede que yo también necesitara creer en algo.

–Se le pasará –dijo él doblando con parsimonia la servilleta. En un tono levemente cáustico, mirándola de refilón pero con afecto, añadió–: Mientras tanto, que aprenda a lavarse las manos antes de comer, no se le van a caer los anillos. No te levantes, yo haré el café.

Más tarde, después de ayudarla a quitar la mesa, Jan se asomó a la galería y contempló el laberinto de patios y azoteas y, al otro lado, en la trasera de los edificios de la calle San Salvador, las decrépitas vidrieras de galerías semejantes a la suya. Sobre aquella herrumbre verdegrís y geométrica, el sol fulguró súbitamente, cegador, mediante un juego de reflejos. Asustadas, las palomas zigzaguearon en formación batiendo frenéticamente las alas, buscando una salida, y se remontaron hacia lo alto... Muchas veces, a la misma hora y a muchos kilómetros de aquí, él había evocado esta cotidiana espantada de las palomas. Consultó su reloj, y no era la misma hora que la de entonces; pero la hora solar sí, y el panorama que contemplaba era el de siempre y también el puntual deslumbramiento, el familiar estallido de reflejos en los vidrios y en la descalabrada armazón de las galerías: como una explosión paralizada en el tiempo, y cuyos fulgores y onda expansiva persistieran después de veinte años.

Ciertamente, todo seguía igual.

# CAPÍTULO V

## 1

Luis Klein, acodado en la barra del bar Boadas, empezó a dar cuenta del tercer martini sin esperanzas de mejorar el ánimo. A su lado, entre espaldas y achucho- ~~crushed~~ nes de clientes que bebían de pie, un joven flaco y ce- ~~jaundiced~~ trino le hablaba gesticulando enérgicamente. Klein no le miraba: el curioso olor a agua de pino que despedían sus negros y relamidos cabellos le revolvía el estómago y cierto rincón encharcado de la conciencia.

–¿Me estás amenazando, enano?

–¿Yo? ¿Cómo puede usted pensar eso, mi coronel?

–No soy tu coronel, cuántas veces he de decírtelo.

–Sólo he venido a traerle un recado del señor Raúl. –Se encogió de hombros–. Usted verá lo que hace…

–Enterado. Ya puedes irte.

–¿No me invita a un aperitivo?

–¿No ves que estoy sobrio?

–No me había dado cuenta. ¿Y qué?

–Pues que no estoy para nada, Medina.

El muchacho sonrió confuso. Hoy no vestía su im-

*GAMERO?*

pecable príncipe de Gales, sino una chillona camisa estampada con palmeras, los faldones sueltos por encima del pantalón vaquero. Klein dijo:

—¿Por qué te me entifonas en el pelo ese asqueroso olor a bosque?

—¿No le gusta? Es muy refrescante. Brisas de la Selva Negra.

—No me digas. Lo que hueles es a merendola en Las Planas, puñetero.

—Así no se me nota el aliento a ajo. A usted antes le gustaba mucho el ajo. ¿Se acuerda de aquel día que le regalé una ristra en el Borne y se la colgó al cuello y luego fuimos al Copacabana con Antonio y armamos la marimorena…? *kicked up a row*

—No.

Medina se rió enseñando la nieve de los dientes.

—Como quiera. —Le puso la mano en el hombro y añadió—: Pero vaya a ver al amo, le conviene hablar con él, créame. Está de muy mala hostia. *in a v. bad mood*

—Aún no tengo sus papeles en regla –dijo Klein–. Dile que pase por la oficina el miércoles al mediodía. Y que no sea tan impaciente, esos trámites llevan tiempo; que no olvide que no soy yo el que pone los sellos y la firma…

Medina le palmeó la espalda.

—Tranquilo, coronel. No va por ahí la cosa. Eso está resuelto.

Klein le miró sorprendido.

—¿Quieres decir que Raúl ya tiene los permisos?

—Esta vez lo arregló directamente con este señor… ¿Cómo se llama? Ese gordo coloradote que manda más que usted…

—¿Gamero?

—Ecualicuá. Así que por ese lado ya no tiene usted que preocuparse. Menos trabajo.

Klein cogió la copa de martini, alzándola apenas dos

centímetros por encima del mostrador, y se inclinó a beber. Después dijo:

—Veo que tu simpático jefe no pierde el tiempo. Me pregunto qué trato habrán hecho…

—¿Le molesta que el señor Raúl haya saltado por encima de usted? —dijo el muchacho distraídamente, siguiendo las evoluciones del barman detrás de la barra y alzando ya la mano como si fuera a llamarlo.

—Al contrario. —Klein sonrió con una mueca—. Resulta un alivio. ¿Y tú cómo sabes todo eso, enano?

—Oí cómo el señor Raúl lo comentaba con Viñals, el abogado. Carajo, me muero de sed.

Era la hora de salida de oficinas y el diminuto bar estaba abarrotado. Cada vez que se abría la puerta de la calle, el rumor del tránsito en las Ramblas se enredaba con las conversaciones y hacía chirriar algo en la voz de Klein.

—¿Tienes dinero para un martini?

—No, señor.

—Pues jódete. —Klein chasqueó la lengua y agregó con aire resignado—: Anda, pide lo que quieras.

Pidió un bloody-mary bien cargado y almendras saladas. Con la voz melosa y compungida, después de pensarlo un rato, miró al juez y dijo:

—¿Qué le pasa conmigo, compadre? Porque oiga, con Julio yo le he visto a usted bien sereno y yendo a por todas, no diga que no…

Klein lo taladró con sus ojos calmos y limpios.

—¿Pretendes compararte con él, rata de Can Tunis?

—Bueno, uno hace lo que puede, coronel.

—No vuelvas a llamarme eso —masculló Klein entre dientes—. Y si no puedes evitarlo, llámame por lo menos coronel togado, suena mucho mejor.

—A sus órdenes.

—Y no vuelvas a ponerte esta apestosa colonia si quieres beber conmigo, maldito seas.

El muchacho se encogió de hombros.

–No me decía usted eso en casa de Silvia... O en su cabaña del parque.

Klein refunfuñó al intentar levantar la copa con mano temblorosa. Pensó en el frondoso parque de la calle del Iris como en una atalaya suspendida sobre la desmemoria, en su peculiar aspecto de abandono, erizado de espadas de sol y de guiños y sombras equívocas: lo mismo que su conciencia. Senderos invadidos por la maleza, viejos troncos forrados de musgo de un verde venenoso y un silencio crepitante, como de matorrales ardiendo bajo el sol, una escenografía intransitable que un día fue esclarecida, luminosa y ordenada floresta...

–Le veo a usted mohíno, últimamente –dijo Medina–. ¿Cuánto hace que no ve a Julito? –No obtuvo respuesta y añadió–: Creo que debería llamarle. Coma almendras, están ricas. Bueno, ¿qué decide?

Klein le miró con recelo:

–¿Sobre qué? Vamos a ver, ¿te envía Julio o tu amo?

–¡Puñeta, coronel, hágase mirar el coco! Me envía el señor Raúl, ya se lo he dicho. Que necesita verle esta noche sin falta.

Klein terminó su martini de un trago y pidió otro. Medina reflexionó unos segundos y añadió:

–Si lo que usted quiere es ver a Julio, ¿por qué no se viene ahora? Y luego por la noche usted y el jefe cenan tranquilamente en el Finisterre...

–Otro día. Hoy tengo marisco y análisis existencial en casa... si no lo remedian estos martinis.

El barman agitó la coctelera frente a su cara y Klein cerró los ojos muy despacio. Aumentaba el personal y el rumor de conversaciones. Repentinamente absorto, mirando sin ver el platito de almendras, Medina masticaba con talante de cabra. Luego se reanimó, rodeando amistosamente los hombros de Klein con el brazo.

–Hace tiempo que no le vemos por el Calipsso, coronel tocado.

–Togado, borrico.

–Eso. ¿Qué pasa, no le dejan salir de noche? ¿O le tiene miedo a ese fanfarrón que le vigila por orden de su mujer? Fue un golpe de suerte, lo de Antonio, no crea... Pero hostia, el tío lo dejó seco.

Klein no le escuchaba. El dolor se había instalado en su cadera izquierda y lo sentía bajar por la pierna. Inclinando la cabeza, humedeció los labios en el martini y después dejó vagar la mirada sobre una escena parada en el tiempo, remota y cercana a la vez, el dibujo de Opisso que adornaba la pared por encima de los estantes de botellas y que reproducía el mismo pequeño bar y su misma concurrida barra, en la que él se aferraba ahora con ambas manos: hombres y mujeres de una estilizada elegancia parodiando desde un ayer admirablemente relajado y cívico la probable hora del aperitivo, la antesala tal vez de alguna aventura. Con una melancólica sensación de vacío, a Klein le gustaba pensar, siempre que contemplaba detenidamente el cuadro, que uno de los personajes, el hombre joven apoyado indolentemente en el extremo inferior de la barra con traje oscuro de picudas hombreras y el vaso en la mano, al lado de una sonriente dama con sombrero que inclinaba la cabeza hurgando en su bolso, con su jovial chaqueta a rayas y un bonito rostro pueril, de rasgos suaves, un esbozo de felicidad al lápiz (tal como él veía hoy a Virginia Fisas en el recuerdo anegado, en la época sumergida de un noviazgo que los dos consolidaron aquí a la hora del vermut) podía haber sido él mismo, otra imagen borrada en la pizarra negra de su vida. Siempre que pienses en mi infierno –recordaba haberle dicho a su mujer la noche pasada– piensa en dos hombres; uno de ellos consiguió escapar vistiendo el intocable uniforme de oficial del ejército, pero lo hizo pasando por encima del cadáver del otro, un ingenuo y alegre muchacho con atuendo de tenista... Y surgiendo aún más atrás en el tiempo, en medio del resplandor intermitente de un bombardeo y aullidos de sirenas de alarma, ahora el juez se vio de nuevo a sí mismo en el hombre del cuadro, y la vieja conocida botella de coñac suspendida en el aire, sin descorchar, Tres Ceros en la etiqueta. La cogió firmemente con la mano.

–No es para usted, señor. Perdone. –La voz amable del barman lo sacó bruscamente del cuadro de Opisso remitiéndole al presente, instándole a que soltara la botella con una sonrisa. Klein dejó de tironear y finalmente la botella quedó en manos del barman–. Con su permiso, señor.

Sirvió una copa de coñac al hombre que estaba junto al juez, en el lado opuesto al de Medina, y volvió a colocar la botella en el estante. No era Tres Ceros.

–Seguramente ya no se encuentra esa marca –dijo Klein en voz alta.

–¿Qué le pasa, coronel? –dijo Medina–. ¿Se siente mal?

Los ojos rasgados e inquisitivos del gitano se fijaron en el mentón adusto y tembloroso de Klein. Palmeó suavemente su espalda. El juez bebía sin apenas alzar la copa y con ambas manos, como si abrevara.

–Mariscos del Cantábrico –dijo–. Probablemente.

–¿De qué está hablando, carajo?

–De cuernos, de qué va a ser.

Sonrió, inclinando otra vez la cabeza sobre la copa. Su pelo lacio y sin color, que resbaló sobre su frente, parecía cubierto por un triste polvo alcalino. Fue como si hubiese calculado mal la distancia: metió la barbilla en el martini volcando la copa, y se quedó de bruces en el mostrador, sin sentido. Acudió el barman y los clientes más próximos se volvieron. No cayó al suelo porque Medina lo sostuvo. Le aflojaron la corbata, alguien propuso sentarlo cerca de la entrada y abrir la puerta, y Medina le daba suaves cachetes.

—No es nada –dijo–. Se le pasa enseguida.

Klein empezó a abrir los ojos. En el abultado bolsillo de su americana tintinearon unos frascos de píldoras. Mientras le llamaba bajito al oído, Medina recordó una loca velada en casa de Silvia, una noche de invierno, cuando aquel joven mariquita que había trabajado de masajista en una clínica, según el propio Klein, salió del dormitorio con la americana de pana gris de éste y sacó del bolsillo un puñado de tubos y frascos de comprimidos y los arrojó al fuego de la chimenea; todo el mundo se echó a reír; uno de los frascos estalló sembrando la moqueta verde de píldoras rosadas; el coronel apareció desnudo en el umbral del dormitorio, tambaleándose, se arrodilló con las manos en la espalda y fue cogiendo las píldoras con la boca en medio de los aplausos, hasta que se desplomó lo mismo que hoy, como si de pronto le venciera el sueño. Estuvo unos minutos sin sentido y luego no se acordaba de nada.

Ahora insistía en que se encontraba perfectamente y volvió a la barra.

—Sírvame otro vasodilatador –ordenó al barman. Sacó del bolsillo un tubo de pastillas y lo miró largamente como si fuera un enigma–. ¿Para qué diablos serán, para dormir o para despertar? Bueno, da lo mismo... ¿De qué estábamos hablando, Medina?

—¿Se encuentra mejor?

—Sí. ¿En qué habíamos quedado?

—En ir a ver al señor Raúl, nos está esperando...

—Eres un paranoico, muchacho.

—No sé qué me da dejarle solo, coronel. ¿De veras se encuentra bien...? Pues me voy. Ya sabe dónde tiene un amigo, ¿eh? Y no beba solo, que no es bueno beber solo.

—Adiós, rata.

Cuando Jan Julivert empujó la verja y se adentró por el jardín, las bandadas de gorriones se acomodaban ruidosamente en las acacias. Cada día le recibía el mismo gozoso alboroto oculto entre el follaje, el mismo aleteo desesperado preludiando la súbita calma, la ficción engañosa que puntualmente envolvía a la torre y a sus habitantes. En la borrosa ringlera de adelfas y en el tilo, inmóviles bajo el aire cálido y pesado del atardecer, se enredaban los primeros jirones de la noche como en un zarzal.

Frente al garaje había un Citroën color café sucio de polvo con matrícula de San Sebastián. La señora Klein, con una túnica verde pálido y gafas oscuras, se alejaba del auto en dirección a la casa llevando en las manos una húmeda caja de madera, plana, de aspecto liviano. No vio acercarse al guarda. Un hombre en mangas de camisa, moreno, de mediana edad, se incorporó detrás del portamaletas, después de cerrarlo, con una bolsa de viaje en la mano, y, abriendo la puerta trasera del coche con una desenvoltura elegante y nerviosa, sacó del interior un flamante traje de verano color canela envuelto en celofán y con su colgador. Tenía el pelo canoso, abundante y ensortijado. Se encaminó tras la dueña de la casa, con cierta premura jovial y divertida, y la alcanzó cuando ella subía los peldaños del porche, achuchándola con suaves golpecitos de la bolsa en las nalgas. Vio pasar a Jan camino de la puerta exterior de la cocina con su cartera de mano y la americana a la espalda, y le dirigió una mirada larga y escrutadora.

Jan no encontró a nadie en la cocina. Poco después apareció Mercedes con la caja de madera, que contenía ostras. Mientras las abría con un pequeño cuchillo y las disponía en una bandeja, explicó que las había traído el doctor Rey, un médico amigo de la familia que ahora ejercía en un hospital siquiátrico de San Sebastián; había sido el primero en tratar al señor Klein, cuando vivía en Barcelona, y la señora confiaba mucho en él.

–Ha venido expresamente para visitarle –añadió–. Creo que el señor se encuentra muy mal...

–¿Está en casa?

–No. Y se ha llevado el coche grande. Dice Elvira que ha llamado preguntando no sé qué de unas pastillas que la señora le había puesto en el bolsillo... Parece que se ha desmayado otra vez.

–¿Dónde?

–En un bar. Dice que ya está bien y que ahora viene.

Mientras Jan se servía un vaso de agua fría de la nevera, Elvira entró a comunicarle que la señora deseaba hablar con él. Se quedó mirando las ostras y relamiéndose, y cuando Jan salía de la cocina la oyó exclamar:

–¡Mecachis con el presumido este! Ahora tengo que plancharle el traje. También podría habérselo planchado su mujer...

–El doctor está separado de su mujer –dijo la cocinera–. Ve poniendo eso en la nevera, y cuidado que no me falte una ostra, ¡que las tengo contadas...!

Virginia Klein estaba sentada en una butaca de cuero, de espaldas al ventanal abierto al jardín, en la salita delantera del primer piso. Frente a ella, en una mesita de caoba, había una bandeja con dos copas de cristal tallado y una botella de vino blanco refrescándose en un cubo con hielo. En una de las paredes colgaba un tapiz y otra estaba totalmente cubierta de pequeñas pinturas al óleo en antiguos marcos ostentosos, pesados y maltrechos. Sobre el piano negro, en un ángulo, se erguía un solitario y esbelto jarrón de cristal conteniendo tres gladiolos rojos. El hombre del Citroën se sentaba muy relajado en el extremo del diván con una copa de vino en la mano.

–El doctor Rey es neurólogo –dijo la señora Klein después de las presentaciones–. Le gustaría hacerle algunas preguntas respecto a mi marido... ¿No quiere sentarse?

–Gracias.

Jan escogió la butaca situada frente al médico. Dirigiéndose a su invitado, la señora Klein añadió:

–Desde que se fue Anselmo, Luis suele jugar al ajedrez con el señor Mon. Siempre que le propone una partida, lo hace como si fuera la primera vez, como si nunca antes hubiese jugado con él... El señor Mon opina que se trata de una broma. ¿No fue eso lo que me dijo? –agregó mirando al guarda.

–En efecto.

–¿Quiere explicarle al doctor qué pasó exactamente hace dos noches?

–Yo estaba en la terraza –empezó él con la voz opaca, mirando al médico–. Debían ser las tres de la madrugada, y apareció el señor Klein en pijama y descalzo. Dijo que no podía dormir. Me preguntó si sabía jugar al ajedrez y respondí lo de siempre, que me defiendo. Lo mismo que otras veces, me preguntó dónde había aprendido a jugar y cuándo; se lo dije una vez más, entonces él propuso una partida en el pabellón y recordó aquel chiste, mientras salíamos...

–¿Qué chiste? –le interrumpió el doctor Rey.

Jan miró a la señora Klein como si dudara. Ella dijo:

–Usted no me habló de ningún chiste.

–Creo que no tiene importancia –repuso él–. Además, es malo.

–Veamos. Al doctor le puede interesar.

–Te ganaré, Mon, porque soy omnipotente y hago vida marítima. Eso fue lo que dijo.

Virginia Klein sonrió. El médico miraba atentamente a Jan y no hizo el menor comentario. Dejó pasar unos segundos antes de hablar:

–Dígame una cosa. ¿Usted juega al ajedrez mejor que él? ¿Suele ganarle?

Se frotaba el cuello con la mano grande y tostada por el sol. Tenía la cara alargada y el mentón prominente y afable, de una voluntariosa y estimulante comicidad, y un destello burlón bailaba en sus ojos oscuros sombreados por largas pestañas. Su camisa color salmón desabotonada en el pecho dejaba ver el vello intensamente negro, la bronceada piel de las clavículas y una cadena de oro de tamaño más que regular, sin medalla. Su atractivo provenía de cierta desmañada virilidad, un poco chapucera. *clumsy*

Al captar la indecisión del guarda ante su pregunta, añadió con una sonrisa:

—No sea modesto, se lo ruego. Quiero saber si Luis siempre pierde, no si usted gana.

Jan le miró con frialdad.

—El señor Klein sólo sabe jugar contra sí mismo.

—Ya sé; todo lo que hace es contra sí mismo. Pero no le pregunto eso…

—Quiero decir —puntualizó él— que aprendió jugando solo, siempre con la defensa francesa.

El doctor Rey chasqueó la lengua.

—Pero bueno, ¿pierde o gana?

—Digamos que pierde.

—¿Y eso significa algo? —terció la señora Klein—. No empieces con tus filigranas, Augusto, te lo ruego… Vamos a lo que importa.

El médico le dirigió una suave mirada de reproche.

—Déjame llevar esto a mi modo, Virginia. —Se inclinó perezosamente hacia la mesita para dejar la copa—. Luis no quiere admitir haber perdido ni una sola vez con este señor… No quiere enterarse. Y mientras no le gane, no habrá jugado nunca contra él, ¿comprendes? Lo ha hecho toda la vida, mujer, tú lo sabes. —Volvió a mirar a Jan y dijo—: De acuerdo. Prosiga.

Él contó el resto de forma lacónica: estaban en el pabellón jugando la primera partida y le tocaba mover a Klein; después de pensarlo mucho decidió avanzar un caballo, pero lo hizo como si el caballo fuera la reina y cruzó el tablero de punta a punta. Jan le indicó su error, sin darle importancia: pensó que, distraído, había cogido una pieza por otra. Klein retrocedió el caballo, meditó nuevamente la jugada y volvió a repetir el error.

–Entonces me miró desconcertado –añadió–. Asustado, diría. Se puso repentinamente pálido y cayó al suelo sin sentido.

Notó que el médico le prestaba una atención entre divertida y escéptica, semejante a la del que oye contar una historia jocosa pero que ya conoce. Al final, el doctor Rey convirtió la sonrisa en mueca y asintió con la cabeza.

–¿Había bebido?

–Poco.

–¿Se había quejado de la vista, de perder visión?

–No me acuerdo. Es posible, lo hace con frecuencia.

–¿Cuánto tardó en reponerse?

–El tiempo de llevarle yo al diván.

–¿Hizo algún comentario, después?

–Dijo que había sentido como un cortocircuito en el cerebro. Y que no era una sensación tan desagradable.

La señora Klein había cruzado las rodillas bajo la túnica verde y balanceaba la pierna satinada, la sandalia de tiras de cuero a punto de saltar de su pie. Jan creyó que iba a decir algo y concentró brevemente su atención en el diseño amohinado de su boca; sobre la nieve de los dientes, el labio superior se alzaba lustroso y firme, levemente inflado, ansioso. La voz del médico llegaba confusa.

–Perdone, no oigo bien de este oído.

–Le preguntaba si continuaron la partida.

–No. Se quedó dormido.

El doctor Rey permaneció un rato en silencio, su dedo índice trazando círculos en la pelambre del pecho.

Cambió una mirada con Virginia Klein y ella se levantó.

–Les dejo, tengo que ocuparme de la cena. Sírvete más vino, Augusto. ¿Usted quiere una copa, señor Mon?

–No, gracias.

–Cenaremos a las diez y media –dijo dirigiéndose al médico–. Espero que Luis haya vuelto.

Cuando se fue, el doctor Rey se sirvió más vino y dijo:

–No voy a entretenerle mucho... Mi problema es que ahora, desde San Sebastián, no puedo ocuparme del señor Klein como yo quisiera. Tengo entendido que usted es la persona que pasa más tiempo con él, por supuesto de noche. Y que sabe llevarle muy bien la corriente; vamos, que usted es el único al que obedece sin protestar.

Jan empezó a sentirse incómodo.

–Generalmente no está en condiciones de protestar.

–Bueno, es un hombre difícil, a menudo intratable, pero de una inteligencia muy aguda, incluso estando bebido. Imagino en qué situaciones comprometidas le habrá metido a usted, por esos bares, con sus terribles borracheras... Y menudos amigos debe tener en el barrio chino –añadió sonriendo.

–Hay de todo.

El doctor Rey amplió su robusta sonrisa.

–Según la señora Klein, usted ya sabe de las rarezas de su marido más que ella misma... Y digo rarezas por no decir otra cosa.

–Yo no le considero un hombre raro.

–No lo era antes del accidente. Ahora me temo que sí, señor Mon.

Jan dejó de mirarle y encendió un cigarrillo. Adónde quieres ir a parar y a qué esperas, pensó. Como si le hubiese leído el pensamiento, el neurólogo dijo:

–Señor Mon, quisiera hacerle algunas preguntas sobre ciertos hábitos del señor Klein que tal vez le parezcan extrañas o sin relación directa con su dolencia cerebral. Pero son importantes.

–Diga.

–¿Suele hablar de sus hijos cuando ha bebido?

–Nunca.

–¿Alguna vez comenta cosas de la guerra?

–¿Qué guerra?

–¿Cuál va a ser? La nuestra.

–Ni una palabra.

–Desde hace años suele referirse a una botella de coñac que está en casa de su suegra, en el piso de Rambla de Cataluña; una marca antigua, Tres Cepas o Tres Ceros… ¿Sabe algo de eso?

–No.

El médico hizo una pausa y bebió un sorbo de vino. Luego se quedó pensativo, mirando la copa.

–¿Diría usted que el señor Klein es un hombre celoso?

–¿Celoso de su mujer?

–Sí, claro.

Jan se encogió de hombros.

–No lo sé. Supongo que no tiene motivos.

–Podría tenerlos. Y sería una buena señal, ¿comprende?, una vuelta a la normalidad. Verá, este hombre –dijo en un tono más resuelto, más profesional– había vivido siempre con un complejo de cuernos… Sé que ahora, algunas noches, y casi siempre en horas muy avanzadas, su mujer baja a charlar un rato con usted, en el salón o en la terraza. –Amplió su fácil sonrisa de Popeye y añadió–: Espero que no me interprete mal. Sé que Virginia también pasa noches en blanco a causa del asma y de las preocupaciones que le da su marido. La conozco hace muchos años y es una mujer admirable, cargada de paciencia y de razón, pero… algo inconsciente. Una mujer a la que siempre le ha gustado vivir su vida, digamos.

Jan levantó levemente las cejas.

—Nada de eso me incumbe, doctor.

—Estoy trabajando, señor Mon —repuso el neurólogo en tono áspero—. Le ruego que no considere todo esto como una indiscreción o una falta de respeto hacia una familia de la que soy amigo desde hace años... Le hablo en confianza porque sé que goza usted de la confianza de la señora Klein. —Hizo una pausa y retomó un tono más neutral, distante—: Antes de sufrir el accidente, el señor Klein tenía motivos más que sobrados para estar celoso, recuerdos muy vivos de ciertos devaneos de su mujer. Aparentemente, estos recuerdos amargos quedaron enterrados al fondo de aquella barranca en Tossa de Mar, entre la chatarra del coche. Lo que a mí me interesa saber es si el señor Klein ha revivido alguno de tales recuerdos, alguna imagen; sería un síntoma de recuperación..., ¿me explico?

Demasiado, pensó él, y volvió a preguntarse por qué.

—Y en este sentido —prosiguió el médico—, la última vez que le vi, cenando en casa de su suegra, hace cosa de un mes, me hizo concebir esperanzas... Me comentó que la noche anterior, ya de madrugada, le había visto a usted entrar en la habitación de su mujer.

Jan le observaba ahora con curiosidad creciente. Y, de pronto, la evidencia le envolvió como una pegajosa oleada de calor: el complejo de celos estaba ahí, a menos de dos metros, en esa impetuosa mandíbula y en esos atractivos ojos oscuros, chispeantes y equívocos; estaban en ese afamado neurólogo de cuarenta y tantos años que parecía divertirse y excitarse como un adolescente enamorado... A partir de este momento, Jan se relajó. Cruzó las piernas, recostándose en la butaca, y dijo tranquilamente:

—La señora Klein había olvidado su aerosol en el salón. A las dos de la madrugada tuvo un ataque de asma y se asomó a la terraza de arriba y me llamó, pidiéndome que lo subiera a su cuarto.

—Pero usted se quedó allí mucho rato, según me dijo el señor Klein.

Jan sonrió imperceptiblemente con los ojos.

—El señor Klein no estaba en casa esta noche. Usted ha sabido esto no sé por quién, tal vez por la señorita Isabel... No creo que el señor Klein malgaste su energía sentimental en comentarios de esta índole.

—¿Y por qué no? Es un borrachín y un bromista de cuidado —dijo incongruentemente el neurólogo, levantándose como por efecto de un resorte. Dio unos pasos por la salita y se detuvo junto al piano, pensativo. Había perdido un poco los papeles, pero no tardó en recuperarlos—. En cualquier caso, y volviendo a lo de antes... Veamos. Luis acude cada semana a sus ejercicios de recuperación y a sus masajes en una clínica. Tengo entendido que usted le lleva en el coche.

—Sí.

—¿Nunca ha entrado con él en esa clínica?

—Un par de veces. Cuando se siente muy mal o se levanta con resaca. Pero normalmente le espero en el coche.

—Ya. Estas sesiones de fisioterapia son un sacadinero, pero resulta...

—Él dice que es lo único que le alivia el dolor.

—Ya. Pero resulta que allí trabajaba hasta hace muy poco un masajista, un muchacho, que es o fue muy amigo del señor Klein, compañero de juergas. Se llama Carmelo Sanz. ¿Alguna noche le ha visto con él, por ahí?

—No sé quién es.

—Me gustaría tener una conversación con este sujeto —meditó unos segundos el doctor Rey—. Frecuenta un bar de maricas llamado Copacabana. ¿Lo conoce?

—Sí.

—¿El señor Klein va por allí?

—El señor Klein va a todas partes. Pero últimamente prefiere sitios menos ruidosos.

El médico guardó silencio. Fue hasta su copa en la mesita y volvió a sentarse en el diván, apoyando los codos en las rodillas. Absorto, habló como si leyera en el suelo:

–¿Por ejemplo este pabellón en medio del parque, que ha convertido en un auténtico *boudoir*, trayéndose a jovenzuelos de las Ramblas?

–No sé nada de eso. Y debo decirle que no me interesa.

Rey le miró severamente.

–Le suponía a usted más… observador. Y también la señora Klein. Está bien –dijo volviendo otra vez los ojos al suelo, midiendo sus palabras–. Todo parece indicar que Luis Klein, a raíz del accidente que le causó la amnesia, liberó una personalidad reprimida durante años que no se ha manifestado plenamente hasta hace poco, cuando empezó a beber. Resumiendo: personalmente tengo razones para sospechar ciertas inclinaciones homosexuales del señor Klein… Le ruego que no se asuste.

–Créame que no, doctor.

–Usted, en razón de su propio trabajo, conoce los ambientes en los que se mueve, sus amistades y sus líos, cómo derrocha el dinero y con quién. ¿Qué puede decirme al respecto?

–Si no le importa, preferiría hablar de esto en presencia de la señora Klein.

–Naturalmente, ella no desea hablarlo con usted. –Reflexionó unos segundos, añadiendo–: Comprenda su posición. Y yo no estaría aquí con usted si hubiera alguna forma de establecer un diálogo sincero con él. Pero el señor Klein se niega siempre.

Jan hizo el gesto de levantarse.

–En tal caso, yo tampoco tengo nada que decir.

El doctor Rey se encogió de hombros, consultó su reloj de pulsera y dijo con su musculosa sonrisa-mueca, sin mirarle:

–Como quiera. Gracias, eso es todo.

Jan abrió la verja y al pasar el Packard por su lado vio una botella envuelta en papel de diario en el asiento trasero. Klein parecía sereno, pero al maniobrar para meterse en el garaje golpeó fuertemente el costado del Citroën. Al ir a cerrar el garaje, Jan vio la abolladura en la puerta del coche del médico y algo escrito con el dedo en la capa de polvo de la carrocería marrón: *Electroencefalograma eres tú, rey*.

Después de cenar, los Klein y su invitado prolongaron la velada en el salón-biblioteca. Jan cenó en la cocina con Mercedes y Elvira. Cuando ellas se fueron a acostar dio un paseo por el jardín y fumó un cigarrillo sentado en los escalones del porche. El aire parecía lleno de luciérnagas y el calor apretaba de firme. A su lado, a la luz del farolillo, dos procesiones de diminutas hormigas se cruzaban escalando los peldaños; asombrosamente, a pesar de su convulso apresuramiento, ni una sola hormiga se confundía de fila ni de trayecto.

A las doce y media decidió ir por sus cosas a la cocina y trasladarse al pabellón.

Al entrar vio al juez tumbado en el *chester*, leyendo un libro frente a la chimenea apagada. Tenía una copa de coñac en la mano y la botella en el suelo junto a la hoja del diario, y a un lado la mesita-tablero de ajedrez, pero sin las piezas. En su lugar había una bandeja con una jarrita de café, un huevo duro, una taza y una tostada. Klein cerró el libro y lo tiró al suelo.

—Pase, Mellors.

—No sabía que estaba usted aquí.

—En realidad yo tampoco lo sabía. Gracias por avisar.

Jan advirtió la fijeza de su mirada azul, la palidez de su cara.

—¿Se encuentra bien?

—Diablos, no me acuerdo. Afortunadamente disfruto de una memoria con fisuras. Últimamente pienso poco en mí. Pero no puede pasarme nada, tengo a mano mis gotas Hydergina, de la afamada casa Sandoz. ¿Juega usted al ajedrez, Mellors?

—Me defiendo, señor.

Klein se echó a reír.

—No intente engañarme. Tiene usted cara de jaque mate. Pero hoy llevo la cabeza como de otra persona... Recuérdemelo mañana y echaremos una partida. Siéntese, hombre. ¿Quiere un trago?

—No, gracias.

—¿Café?

—No.

—¿Qué lleva en esta cartera? Siempre que le veo con ella me acuerdo...

Se interrumpió llevándose la mano a la frente para apartar un mechón de cabellos y se incorporó, sentándose cabizbajo, los brazos colgando entre las rodillas. Miró largamente el contenido de la copa y bebió. Había en sus movimientos un lastre sobresaltado de somnolencia.

—Yo tenía una cartera como ésta —dijo cerrando los ojos—. Dentro llevaba sumarios, confesiones, gritos: la vida de unos hombres, según me han contado... Seguro que es mentira.

—Creo que debería irse a la cama, señor Klein.

—No consigo dormir. Y si duermo, tengo pesadillas espantosas. —Hizo una pausa y agregó—: ¿Qué estará tramando lady Constanza? ¿Sigue en la biblioteca, conspirando con ese elegante mequetrefe?

Jan no dijo nada y Klein añadió:

—Es un tipo que huele mal. También sus ostras. Se trata de una sucia historia del ayer más feliz y más nostálgico, seguramente. —Hablaba en un tono apagado, exento de ironía y de resentimiento—. ¿Sabe una cosa, Mon? Estoy contento de veras. Por lo menos, yo no me siento anclado en el ayer como otros; no podría sentir eso aunque quisiera. Y es una ventaja, teniendo en cuenta lo mal que debe oler, ¿no cree? Igual que una charca pestilente.

Bebió otro sorbo y se recostó en el chester. Llevaba pantalón y camisa blanca y zapatos de gamuza con los cordones sueltos, sin calcetines. Jan dijo con la voz monótona:

–¿Por qué lo dice? ¿Cómo sabe que el pasado huele mal?

–Lo noto en los demás. Incluso en usted, a veces... En todo el mundo; en mi mujer, en los médicos, en los hombres de negocios... Y también en mis hijos y en sus amigos de la Universidad. Arrugan la naricita cuando les hablas del ayer, se enfurruñan. Yo en cambio, al husmear en mi otra media mismedad, digamos, no lo noto. Una nube perfumada ocupa más de la mitad de mi atontolinado cerebro, ¿sabe?, y es una suerte. Porque, como dijo alguien, el futuro ya no es lo que era.

–Está derramando el coñac.

–Oh, gracias. –Enderezó la copa y prosiguió–: Y sin embargo, me gusta pensar que probablemente yo fui una persona sensible y cultivada... El embarazoso cariño de mi santa madre se ocupa de eso, por cierto. No crea usted que todo se me ha borrado de la mente; de la mano de mi madre veo pasar a veces ante mí, de puntillas, como si no quisiera despertarme, alguno de aquellos fantasmas que he sido: un estudiante de derecho empollón y retraído, un marido desatento y cínico, un padre que nunca ejerció como tal, un juez competente e inconmovible, dicen que sanguinario... Fantasmas. Lo que más se me ha borrado son los sentimientos y todo lo relacionado con ellos. No tengo vida moral, ¿comprende, Mellors? Ni rastro de esa basura. Como todo el que presume de amnésico, tengo conectada la memoria a la voluntad. Y afortunadamente ya tampoco hago vida

pública. Según pasan los años, me convenzo cada vez más de que uno debe cultivar su vida privada pero con algo de morbosidad, de un modo incluso depravado, me atrevería a decir, y mandar al cuerno todo lo demás...
–Sonrió–. Qué me está contando ahora este loco, pensará usted.

Jan encendió un cigarrillo sin dejar de mirarle.

–A veces –prosiguió Klein–, cuando ha surgido un recuerdo, me he agarrado a él como a un clavo ardiente. El pobre Anselmo me ayudaba. Anselmo fue mi ordenanza cuando yo...

–Lo sé.

–Pues bien; nunca han sido buenos recuerdos. Ni uno solo de ellos es bueno. No puedo evocar a Virginia cuando era una muchacha o a mis hijos pequeños ni aun en fotografía; no guardo un solo recuerdo de mi padre ni de la guerra ni de los fastos de la victoria. –Una mariposa nocturna, roja y negra, penetró por la ventana y suspendió el vuelo medio metro por encima de su cabeza, batiendo suavemente las alas–. Sí, en cambio, de conocidos o de parientes fastidiosos que siempre supe mantener a distancia... Curioso, ¿no? –Parecía admirado y satisfecho de los devaneos de su desmemoria–. Es como si sólo hubiese quedado útil para el servicio ese desván del cerebro donde uno mete el resentimiento...

Se levantó, tambaleándose un poco, y cogió un libro de la repisa de la chimenea. La mariposa se fue.

–Pero mi mal también tiene sus ventajas –añadió esgrimiendo el libro frente a Jan. Era un pequeño y viejo volumen de tapas verdosas, de Ediciones Calleja, en cuya maltrecha portada un jinete montado en un caballo negro, con la escopeta en bandolera y agitando el sombrero, saludaba a una dama que se alejaba galopando en otro caballo. En letras verdes y rojas se leía *Estudio en escarlata* por Conan Doyle–. Por ejemplo, releer a Sherlock Holmes como si fuera la primera vez y con la misma emoción juvenil. Sé que lo leí de muchacho porque hay anotaciones mías y la fecha, vea usted... Cuando de chico se ha leído una buena novela de aventuras, luego, de mayor, ya nunca se disfrutará como la primera vez. Pues bien, yo he conseguido este milagro gracias a que me rompí la crisma. Algo es algo, y el que no se conforma es porque no quiere. ¿No le parece, Mon?

Se sirvió más coñac de la botella y la dejó en la repisa junto con el libro. Por las ventanas abiertas entraba el chirrido de los grillos y un suave olor a resina. Entre la maraña de troncos, a unos doscientos metros, en lo alto de la pendiente de césped iluminado, Jan vio apagarse algunas luces de la torre.

Klein se paseaba frente a la chimenea.

–Es un pelma –murmuró para sí mismo. Y volviéndose a él añadió–: Están tramando un plan para encerrarme otra vez, y si no voy listo lo van a conseguir... ¿Ha estado usted en Suiza, Mon? ¿Conoce el lago Constanza?

–No.

–Por si no lo sabía, tengo una personalidad narcisista e histeroide, según esa jerga del doctor Rey. Amnesia psicógena emocional, fuerte represión del inconsciente por lesión traumática o accidente vascular... Qué pelmazo, con sus ostras y su doctor Binswanfer y su clínica Kreuslingen en el lago Constanza. –Reflexionó unos instantes y añadió–: Pero tal vez sea lo mejor. ¿Usted qué opina?

Se quedó mirando el tablero de ajedrez. Tanta locuacidad le secaba la boca, que lubricó con un sorbo de coñac moviendo las quijadas como un conejo. Jan le observaba atentamente, pero con sueño. Dijo:

–¿Van a ingresarle?

–De eso están hablando ahora. Podría jurarlo.

–Bueno. Usted ya estuvo una vez, y supongo que le tratarían bien.

–Desde luego. Pero sé que si vuelvo allá, ya no saldré vivo… ¿Qué le pasa, Mon? ¿Se está durmiendo?

–No.

–¿Por qué no se entretiene haciendo calceta? Yo tengo dos opciones; tragarme dos pastillas de Nembutal y meterme en la cama o irme al Saint Germain a tomar una copa con mi vieja amiga Encarna…

–¿El doctor Rey se queda a dormir? –preguntó Jan.

–Por supuesto. Es decir, no. –Y sus ojos azules, despiertos, escrutaron a Jan con un chisporroteo irónico–. Estoy en condiciones de afirmar, aunque mi precario equilibrio lo desmienta, que el famoso neurocirujano se quedará a dormir pero, según todas las evidencias, dormirá poco… No deseo entrar en detalles, este contencioso carece de interés. Me voy al Boadas antes de que cierren. ¿Viene?

–Será mejor que no.

–Prefiere quedarse a <u>hacer calceta</u>. Oiga, se supone que tiene usted que vigilarme.

–Sólo ayudarle a volver a casa.

–Está bien, iré solo. No me delate, por lo menos… –Miró al guarda con irónica curiosidad y añadió–: Es usted un hombre singular, Mon. Una mezcla de pensador y de hombre de acción. Pero tenga mucho cuidado: el hombre que actúa, siempre se ve mal interpretado por el que piensa. Esto lo aprendí aplicando la ley de Bandidaje y Terrorismo… Bueno, haremos una cosa; si a las dos y media no he vuelto, vaya a recogerme al bar de Encarna.

Jan asintió con gesto resignado.

–Como quiera.

–Es usted un buen chico, Mon. –El juez le señaló con el dedo, sonriendo–. Aunque también huele mal.

# CUARTA PARTE

# CAPÍTULO PRIMERO

Todas las banderas han sido tan bañadas
de sangre y de mierda que ya es hora de acabar con ellas.

GUSTAVE FLAUBERT

## 1

La víspera de la Fiesta Mayor, el 7 de setiembre, nos
pasamos toda la noche en la calle ayudando a colgar
guirnaldas y flecos de papel de seda y a montar el tablado de la orquesta, la instalación eléctrica y los altavoces.
Estábamos todos, el Pablo, Tito Raich, Néstor, los hermanos Bonna, el barbero, el *Nene* fanfarroneando con
sus muñequeras de cuero repujado y una rosa de papel
en la oreja, y la Paqui y su abuelo, que sacó el cubo con
hielo y el porrón refrescándose y lo puso sobre el tablado y bebió todo el mundo, hasta la señora Carmen. El
señor Sicart no cerró el Trola y se podían tomar carajillos, y desde los balcones nos miraban trabajar los viejos desvelados, nos decían bromas y tiraban las prime-

321

ras serpentinas, la madrugada era fresca y estrellada y llevaban jerséis y hasta mantas sobre el pijama. Y las mujeres pedían valses y polcas a la Paqui, que se ocupaba de los discos en un rincón del quiosco-librería, y ella decía que sí saltando sobre sus muletas, pero ponía todo el rato aquello de *Again* no sé qué *never again* que estuvo de moda dos o tres veranos antes, le gustaba mucho…

Este año se había decidido adornar la calle al estilo campamento indio. Dos grandes tiendas apaches hechas con palos entrecruzados y sacos cosidos, que había pintarrajeado el viejo Suau, se levantaban imponentes en la entrada de la calle bajo un arco de bombillas de colores, y en las paredes colgaban adornos de plumas, arcos y flechas de cartón, hachas de sioux, espantajos de hechicero y cabelleras de «rostro pálido». En lo alto de las estacas clavamos calaveras de cáscara de sandía con una bombilla dentro. Todas las calaveras las había pintado la Paqui menos una que era de verdad; la encontró Bibiloni en el viejo refugio antiaéreo de Las Ánimas. El señor Botey la quería tirar a la basura pero el loco consiguió clavarla en la estaca y allí se quedó. Hacia las cuatro de la madrugada, en la puerta del taller de Suau, el Bibi metió los dedos en un bote de pintura roja y se tiznó la frente y las mejillas y empezó a gritar como los indios.

Y en ésas que vemos llegar a Balbina, que volvía a casa después del trabajo. Seguramente se había apeado del taxi en la plaza Rovira, para evitar comentarios. Subía por la acera contraria al bar con la ceñida y gastada falda chocolate abierta en un costado, la rebeca malva echada sobre los hombros y el bolso de larga correa fustigando su cadera con un golpeteo tosco, desacompasado en relación al ritmo blando y desdeñoso de sus ancas, un vaivén popular entre los hombres que la miraban desde la puerta del Trola. Una serpentina blanca se había enredado en sus tobillos, sobre el zapato de tiritas negras y alto tacón, pero ella no se había dado cuenta o no le importaba, y la arrastró un buen trecho, con una desdeñosa indolencia, hasta llegar a la puerta de su casa. Cuando sacaba la llave del bolso buscó al *Nene* con los ojos fatigados y le sonrió.

Media hora después, al pedir el mayor de los Bonna brazos fuertes para subir al tablado el piano alquilado, se notó la ausencia del *Nene*. Hubo risitas y cachondeo y alguien comentó, mirando el balcón de Balbina, que al *Nene* no había que esperarle, que tenía un piano que tocaba mejor... Néstor no lo oyó, estaba con la Paquita en lo de los discos, pero más tarde se daría cuenta del pitorreo. No dijo ni hizo nada, salvo vigilar la bicicleta que el *Nene* había dejado apoyada en el tablado.

Al alba, ya con las luces apagadas, lo que debía haber sido ornamentación fantástica apareció con toda su humildad y su desvalida vocación de alegría; tras la engañifa, el quehacer cotidiano volvía a adueñarse sigilosamente de la calle como una antigua y conocida pobreza, como una carcoma doméstica que envejece las cosas antes de darnos tiempo a disfrutarlas. Era ya un amanecer de otoño y el aire traía olor a lluvia. El trabajo acabó a las ocho y media y muchos se fueron, y los jóvenes nos sentamos a la puerta del bar comiendo bocadillos de anchoas y mirando la calle desierta, súbitamente desconocida, bañada en suaves y ondulantes reflejos de acuario. Más tarde empezó a soplar una brisa que arrancaba al techo de papelitos verdes un rumor de cañaveral... A lo largo de mi vida, dondequiera que me halle, siempre que oigo un rumor de flecos de papel de seda estremecidos por la brisa, regreso mentalmente a mi barrio en fiestas y a esta calle reinventada y musical, adormecida bajo la reflexión arcádica de la luz que destilaba la techumbre y los humildes harapos de la aventura colgados en las fachadas, y en ella veo otra vez la figura solitaria y taciturna de Jan Julivert cumpliendo con la rutina de cada día, volviendo a casa desde su noche privada, desde el secreto de sus vigilias y sus cuitas; puntual y sigiloso, caminaba por el centro de la calzada entre burdas amenazas de cartón y espantajos de película, indiferente a la mascarada festiva, la gabardina cuidadosamente plegada sobre el hombro y el ala del sombrero tapando sus ojos, apretando bajo el sobaco la cartera en la que asomaban las brillantes agujas y, ensartada en ellas, la flor lánguida de la labor roja y azul.

La bici del *Nene* seguía apoyada en el tablado y Jan la miró antes de meterse en el portal. Néstor apretó los dientes y se frotó las manos: «Hoy lo va a pillar», masculló. Ya veía al *Nene* saltando escaleras abajo en calzoncillos y con cara de susto.

No sé cuánto tiempo pasó mientras esperábamos. El sol ya encendía la falsa pradera que cubría la calle, empezó a sonar música por los altavoces y algunas muchachas paseaban curioseando por el campamento indio, cogidas del brazo. De pronto había dos hombres a nuestro lado, bajo el toldo del bar, tomando carajillos. No eran de por aquí, traían sueño y una calma entre campesina y errante. Néstor nos diría luego que, nada más verles, adivinó que esperaban a su tío. Uno de ellos era bajito y rechoncho, con boina y anorak gris, y el otro  era un tiarrón de grandes quijadas, nariz chata y ojos de chico pasmarote; llevaba alpargatas de payés y una americana de pana negra deslucida colgada al hombro, y comía almendras tostadas que sacaba del bolsillo. El gordito se acercó a Néstor, sentado en el bordillo de la acera.

—Eh, nano. ¿Trabajas en este bar?

—Dentro de un rato...

—¿Tú no eres el hijo de Luis?

Néstor le miró con recelo.

—¿Y usted quién es?

El hombre escrutó la calle engalanada entornando

los párpados, como si la reverberación del sol en los papeles de colores dañara su vista. Tenía ojos enrojecidos y maliciosos, como de conejo, y una sonrisa infantil. Un tercer hombre, flaco y de cara alargada, con una vieja camisa de algodón a cuadros y botas de excursionista, salió del bar con una banqueta y se sentó en ella recostando la espalda contra la pared. Parecían tipos que venían de buscar setas o algo así; que lo habían pasado muy bien y que ahora se aburrían.

–Tú no te acordarás, pero cuando tenías cuatro años –dijo el gordito de la boina a Néstor– yo, y a veces Arturo, este zángano –con un gesto indicó al gigante–, te llevábamos al parque Güell a montar en los triciclos...

–Pues no me acuerdo.

–¿Cómo está tu madre?

–Bien...

–Ha quedado muy bonita la calle.

–No se burle, señor.

–Que sí. ¿Hay baile esta noche?

–Ángel, que se hace tarde –gruñó el que comía almendras.

El otro agitó el resto del carajillo en el culo del vaso, se lo bebió y miró calle abajo. En la esquina con Argentona había un viejo Citroën con los cristales polvorientos. El gordo se inclinó un poco hacia Néstor.

–Quiero que vayas a casa y le digas a tu tío Jan si podemos verle. De parte de Falcón.

–¿Ahora? –repuso Néstor mirando la bici del *Nene*–. Está muy ocupado... Acaba de llegar del trabajo. ¿No pueden esperar un poco?

–No. Es muy urgente. Anda, sé buen chico.

En este preciso instante, el *Nene* salió del portal y cruzó la calle en dirección al tablado. Llevaba la visera torcida y los bajos del pantalón mal sujetos con los clips de ciclista, pero en su cara aniñada y displicente no había el menor síntoma de haber encajado un susto o una bronca. Con la mano en el manillar de la bicicleta, a pie, vino hacia nosotros seguramente con intención de recuperar la cazadora que anoche había dejado en el bar. Cuando estaba a menos de dos metros, Néstor saltó de la acera como impulsado por un muelle y se le echó encima y rodaron ellos y bicicleta por el suelo.

–Dame la llave de casa –dijo Néstor golpeándole–. ¡Dámela!

El *Nene* parecía más preocupado por algún posible desperfecto en su máquina que por los puños que silbaban en torno a su cara. Se cubrió con el brazo y dijo sin mirarle:

–Si me has hecho una rascada en la bici te vas a acordar… ¡Quieto, joder!

–La llave, hijoputa.

–Tú no mandas en tu casa, hermano.

–¡Entonces pelea!

–Yo no peleo con moscas.

–¡Peso más de sesenta, mamón! ¡Pelea!

Seguía en pos de aquel combate decisivo, aquel golpe final que un día había de hacerle un hombre y le abriría los ojos de una vez… además de las cejas y los pómulos, por supuesto. Pero ese día aún no había llegado.

–Calma, chaval –dijo el gigantón cogiendo a Néstor del brazo y apartándolo–. ¿Qué te propones? ¿No ves que te puede, que es mayor que tú…?

Algunos transeúntes se habían parado a mirar. El gordito y el otro habían entrado en el bar, desentendiéndose del asunto. El Citroën se deslizaba calle abajo muy lentamente y se paró en la otra esquina.

–¡Suélteme! –ordenó Néstor, y el hombre le soltó, pero con la otra mano le pilló la oreja.

–No quiero escándalos aquí –dijo suavemente–. Ahora vete a casa y haz lo que te han dicho. Andando.

Había una rara autoridad en su voz a pesar del tono

suave, e incluso el *Nene*, que aún examinaba su preciada bici, se volvió a mirarle intrigado.

–Sí, señor –masculló Néstor. Pero antes de irse lanzó al ciclista una furiosa mirada y le espetó en voz baja–: Otro día nos veremos las caras, fanfarrón.

–Sí. Otro día –dijo el *Nene*, y por sus ojos rasgados, felinos, pasó una sombra de tristeza. Montó en la bici y se fue calle arriba pedaleando sin sentarse en el sillín, dando bandazos.

## 2

–Siento mucho lo que ha pasado –dijo Balbina saliendo del dormitorio–. La culpa no es suya... Yo le pedí que se quedara.

Había extraviado el cinturón de la bata y la mantenía ajustada sobre el vientre con ambas manos. Jan se sentó en la galería dispuesto a reforzar un par de botones de su anticuada americana a rayas. Sobre la mesa camilla tenía el costurero abierto y una taza de café. Siempre hacía café al volver a casa, por muy bien que hubiese desayunado en la cocina de los Klein. Después se quitaba la ropa y se ponía el pijama, pero no se acostaba enseguida; se afeitaba y luego a veces se entretenía limpiando zapatos o revisando su ropa. Hoy, al llegar, había sorprendido al *Nene* haciendo el café en paños menores. Pero eso no alteró sus hábitos.

Ahora Balbina recostaba el hombro en la puerta de la galería.

–¿Me has oído? –añadió–. Estuvo trabajando en la calle hasta muy tarde y se durmió... Y tú has vuelto un poco antes.

–Tenía que ocurrir un día u otro –dijo Jan.

Ella se mordisqueaba el labio, pensativa.

–Y bien. Supongo que no lo apruebas.

–Ya tienes edad para saber lo que haces, cuñada.

–Habéis estado hablando en la cocina... ¿Qué le has dicho?

Esperó un rato su respuesta. Él dio un par de rápidas puntadas y tiró del hilo, tensándolo. Ella se cruzó de brazos y suspiró:

–No tienes por qué coser botones, puedo hacerlo yo...

–Estoy acostumbrado.

–¿Qué le has dicho? –insistió Balbina.

–Deberías volver a la cama, es muy temprano.

Balbina le miró fijamente durante casi un minuto. Luego dijo:

–Entonces, ¿te da lo mismo?

Observó cómo enrollaba el hilo sobrante en el dedo y lo partía con los dientes, la precisión de los dedos al enhebrar otra vez la aguja y al hacer el rápido nudo, la correcta posición de los codos y el perfil absorto en la labor. Se preguntó si habría algo en la vida que pudiera importarle a este hombre. Cuando ya no esperaba ni una palabra suya, le oyó decir:

–¿Le quieres?

–No...

–¿Entonces?

–Entonces eso. Lo que estás pensando. Eso y nada más.

–Es muy joven.

–Aunque no me creas, no lo busqué por eso... –Meditó unos segundos y añadió–: Pero le tengo aprecio. Hago muy mal, ya lo sé.

–No he dicho tal cosa. Pero creo que deberías pensar en tu hijo.

–Lo sé, lo sé –repitió ella nerviosamente, frotándose los antebrazos como si tuviera frío. Se sentó en el sillón, encogida, los pies bajo las nalgas, arropándose–. ¿Cómo no voy a pensar en él? Pero es que últimamente no sé qué mierda me pasa... Bueno, que me siento sola, qué quieres que le haga. –Buscó los ojos de su cuñado, que ya cosía el segundo botón–. ¿Qué te ha dicho José?

–¿Quién...?

–Se llama José, ¿no lo sabías?

–Me ha hablado de Néstor. Parece que el chico le está provocando todo el tiempo.

–Néstor es violento, pero no rencoroso. Se le pasará.

–Tu José me ha pedido que hable con él.

–Sería lo mejor... ¿Por qué no lo haces?

Jan meditó la respuesta.

–No. El chico está bien como está. –Cortó el hilo y sacudió la americana–. Todo está bien como está. Me voy a la ducha.

Clavó la aguja en el carrete y guardó ambas cosas en el costurero. Dobló la americana con el forro por fuera, la puso sobre la mesa y cogió la taza de café.

–¿Eso es todo lo que se te ocurre decirme? –se lamentó Balbina–. Joder, no te comprendo. ¿Y Néstor...?

–Me gusta el chaval, me gusta como es. –Ahora la miró a los ojos–. Está necesitando una buena lección, pero no hace falta que se le ayude, ya la encontrará. –Terminó de beber el café y dijo–: ¿Saliste anoche?

Absorta, Balbina miraba la americana cuidadosamente doblada. El forro era viejo y lustroso, desprendido en los bordes.

–Sabes que nunca me gustó trabajar –añadió él–. Pero lo hago. Y aunque no es un trabajo muy bueno, me lo pagan bien.

–Y qué –dijo ella con aire distraído.

–Que deberías quedarte en casa. Por ahí habría que empezar. Podemos vivir con lo que yo gano...

–Pero mal.

–Otros viven peor.

Ella se llevó la mano a la frente y cerró los ojos.

–No sé, estoy confusa… Antes quiero liquidar algunas deudas. Tendría que hacer cuentas, pero no creo que pueda antes de fin de año. –Con una mueca triste, agregó–: Año nuevo vida nueva.

Oyeron la llave en la puerta del piso y enseguida apareció Néstor. Dio el recado a su tío, pero mirando fijamente a su madre. Jan le preguntó cuántos eran.

–Tres.

Describió a los hombres y dijo que habían llegado en un Citroën que estaba parado cerca de la plaza Rovira. Jan se levantó, pensativo, y encendió un cigarrillo.

–Diles que vengan dentro de media hora.

Néstor se mantuvo quieto unos segundos, esperando.

–¿Nada más? –Sus ojos negros, bajo la maraña del flequillo, seguían clavados en Balbina. En un tono ligeramente alterado, añadió–: ¿Eso es todo, hostia?

Jan se le quedó mirando con una curiosidad afectuosa.

–Sí, eso es todo.

–¿Vas a decirme que hoy tampoco le has visto? –preguntó Néstor levantando la voz–. ¿Por qué no le has quitado la llave de una maldita vez?

–Esa llave se la dio tu madre.

–¡Entonces es que va a poder entrar en casa cuando a él le da la gana…!

–Cállate, Néstor –dijo Balbina.

–Déjale –repuso Jan–. Tiene derecho a preguntar.

–¿Qué le has dicho? –inquirió Néstor.

Jan habló con la voz suave.

–Le he dicho que es un maleducado; que se hurga las sucias orejas con cerillas que luego deja tiradas por ahí, y que apaga las colillas en la taza del café. Que si no aprende a comportarse, que no vuelva por aquí. Eso le he dicho.

El muchacho le miraba como si viera visiones.

–Te estás burlando de mí…

–Pregúntale, si no me crees.

–¡¿Y eso es lo único que te molesta?! ¡¿Que sea un guarro y un maleducado...?!

–Lo demás es asunto de tu madre.

–¡¿Y tuyo no, hostia?!

Soltó un bufido que levantó su flequillo, dio media vuelta y se fue. Jan descolgó una toalla de baño y al salir de la galería vio a Balbina entrando en su dormitorio. Ella se volvió antes de cerrar.

–¿Quiénes son? –le preguntó–. ¿Qué quieren?

Jan se paró a mirarla.

–Amigos. Pero no debes preocuparte.

Balbina reflexionó.

–¿Tiene algo que ver con tu trabajo...?

–Podría ser.

–Por cierto, nunca me dijiste que conocías a la señora Klein.

Observó sus ojos de hielo entrecerrándose despacio.

–¿Quién te ha dicho eso?

–Qué más da. ¿Es o no?

–La había visto una vez, hace muchos años. Ella ni se acuerda... Anda, acuéstate.

Ella no se movió; lo miraba absorta, el ceño arrugado.

–¿Para qué has vuelto, Jan? –dijo finalmente con la voz deprimida–. ¿Para qué, quieres decírmelo?

Pero él ya había puesto cara de sordo y se dirigía hacia el cuarto de baño.

Balbina se acostó. La vencía el sueño y no tomó pastillas. Al cabo de lo que creía unos minutos, aunque en realidad había pasado más de media hora, flotaba en su conciencia un rumor apagado de conversación. La música de los altavoces en la calle la acabó de despertar. En el dormitorio umbroso, mientras fumaba un cigarrillo, intentó prefigurar, entre las voces lejanamente conocidas, la voz fría y apaciguada de su cuñado.

Manuel Falcón se sentó en la mesa y dijo:

—Me alegro que estés solo, Jan.

—No lo estoy. Balbina duerme ahí.

—¿Por qué no vamos a tu cuarto?

—No te oirá si no alzas la voz. ¿Queréis tomar algo? Tú, Boyer, ¿un café?

—No, gracias —dijo el gordo. Estaba sentado en el diván y hacía rodar la boina en sus manos—. Arturo te envía un abrazo. Y Félix. ¿Sabes que este tontaina se sintió halagado —esbozó una vaga sonrisa obsequiosa— cuando supo que le habías reconocido?

—Fue por la gorra —dijo Jan mientras cogía un vaso del bufet—. La lleva en plan chulo, como si aún tuviera dieciocho años.

Falcón se rió y puso las manos sobre la mesa. Era un hombre de complexión robusta, de unos treinta y cinco años, cara ancha y morena y cabellos rizados. Lucía un costurón en lo alto de la nariz aguileña y en las comisuras de su boca tirante colgaba una colilla blanda y reseca; estaba evidentemente apagada, pero él entornaba los ojos como si le molestara el humo.

Había prendido el chaquetón negro en una esquina del respaldo de la silla y no apartaba los ojos de Jan.

—A lo mejor te hemos dado una sorpresa —dijo.

—A lo mejor. Me parece un milagro que aún estéis vivos.

—Lo mismo que tú.

—Yo estuve en conserva.

—Por eso. —Falcón sonrió, mirándose las manos grandes y morenas—. Muchos salen fiambres de allí, lo sabes muy bien... ¿Cómo te fue?

—No me quejo.

Jan se sentó frente a él, alcanzó del centro de la mesa la garrafa de ginebra y se sirvió un trago largo.

–Tuviste suerte, después de todo –añadió Falcón–. Te formaron consejo de guerra pero no fue el criminal de Klein el que instruyó el sumario, si no recuerdo mal... ¿Verdad?

–Verdad.

–Será por eso que has aceptado trabajar para él.

Jan le miró a los ojos durante unos segundos. Había sacado un cigarrillo y golpeaba su extremo sobre la uña del pulgar. Lo encendió con su mechero de quincalla, aproximó el cenicero y miró a Ángel Boyer.

–Vais muy abrigados.

–En Berga ya hace frío.

Jan bebió un sorbo de ginebra y luego dijo, sin mirarle:

–No me interesa saber dónde pasáis frío o calor, Boyer.

–Bien dicho –terció Falcón–. Pero da lo mismo. No vamos a ocultarte nada.

–Supongo que habrás tomado precauciones antes de venir –dijo Jan–. Que te lo has pensado bien...

–¿Tienes miedo?

–No hablo de eso. ¿Lambán te dio mi recado?

–¿Qué recado?

–Que no perdieras el tiempo en visitarme, si es para lo que pienso.

–Ya sé, ya sé. –Hizo un gesto vago con la mano, despegó la colilla del labio para mirarla y la volvió a poner en su sitio–. Pero teníamos que verte enseguida, compañero.

–¿De veras lo crees necesario?

–Tal como están las cosas, sí.

Jan se echó hacia atrás apoyado en el respaldo de la silla, mirando el vaso de ginebra en el borde de la mesa.

–Bien. Tú dirás.

–No voy a entretenerte mucho. Se trata de Klein, en efecto... –Antes de proseguir, le miró un instante fijamente–. Jan, después de estos años que has pasado en la cárcel no sé hasta qué punto has cambiado, no sé cuáles son tus ideas, pero no habrás olvidado…

–Me he jubilado, Falcón. Búscate a otro.

Falcón sonrió:

–No me interpretes mal. No he venido a pedirte ayuda. Pregunto cómo estás de ánimo, cómo ves la situación actual… Coño, hace como quince años que no nos veíamos. Y las cosas han cambiado mucho. Desde la huelga de tranvías el personal está mucho más animado.

Él no dijo nada. Falcón prosiguió, aparentemente entretenido en rascar con la uña el hule de la mesa, los ojos bajos:

–Nos ocupamos de los folletos y de coordinar algunas acciones con los estudiantes. Fue todo un poco así, al tuntún, era la primera vez desde la guerra que la gente salía a la calle… ¿Y qué me dices del boicot a *La Vanguardia* ahora mismo, en junio…? Ya estabas aquí, supongo. ¿O no te has enterado?

–Sí.

–¿Crees que también eso es perder el tiempo? Se ha hecho saltar al director del diario, ese carcamal de Galinsoga…

–Han puesto a otro y todo sigue igual.

Falcón escudriñaba su cara como si quisiera leer en ella. Entró repentinamente por la galería abierta una música bailable, que se interrumpió un momento para que una voz juvenil, dulce y afectada, anunciara por los altavoces que este disco había sido solicitado por Pepito Bibiloni para la señorita Araceli, su guapa vecina de las trenzas negras…

–Igual no, Jan. La gente se mueve, y eso es lo importante. ¿No te parece?

–¿Vas a someterme a un interrogatorio? –dijo él con sorna.

–Podrías haber cambiado, ¿no?

–Mis ideas políticas, si te refieres a eso, no han cambiado; ha cambiado mi relación personal con estas ideas. Con los años también mi relación con la gente ha cambiado, y con la bebida, y no digamos con las mujeres... Nunca fuiste muy listo, Falcón, pero te has hecho lo bastante mayor como para saber a qué me refiero.

–Pues no.

–Sencillamente, no creo que sirva de nada matar a un fantasma.

–No estoy de acuerdo. –Falcón se pasó la mano por el pelo y masajeó su nuca con gesto de fatiga–. El juez está bien vivo y tiene miedo, y por eso contrató a un guardaespaldas.

–Te equivocas.

–Bueno, sí, ya sabemos que este degenerado está borracho todo el día y que al parecer es un enfermo incurable y que su mujer te paga para sacarle de las tabernas... Pero eso parece más bien una tapadera.

–Vuelves a equivocarte –dijo Jan–. Ignoro si a la señora Klein le preocupa que puedan matar a su marido. Yo diría que no. Lo que sí teme es que se mate él solo.

–¿Cómo te puede gustar este trabajo? Me han dicho que le pones muchos cojones, que no dejas que nadie se acerque al juez. Le diste una manta de hostias al hermano de Lambán...

–Esto es asunto mío.

Falcón meneó la cabeza.

–Así no llegaremos a ninguna parte, Jan.

–Ya no voy a ninguna parte.

Estaba distraído intentando sacar una brizna de tabaco del interior del vaso. Después de un silencio, durante el cual Falcón y Boyer cambiaron una mirada convencional, Jan preguntó:

–¿Qué sabéis del *Mandalay*?

–Nada que ver con nosotros. Parece que está chupando del bote, pero no sabemos cómo –dijo Boyer.

–Y tampoco nos importa un carajo –masculló Falcón–. Raúl es un tipejo de la peor especie, nunca me gustó, aunque debo admitir que sabe tomarles el pelo a estos hijos de puta. –Miró a su compañero, y arrastrando las palabras, como si le aburriera hablar de ello, añadió–: Oye, ¿quién nos contó que se hizo pasar por uno de los españoles repatriados de Rusia en aquel barco, el *Semíramis*, hará tres o cuatro años, y que dio conferencias en centros católicos sobre la Iglesia rusa perseguida, el muy cara, y encima cobrando…? –Sonrió con desgana–. ¿Sabías eso, Jan? ¡Vaya un pájaro!

Ángel Boyer se removió en su asiento y al apoyar la mano tocó la novela del Oeste y la labor de punto que estaba a su lado, con la cartera abierta. Cogió la bufanda sin terminar y la examinó.

–Vaya, cómo te cuidan. ¿Te la hace Balbina?

Jan no le oyó. Se había levantado diciendo ahora vuelvo, le oyeron remover algo en la cocina y enseguida volvió con una botella de agua. Echó una poca en el vaso de ginebra y bebió un trago. Ya no se sentó, permaneciendo apoyado de espaldas al bufet. Mientras escuchaba a Falcón, identificó la dulce voz solidaria que anunciaba por los altavoces los discos solicitados: era Paquita.

–No tengo mucho tiempo, así que iré directamente al asunto –decía Falcón–. Vamos a enviar al juez al otro barrio, Jan. Está decidido.

–Lo sé –dijo Jan–. Pero no entiendo por qué habéis esperado tanto. Era fácil acabar con él, has podido pillarle solo cantidad de veces, de noche, cuando sale de un bar para meterse en otro… Y sin el menor riesgo. He oído decir que el tiro en la nuca se te da bien. Freixas ya lo habría hecho.

Falcón sonrió displicente:

–No. Ya no es como cuando tú o Freixas mandabais. Las dificultades ahora no consisten en cómo hacerlo, sino en obtener de la Central el visto bueno para hacerlo.

–No me digas. Cuánta disciplina.

–Acabo de volver de allí, de hablar del asunto con tu hermano y los demás por tercera vez... Por cierto –añadió en tono falsamente compungido–, tu hermano no te aprecia mucho, compañero.

–Continúa.

–Primero había pensado en secuestrarle. Un golpe de efecto, algo para llamar la atención. Si se obtiene un buen rescate de la familia, tanto mejor; si no, acabamos con él y santas pascuas. En cualquier caso el asunto sería rentable y logramos lo principal: una llamada a la opinión pública, a la conciencia de la gente. Que sepan que seguimos resistiendo...

–De eso nada –dijo Jan–. En la prensa saldría en el rincón de los sucesos como un acto perpetrado por una banda de delincuentes y facinerosos sin ninguna significación política. Siempre lo hacen, y tú ya deberías saberlo.

–Pero la gente sabe leer entre líneas.

–Déjate de historias. Di que quieres acabar con el juez porque mandó fusilar a tu padre y a tus hermanos, y te creeré. Pero no hagas politiquería como mi hermano porque acabaré perdiéndote el respeto como hice con él.

Falcón cambió otra rápida mirada con su compañero, luego miró a Jan y sonrió. Tenía una sonrisa agradable, con los dientes sucios de nicotina.

–Lo malo de ti, Jan, es que piensas demasiado. Siempre has sido muy... intelectual.

–No me llames eso o te haré tragar esta colilla asquerosa –repuso él con una mansa ironía–. No hay palabreja que me reviente más.

Con la punta de la lengua, Falcón trasladó la colilla al otro extremo de la boca y dijo:

—El caso es que, de todos modos, en Toulouse rechazaron mi plan. Tu hermano Luis el primero; es curioso, dijo más o menos lo que tú ahora... Que el juez es historia pasada, un fantasma; que hay cosas más urgentes de que ocuparse, otras tácticas, esa monserga... Parece como si todo el mundo —añadió con desdén— hubiese perdido la memoria. Tú al menos, aunque te hagas el longuis en muchas cosas, no la has perdido. Yo no olvido ni perdono, me enseñaste a decir cuando era todavía un mocoso...

—Siempre supe que, tarde o temprano —le interrumpió Jan fríamente—, buscarías a Klein. En Carabanchel me enteré que habías expuesto el asunto a los burócratas de la Central; debió ser tu primer viaje y tu primera consulta. Lo que yo no sabía entonces es que Freixas había muerto y que tú ya ocupabas su puesto.

Falcón le miró con curiosidad y cierta prevención:

—¿Y conociendo mis planes aceptaste ser su niñera? ¿Por qué?

Jan bebió un sorbo del vaso y no atendió a su pregunta. Habló en un tono levemente mordaz, mirando el contenido del vaso:

—De modo que las momias de Toulouse te regañaron. Vaya, vaya. Este juez tiene los ojos vendados y ya no interesa... ¿Y ahora qué piensas hacer?

—Seguiré adelante con mi idea.

—Siempre fuiste muy desobediente. ·

Con los codos en las rodillas, el mentón apoyado en las regordetas manos entrelazadas, Boyer les observaba en silencio.

—Ya suponía que habría problemas contigo —dijo Falcón—. Al principio me negué a admitirlo... Cuando empezaste a trabajar para el juez, pensé: quiere terminar lo que dejó a medias hace trece años. Pero no; no era lógico que te expusieras tanto, no tenías necesidad de emplearte en su propia casa para darle su merecido, comprometiéndote así ante la bofia... –Volvió a sonreír, pero un poco forzado, añadiendo–: Entonces pensé... bueno, yo qué sé qué llegué a pensar. Lo cierto es que no veíamos el modo de eliminar a Klein sin comprometerte. La forma más segura y fácil de pillarle es un miércoles, cuando va en coche a la clínica. Y ya estaba decidido cuando de pronto apareces tú al volante de ese coche...

–Sí, también hago de chófer.

–Pues te aconsejo que lo dejes. Busca cualquier excusa.

–¿Es eso lo que has venido a pedirme?

Falcón sonrió, conciliador y guasón:

–Tal como estás, no veo qué otra cosa podríamos pedirte. –Levantó las cejas y miró a Boyer–. ¿Tú crees que se le puede pedir mucho más a un viejo anarquista en zapatillas, a un hombre que lee *El Coyote*, bebe ginebra de garrafa y hace calceta...? Porque esta bufanda la hace él, ¿sabes?

En el diván, Ángel Boyer contuvo la risa con temblores de papada. Dirigiéndose a Jan, Falcón añadió, ya sin guasa:

–Claro que, bien pensado, sería más rápido y sencillo hacerlo de otro modo, y con tu ayuda. Por ejemplo, que nos lo entregaras una noche, cuanto más borracho mejor, y sin armar escándalo... ¿Qué opinas?

Jan chasqueó la lengua.

–No digas gansadas. ¿Olvidas que estoy fichado? Al día siguiente ya estarían sobre mí.

–Pues no veo ningún arreglo –dijo Falcón–. Así que harás bien quitándote de en medio. Deja el trabajo.

Jan meditó unos segundos.

Apuró la ginebra del vaso y dijo:

–Me costó mucho conseguir el empleo y quiero conservarlo.

Falcón parpadeó.

–No hablas en serio.

En la calle cesó la música. Jan dejó el vaso sobre el bufet y miró a Boyer, que hojeaba la novela de J. Mallorquí con expresión resabiada y desdeñosa. Alzando la vista, el gordo dedicó a Falcón un paciente parpadeo, como diciendo: estamos perdiendo el tiempo. Una ráfaga de viento cálido golpeó las persianas de la galería y trajo de nuevo la voz melosa, embotellada, de Paquita: «A petición de la señora Balbina y dedicada al señor Julivert, deseándole muchas felicidades en esta Fiesta Mayor y con todo cariño, *La barca* de Lucho Gatica…» Idea de Néstor, pensó él –pero ya en su mente el Packard de Klein giraba lento y silencioso en la esquina, cien metros más abajo de la torre, como cada miércoles, la esquina solitaria de piedra arenisca coronada de rojas buganvillas… No necesitaba preguntar cómo lo harían: la calle siempre estaba desierta a esta hora de la mañana, y a la vuelta de la esquina, bajando hacia Horta, los baches a menudo enfangados no permitían mucha velocidad: se cruzarían con su coche y le obligarían a parar. Era fácil, podían acribillarle sin necesidad de apearse. Notaba en el perfil la mirada en suspenso de Falcón, que finalmente dijo:

–Dame una copa, va. Probaré tu ginebra.

Jan sacó una copa y le sirvió.

–¿Cuándo será, si puede saberse?

Falcón simuló no haberle oído. Bebió e hizo una mueca.

–Tienes tiempo de pensar lo que te conviene… Si vas con él, salta y no te pasará nada. O échate sobre el asiento. Pero si quieres evitarte un buen lío, deja ese trabajo de chófer ahora mismo. Porque tienes razón, la policía te hará preguntas.

–Siempre has sido más rápido con el gatillo que con la cabeza, Falcón. ¿No has pensado que podría prevenir al juez?

–No creo que lo hagas. ¡Coño, esto es un mata-rratas!

Apartó la copa, se quitó la colilla de la boca y la aplastó en el cenicero. Jan dejó pasar unos segundos y dijo:

–Así que por fin vas a darte el gustazo.

–¿Crees que no es justo?

–Creo que no es necesario.

–Ya no estás en condiciones de distinguir eso.

–Si trataras a Klein te darías cuenta. Está más muerto que vivo, está acabado, es carne de hospital. Y tú no le darás una muerte peor que la que está teniendo.

–¿Quieres decir que no vivirá mucho?

–Espera un poco y verás pasar su entierro.

Falcón esbozó una sonrisa ladeada.

–No quiero esperar más. A mí no se me va a gastar el dedo como al del chiste… Su señoría no morirá en la cama, puedes estar seguro. –Miró a Boyer y agregó–: ¿Tú qué opinas, Ángel?

–Que debemos irnos.

–Sí, ya está todo dicho. –Se quedó pensativo observando a Jan, su pulcro pijama y sus zapatillas, su rostro avejentado. Ya no está del otro lado de la ley, pensó, ya no lo estará nunca más… Como en una caja de resonancias, del otro lado de la galería, fuera, se oyó el llanto monótono de un niño, un aleteo de palomas, un tenedor batiendo un huevo en un plato. Y en medio de estos triviales rumores de vecindad, Falcón miraba a su antiguo jefe con una sombra de tristeza en los ojos–. Jan, yo no soy quién para decirte lo que debes hacer. Siempre te respeté… Pero está claro que ya no crees en lo que hacemos, y no me refiero a lo del juez, que al fin y al cabo es un asunto personal. Seguro que ya no crees en nada, ni siquiera en aquello por lo que murió tu padre y por lo que todavía lucha tu hermano. –Las aletas de su nariz se tensaron al añadir–: ¿Sabes qué día es hoy?

Jan escrutó su mirada triste.

–Ocho de septiembre.

–Y dentro de tres días, el once. ¿Ya no te dice nada esta fecha?

–¿De qué me estás hablando?

Había empezado a sonreír con los ojos, casi imperceptiblemente. Tal vez por eso, Falcón no quiso volverse atrás:

–De tu patria –dijo–. De eso te estoy hablando.

–Pierdes el tiempo. Mi patria no va más allá de estas cuatro paredes.

–Si te oyera tu padre...

–Dejemos en paz a los muertos. –Hizo una pausa y añadió–: La patria es una carroña sentimental, y yo nunca más me empacharé de eso. Así que cambia el disco, Falcón.

Boyer resopló:

–Lambán tenía razón –dijo levantándose–. Está loco. Vámonos, Manuel.

–Espera.

No apartaba los ojos de Jan: sentía que ya nada les unía salvo quizá la sombría convicción de un destino torcido, la gangrena de unos sueños que habían compartido juntos.

–Pero, hombre –dijo Falcón con la voz extrañamente afilada, con un remanso de duda en los ojos–, tarde o temprano, estoy seguro, pasaremos factura por estos años de brega... Y a ti te deben mucho.

–No digas tonterías. Aquí no paga ni Dios. Y si hay facturas las pasarán a cobrar los de siempre y pagarán los de siempre. Vosotros los primeros.

–Coño, antes no eras tan fatalista.

–Habla más alto, estoy un poco sordo.

–Es tarde, Manuel –dijo Boyer.

Falcón se levantó, echándose sobre los hombros el chaquetón con desmañada destreza. Parecía más confuso que contrariado. Buscó los ojos de Jan y le miró con fijeza.

–Bien, en qué quedamos. Convendría aclararlo, no vaya a ser que luego nos sobre un fiambre…

Él sostuvo su mirada durante unos segundos y luego dijo:

–Si crees que debes hacerlo, hazlo.

–¿Eso es todo?

–Eso es todo.

–¿Puedo preguntarte qué te propones?

–Es mejor que no. Estás nervioso.

Le volvió la espalda y se encaminó hacia el corredor. Falcón cambió una mirada con Boyer y fueron tras él. Cuando Jan abría la puerta del piso, Falcón le cogió suavemente del brazo y le hizo volverse.

–Esto no me gusta, Jan. ¿Por qué te preocupa lo que pueda pasarle al juez…? Está sentenciado y tú lo sabes, lo has sabido siempre… –Esperó por si él quería aún decir algo y agregó, ya resueltamente–: Lo repetiré una vez más: tendrás que parar el coche y saltar; te daremos tiempo. No veo otra alternativa. Pero lo mejor sería que te buscaras otro trabajo, o por lo menos que dejaras de hacer de chófer… Qué me dices.

Jan terminó de abrir la puerta y se hizo a un lado para dejarle salir.

–Nada –repuso–. Me pagan por estar allí, y allí estaré. Buena suerte.

–¿Qué has dicho?

–He dicho buena suerte, Falcón. La vas a necesitar.

# CAPÍTULO II

## 1

Una noche de primeros de octubre, la señora Klein recibió una llamada telefónica desde un dispensario de la Barceloneta. Habían encontrado al juez caído en un callejón de las cercanías del puerto, sin sentido, con una brecha en la frente y una ristra de ajos colgada al cuello.

Jan fue a buscarle en un taxi. Klein apestaba a cazalla, parecía sonámbulo y apenas podía articular palabra. Conservaba la cartera y algún dinero, pero le habían limpiado el reloj y los gemelos. Le dieron seis puntos de sutura y le vendaron la frente; la herida era superficial, dijo el médico, pero su estado síquico dejaba mucho que desear y aconsejó vigilarle en las próximas horas.

Klein estuvo tres días sin apenas salir de su habitación y en la casa empezó a notarse un trajín inhabitual. Según Elvira, la señora se pasaba horas al teléfono y discutía mucho con su hija; recibió visitas de algunos directivos de la empresa donde trabajaba el juez y consultó con un siquiatra, además de recibir en dos ocasiones al viejo neurocirujano, íntimo de la familia, que había operado al señor Klein años atrás, y que le trataba regularmente. Y que muy mal debía encontrarse el señor, añadió la criada, porque todos pasaban más tiempo hablando con la señora en el salón que no con él en su cuarto. Se estaba reponiendo, pero algo había cambiado en su persona; parecía asustado y tenía una mirada extraña. Habían aparecido varios hematomas en su cuerpo y sufría un magullamiento general, como si le hubiese atropellado un tranvía. Se le infectaron los puntos y de pronto esto le causó terror, exigiendo un vendaje nuevo a cada momento. Su hija Isabel complacía todos sus caprichos y cuando estaba en casa no se movía de su lado, cómplice de sus trucos para conseguir una copa, insolidaria con su madre, anulando órdenes suyas en la cocina y atendiendo en cambio aquel horario frenético y contradictorio de sedantes y estimulantes que el juez se había impuesto.

Cuando se sintió mejor pasaba las tardes en el pabellón, recostado en la cama turca o sentado ante el fuego, escuchando música y jugando al ajedrez contra sí mismo. Jan iba a buscarle a la hora de cenar por orden de la señora Klein y solía encontrarle dormido en el *chester*, la cabeza echada hacia atrás, la frente vendada y una expresión dolorida en el rostro que acentuaba el resplandor de las llamas. Había algo terrible en su cara en el instante de despertar, un angustioso forcejeo mental que agarrotaba sus mejillas.

Cuatro días después del percance, el doctor Rey acudió desde San Sebastián a visitar a su amigo. Su equipaje habitualmente bien surtido de camisas de seda oscuras y de puntiagudos y lustrosos zapatos italianos, de tacón quizá un poco demasiado alto para un hombre, al decir de Elvira –que siempre se entretenía más de la cuenta al deshacer su maleta en el cuarto de huéspedes–, parecía esta vez algo excesivo para un fin de semana, por lo que la joven criada dedujo que el doctor se quedaría más días. Desde el primer momento, Rey desplegó una gran actividad en torno al enfermo; conversó con él durante casi tres horas, luego llamó a su colega el doctor Sala y celebraron consulta en presencia de la señora Klein, concertó una cita con un siquiatra amigo suyo y efectuó dos conferencias telefónicas a Suiza. La señora Klein, que facilitó todos esos trámites del neurólogo, siempre a su lado, daba muestras de cierta confusión y de una melancolía intermitente, aquella ansiedad azulosa que de pronto el asma hacía florecer en su rostro bajo una pátina de humedad e incluso de acné juvenil –aunque, según habían observado la criada y la cocinera, la señora en realidad debía sentirse mucho mejor, puesto que no se la veía usar el aerosol: el último que Elvira había traído de la farmacia, tres días antes, seguía en el tocador de su dormitorio con la caja y el precinto intactos; ni siquiera había tomado la precaución de llevárselo al ir a visitar a su madre esta tarde, acompañada por el doctor Rey, sabiendo que el coche le producía una sensación de ahogo.

Virginia Klein y el médico regresaron a casa a las nueve y ella fue directamente a la cocina a darle a Mercedes instrucciones para la cena, pues esperaba invitados.

–Tomaremos una copa antes de cenar –advirtió a Elvira, llevando impulsivamente la mano a sus rubios cabellos, allí donde solía lucir el pasador. Pero el pasador no estaba allí–. Trae hielo, algo de picar y un sifón que funcione. ¿Dónde está mi marido?

–Arriba, con la señorita –dijo Elvira–. Van a salir, me parece.

–Ellos cenan en casa de la abuela. Así que pon... seis cubiertos. –Meditó unos segundos, todavía con la mano en el pelo, y agregó–: ¿El señor se ha puesto corbata?

–No me he fijado.

La señora Klein miró a la cocinera.

–No sé a qué hora nos sentaremos a la mesa, Mercedes, hoy no estoy segura de nada... Pero no te entretengas.

–Sí señora.

–Volveré más tarde.

Iba a salir, pero en la puerta se volvió y miró al guarda como si acabara de descubrir su presencia allí, sentado en la mesa. Hacía punto con la americana echada sobre los hombros, cabizbajo, el pitillo humeando en los labios y las gafas resbalando en su nariz. La señora Klein sonrió fugazmente al darle las buenas noches y le preguntó si quería ocuparse de encender la chimenea del salón y estar al tanto de la llegada de los invitados para abrir la verja.

Cuando Jan se dirigía al cobertizo para traer unos leños vio salir el Volkswagen del garaje. Isabel conducía y junto a ella iba su padre ya sin vendaje en la frente, con una gasa y dos tiras de esparadrapo; vestía traje de pana gris y abrigo negro y no se había peinado. La llama del mechero, mientras prendía el cigarrillo, arrancó un destello dorado al pasador de su corbata.

A las nueve y media llegaron los invitados en un Mercedes y Jan abrió la verja. Se fijó en el hombre que iba al volante, grueso y atildado, de cara rojiza y ensortijadas patillas de algodón; a su lado reconoció al anciano doctor Sala con el estirado pelo amarillento y los delgados labios finamente teñidos de rojo. La morena de pelo lacado y abrigo de pieles, joven y atractiva, que iba en el asiento trasero, era su mujer, según supo más tarde por Elvira, y la otra señora de más edad que la acompañaba era la esposa del gordo y colorado conductor, el señor Gamero; todos íntimos de los Klein desde hacía años.

La velada, pudo constatar Elvira después de la cena, cuando servía el café en el salón, tenía carácter de consulta médica: se hablaba de los achaques del señor, de su estado mental y de sus barrabasadas y borracheras y falta de sentido de responsabilidad para con la familia y el trabajo... La señora Klein pedía consejo acerca de alguna decisión importante que acababa de tomar. El señor Gamero —ese fatibomba que siempre hace la marranada de ensalivar la punta del puro en su boca y acto seguido remojarla en la copa de coñac de su esposa, pues él bebe anís, precisó la criada con un mohín de asco— comentó, a instancias del doctor Rey —que se había quitado la americana y lucía un fantástico chaleco de seda azul celeste y estaba todo el tiempo de pie junto a la butaca de la señora Klein, la mano en el respaldo—, que, en efecto, al punto en que habían llegado las cosas, el señor necesitaba una prolongada cura de reposo, y que lo decía no solamente por los problemas que don Luis estaba creando en la empresa, que eran muchos, sino por su propio bien y el de la señora Virginia...

—Dicen, los médicos sobre todo —concluyó la joven criada mientras cenaba con Jan y Mercedes en la cocina—, que hay que hacer algo por el señor y enseguida.

—A buena hora —repuso burlonamente la cocinera—. Si le quitaran la botella se curaba en cuatro días...

—¿Usted qué opina, señor Juan? —preguntó Elvira—. ¿Cree que van a llevárselo otra vez al sanatorio?

Él apartó el plato y encendió un cigarrillo.

—No lo sé —dijo levantándose—. Gracias, Merche. Voy a dar un paseo.

—Abríguese, que hace frío.

Poco después de la medianoche se fueron todos excepto el doctor Rey. Klein y su hija aún no habían vuelto. La señora ordenó a Elvira que subiera hielo y agua mineral al saloncito de la primera planta, donde ella y el neurólogo siguieron conversando, lo cual permitió a Jan refugiarse en el salón-biblioteca. La clavija del teléfono indicaba que tenía línea.

A los diez minutos oyó el motor del Volkswagen en

el garaje y acudió por si hacía falta. Isabel venía sola. Su madre la esperaba en la puerta de servicio con un vaso en la mano y le preguntó dónde había dejado a su padre. La chica se encogió de hombros y se deslizó en la cocina sin mirarla, y Jan no pudo oír bien lo que decía. Pero creyó entender que la muchacha no era ajena a la nueva escapada de Klein: parecía satisfecha por ello, mostrándose con su madre más insolente y esquiva que de costumbre.

Era cerca de la una cuando Elvira retiró del salón los vasos y los ceniceros, bostezando de sueño. La copa que había usado el señor Gamero la colocó en la bandeja como si estuviera contaminada. Acababa de salir la criada cuando sonó el teléfono.

Jan reconoció la voz en el acto:

–Soy Julio Lambán. Quisiera hablar…

–Dime.

–¿Es usted? –carraspeó, añadiendo–: Tal vez le interese saber que el juez está en el Calipsso. ¡Y en qué estado, rediós!

–No le pierdas de vista, voy enseguida. –Iba a colgar, pero preguntó–: ¿A quién debo agradecer la llamada? ¿A ti o al *Mandalay*?

Lambán guardó silencio unos segundos.

–Llamo desde casa de mi hermano. Ya no trabajo para Raúl.

–¿Qué ha pasado?

–Tengo otros planes… Raúl va a traspasar el bar. Quería llevarme con él y meterme en su negocio de transporte de arena, pero no me interesa. Yo me largo de este puto país, siempre quise irme, desde que tenía quince años…

Jan le interrumpió:

–¿Cómo sabes que Klein está en el Calipsso?

–Le dejé en la puerta hace veinte minutos. Le dije de llevarle a casa, pero no hubo manera, había cogido la directa. Nos hemos visto un rato en lo de Encarna, quería despedirme de él... Pobre diablo, está hecho un Cristo –añadió en un tono donde se confundían el desdén y la pena–. Por lo que me ha dicho, juraría que el Antoñito y el Medina le zurraron pero bien zurrado.

–¿Por qué? –Estiró el brazo, alcanzó la gabardina sobre el respaldo de la butaca y empezó a ponérsela.

–La otra noche discutió con Raúl, en el Calipsso –dijo Lambán–. Se presentó de improviso, muy trompa, y organizó un cisco porque no le atendieron. El jefe estaba tomando copas con un individuo interesado en comprar el local y se hizo el loco, como si no le conociera, y luego ordenó a los muchachos que lo sacaran a la calle, que le diera el aire... Nunca le había visto tratarle así. Claro, ya no le hace falta. Me ha dicho Medina que le dio lástima dejarlo tirado en la acera y que lo llevó a la pensión donde vive, cerca del Paseo Marítimo, pero el juez no se acuerda de nada... Tengo la impresión que Raúl se ha desentendido completamente de él y estos chorizos le están desplumando.

–¿Qué te hace pensar que Raúl ya no le necesita?

–Acabo de saber quién está detrás de la empresa de extracción de arena que dirige Raúl... El arreglo se ha hecho estos días y Klein ni se ha enterado. Me lo ha dicho el propio Raúl: el negocio se amplía y sigue en sus manos, pero controlado por alguien del Consorcio que no le interesa dar la cara.

–¿Por qué me cuentas todo eso?

–A mí me importa un carajo. Pero aprecio a este infeliz... y usted me cae bien, no sé por qué.

–Gracias por llamar. Saludos a tu hermano.

–Adiós, hombre.

## 2

En las calles de la izquierda del Ensanche, los plátanos más viejos y robustos parecían resistir mejor el embate del otoño. Había olvidado cuán hermosos eran a la luz de las farolas. Con el mismo cautivo escozor con que lo había hecho cientos de veces en la cárcel, ahora —ahora que los veía desfilar a través del cristal del taxi empañado por la lluvia— evocó el verde brillante y artificioso de sus hojas en las lejanas noches de la guerra, cuando se dirigía caminando al piso de Rambla de Cataluña bajo la alarma de las sirenas… A lo largo de las aceras de la calle París, islotes de hojas caídas se pudrían oscuras de una lluvia fangosa que él no había visto ni oído.

El Calipsso quedaba por debajo del nivel de la calle. Su chaparro portal de arco de piedra labrada y su aspecto exterior en general, salvo por el rótulo amarillo fosforescente, era muy parecido al de los negocios vecinos instalados también en subterráneos, tiendas de confección, peluquerías de señoras y pequeños talleres con ventanas enrejadas al ras de la acera. Jan bajó los cuatro escalones y empujó la puerta forrada de cuero verde, tras la cual había una escalera con pasamanos de madera. Al sumergirse en la penumbra azulosa sintió de nuevo el aguijón del paso del tiempo, no sólo del tiempo personal y carcelario, sino también del ajeno y en cierto modo insolidario, ciego y amedrentado, el aire de clandestinidad ya corrupta e inoperante que desde su salida de la cárcel venía percibiendo en todas las cosas, incluidas estas catacumbas musicales para el besuqueo y la caricia furtiva: un local pequeño y oscuro, bajo de techo, con reservados de exiguos bancos corridos y una diminuta pista de baile, luces crispadas y artificiosas como flores de papel y un denso olor a felpudo sacudido. Dos parejas se sobaban sentadas frente por frente, en lo más oscuro, y sonaba una música suave de disco. A la derecha estaba la barra y más allá una cortina roja tapando una entrada con el letrero «servicios».

Klein estaba sentado a la barra con una pelirroja madura de falda corta y aspecto algo sucio y charlaban aburridamente, ella golpeando el mostrador con un cubilete de dados. Incomprensiblemente, no había ninguna copa de alcohol a menos de dos metros alrededor de Klein. Detrás de la barra, dándole la espalda, el barman anotaba algo en una libreta lanzando rápidas miradas a las estanterías repletas de botellas.

–Tomaré otro Benjamín mientras espero a mi novio –dijo la pelirroja–. ¿Y usted?

–Yo Persantín, el famoso vasodilatador.

–¿Vaso qué…?

–Tres Ceros, mujer.

–No debería mezclar, señor Klein.

–Ya que no puedo cambiar de mujer, cambiaré de bebida. –Hizo una pausa y farfulló–: Si no me atienden, me voy a casa de mi suegra; tiene una vieja botella de coñac que le di a guardar hace veinte años… Era para descorchar con un amigo.

–Sería mejor que se fuera usted a la cama… –Se interrumpió al ver acercarse al hombre de la gabardina–. Me parece que vienen a buscarle.

Klein giró la cabeza como si tuviera tortícolis, el esparadrapo un poco desprendido en su frente.

–Hola, Mon. Por el amor de Dios, consígame un trago. Este cabrito no me hace caso.

Tenía el abrigo sobre un taburete. Jan lo cogió y lo echó sobre sus hombros. Observó sus manos lívidas asidas a la barra como garfios; entre los flacos nudillos de la izquierda se erguía un torcido gusano de ceniza.

–Se va usted a quemar –dijo la pelirroja, y le quitó el cigarrillo consumido. Luego, mirando a Jan, creyó necesario aclarar–: Ya llegó así, ¿eh?, con su buena tajada…

El barman se había vuelto.

–¿Es amigo suyo? –preguntó a Jan–. Pues lléveselo, vamos a cerrar.

Jan observaba el local detenidamente.

–Déme un paquete de Celtas –dijo.

–Sólo tenemos rubio.

–Quiero hablar con Raúl –farfulló Klein–. Yo aquí tengo barra libre, usted no lo sabe porque es nuevo…

–Lárguese a otra parte –dijo el barman.

–Sólo un coñac, uno solo, por Dios bendito…

En sus ojos medio ocultos bajo la maraña incolora del pelo seguía anidando aquel azul imposible, pero algo trepidaba en ellos; entumecido, ansioso, Klein había empezado a temblar como una hoja. La pelirroja sintió pena de él y le puso una mano en el hombro. Jan se recostó en la barra y dijo al barman:

–Sírvale una copa. Haga el favor.

El hombre le miró con recelo. La música había cesado en los altavoces.

–Anda, dale su coñaquito –suplicó la pelirroja–. ¿No ves que está jodido? Uno más ya no puede hacerle daño…

–Por mí puede mamarse hasta reventar –repuso el barman sin apartar los ojos de Jan–. Pero no aquí. Órdenes del señor Raúl. Y tú no te metas en eso, Celia. Es mejor que te vayas, López tiene para rato, está despachando con el jefe.

–Dentro de cincuenta años –masculló trabajosamente el juez con las mandíbulas trabadas, sin apenas movimiento– el mundo pertenecerá a las especies de sangre fría: los tiburones, mi mujer, el besugo, Miguel Gamero, Raúl…

–Ya está bien –le cortó el barman–. El bar está cerrado.

Jan le miró por primera vez con cierta atención.

–Tenía entendido –dijo– que el señor era un invitado permanente del dueño.

–Esto se acabó. –Era un tipo envarado y fibroso, de tez sanguínea y ojos saltones–. Si quiere que le diga la verdad, tenemos órdenes de echarle a la calle... Bueno –rectificó–, de no dejarle entrar. ¿Está claro?

Le volvió la espalda. Entonces Jan se encaminó despacio al final de la barra, alzó la tabla y pasó detrás, cogió una botella de coñac del estante y una copa y la llenó. El barman se disponía a llamarle la atención cuando la suya fue requerida por alguien parado en la entrada a los lavabos, al que dedicó un gesto interrogativo con los hombros alzados, refiriéndose al intruso. Jan también miró hacia allí y reconoció al pequeño Medina con la chaqueta de camarero doblada al brazo y su pelo pegado al cráneo como un engrudo negro; con la otra mano apartaba la cortina roja, pero no se decidía a entrar. Dirigió al barman un gesto afirmativo con la cabeza y desapareció tras la cortina. Jan ya había captado el destello en su corbata. Volvió a colocar la botella en su sitio y se acercó a Klein con la copa en la mano.

Encogido en lo alto del taburete, aferrándose a la barra con ambas manos, el juez parecía un pájaro dormido. Como por arte de magia vio surgir ante él la copa de coñac; tembloroso abrevó en la copa y la pelirroja agitó los dados del cubilete movida por un reflejo nervioso. El barman se había desentendido del asunto, reanudando sus anotaciones en la libreta. Jan salió de la barra por el mismo sitio, pero no volvió junto a Klein; se paró, hurgó distraídamente en los bolsillos de su gabardina, pidió a la pelirroja que cuidara del juez un momento y se fue por donde había salido el gitano.

Detrás de la cortina había un angosto pasillo, los dos lavabos a la derecha y enfrente otra puerta con un letrero que decía «privado». Abrió la puerta y entró.

Era un cuarto pequeño y sin ventanas, con una mesa escritorio y una lámpara de flexo, erguida de forma que alumbrara no sólo la mesa sino también la pared lateral con archivadores metálicos. Nada más entrar, Jan sintió en la sangre el flujo de antiguas vejaciones; debido tal vez a la postura forzada de la lámpara, el despachito tenía un aire de dependencia policial. Al fondo y en penumbra, junto al perchero de pie donde colgaba un abrigo gris y un impermeable, Medina estaba sentado en una silla baja, la cabeza gacha, hurgándose las uñas. Tras el desorden del escritorio, repleto de ficheros y papeles, se sentaba un hombrecillo calvo y pulcro en mangas de camisa, joven y de facciones muy correctas. El *Mandalay* recostaba una nalga en el canto de la mesa con una carpeta abierta en las manos, de espaldas a la puerta. Vestía un jersey de lana cruda y cuello alto.

–¡Vaya! –exclamó volviéndose–. Esto sí que es una sorpresa. Pasa, hombre.

Jan cerró la puerta y miró a Medina: ya no llevaba el pasador en la corbata.

–Hola, Raúl.

–Me encuentras de casualidad –dijo el *Mandalay*–. He venido a poner un poco de orden, mañana se firma el traspaso y entrego las llaves. Bueno, ya iba siendo hora de que te dejaras ver. ¿Cómo te va, Jan?

Tendió la mano y él se la estrechó. Medina se miraba las uñas atentamente. Jan se acercó a él con las manos en los bolsillos.

–¿Estás solo?

El camarero levantó la repeinada cabeza.

–¿Cómo dice?

–¿Dónde está tu amigo?

–¿Quién? ¿Antonio?

–Sí.

–Yo qué sé.

–¿Ocurre algo? –terció el *Mandalay*. No esperó respuesta y cerrando la carpeta se la pasó al contable–. Seguiremos más tarde. Vete a tomar una copa con Celia y luego la mandas a casa.

El hombre descolgó su americana del respaldo de la silla y salió cerrando la puerta. El *Mandalay* propuso animosamente:

–Siéntate, Jan, hay que celebrar este encuentro...

–No he venido a verte a ti –dijo él sin volverse. Dirigiéndose al gitano, añadió–: Levántate.

El *Mandalay* consideró la calmosa e inconfundible dejadez de sus manos tensando los bolsillos de la gabardina y habló con un deje irónico:

–Me han dicho que aún sabes colocar los puños. –Sonrió cruzándose de brazos–. No es asunto mío, pero creo que deberías controlarte. Estás en libertad vigilada.

–Condicional –corrigió Jan–. ¿Has traspasado el negocio o todavía es tuyo?

–De hecho ya no es mío...

–Pero aún mandas en éstos. –Indicó a Medina con la cabeza.

–Depende. ¿Qué ha pasado?

–Tiene algo que no es suyo. Dile que me lo dé por las buenas o tendré que sacudirle.

–¡Es un regalo del coronel! –exclamó Medina–. ¡Se lo juro, señor Raúl! ¡El coronel me lo ha regalado, por mi madre que es verdad...!

–A mí no tienes que convencerme –dijo el *Mandalay*, y mirando a Jan agregó–: Los camareros han tenido muchos problemas con este marica, han soportado muchas cabronadas... Déjales cobrárselo a su modo, joder, a ti qué más te da.

Jan no le escuchó. Dijo a Medina:

–Levántate.

Quieto en la silla, el muchacho enarcó las cejas mirando al *Mandalay* y deslizó su mano por los cabellos negros y brillantes que ceñían su pequeña cabeza de melón, y en este momento se sintió izado por la corbata.

–¡Pregunte a la chica que está en la barra, a la novia de López...! ¡Ella le dirá si es un regalo o no!

Se vio empujado contra la pared, y con la otra mano, después de abofetearle, Jan le registró rápidamente hasta dar con la espiga de oro y platino, que ocultó en su bolsillo sin que el *Mandalay* la viera. Soltó a Medina, que se debatía furioso, y que cayó de nuevo sobre la silla. Enseguida se levantó, obedeciendo a una señal de su amo, y se deslizó hasta la puerta.

–Cuando vuelva Antonio quiero hablar con los dos –le previno el *Mandalay* antes de verle salir–. Lo siento –dijo volviéndose a Jan–. Luego me ocuparé del asunto, pero con éstos no es fácil sacar nada en claro… La verdad es que hace un par de semanas que ya no les controlo. Tengo que prescindir de ellos, no es la clase de personal que voy a necesitar ahora, como comprenderás. –Sonrió escrutando la pasividad de su antiguo jefe, intentando familiarizarse nuevamente con ella–. ¡Seré tonto! Y yo que pensaba que venías a verme para disculparte por aquella broma pesada de hace trece años… Bueno, no me hagas caso. Qué importa ya todo eso; por mi parte está olvidado, no me debes nada. A no ser –añadió receloso ante su silencio, apoyando las manos en el canto de la mesa donde se sentaba otra vez– que prefieras darme alguna explicación… Pero nunca fuiste amigo de dar explicaciones.

–Así es.

Ahora Jan le prestaba una atención fría, casi aburrida.

–Las cosas te han ido mal, ¿verdad? –dijo el *Mandalay*.

–Podían ir peor.

–Pero te veo bien. Lo que no esperaba, te lo digo en serio, es que acabaras de guardaespaldas de un hijo de perra como Klein.

–Otros acaban peor.

–Claro. ¿No te sientas? ¿De veras no te apetece una copa? ¿O es que no bebes cuando estás de servicio…? Lo tuyo era el coñac, si no recuerdo mal.

–No quiero nada.

–¿Cómo te va el trabajo? Cuenta, hombre... ¿Qué dice mi buen amigo el juez?

–Dice que ya no le tratas bien.

–¿Ah, no? ¿Y cómo hay que tratar a un cafre alcoholizado hasta las pestañas, a una loca despendolada? ¿Tú le has visto cuando se lanza a fondo? –Sonrió con aire de cansancio, el párpado maltrecho y su esporádico tic sobre el ojo alertado: fugazmente evocó una satinada baraja de póquer con fotos de tíos en pelotas en el reverso que circulaba por la cárcel Modelo, una aburrida sucesión de alardes viriles y posturas procaces a cuatro patas; nada, un juego de niños, comparado con las actuaciones del juez en el piso de Silvia, ciego de vodka y arrastrándose a gatas entre jovenzuelos muertos de risa–. No quieras saber lo que es eso, Jan. Pero mi problema ahora es que ya no pinto nada aquí, el local ya no es mío, como quien dice, y no me hago responsable de lo que pueda pasarle a este infeliz... Por cierto, me quedé de una pieza cuando supe que trabajabas en su casa. Y velando por su seguridad, nada menos. Llegaste a confundirme, compañero; pensé que tramabas algo para sacarle los cuartos...

–Tengo entendido que tú te has ocupado de eso.

El *Mandalay* sonrió.

–Qué va. Hicimos algún negocio juntos. Todo legal, no creas. Pero se acabó, a Klein lo van a jubilar, te supongo enterado... Y he tenido que arreglármelas sin él, ahora trato con gente más formal y responsable.

Jan asintió simulando interés. Su actitud, plantado en medio del cuarto con las manos en los bolsillos, era desde hacía rato la del que se va a marchar enseguida porque ya nada le retiene aquí.

–Saldrás adelante, seguro –dijo con la voz oscura.

–Han sido años muy duros, Jan. Ahora tengo que asegurarme el negocio; se lo ofrecí al juez, yo hubiese preferido tenerle a él como respaldo y como socio; ya sabes, estos cabrones son los que mandan, nos guste o no. Pero está acabado, lleva un pedo que no se aclara ni de día ni de noche... He tenido que apartarle y recurrir a alguien de más arriba, ampliando el negocio, ¿comprendes? Extraoficialmente es suyo, pero yo sigo al frente...

—El arreglo no me interesa —le interrumpió Jan. La luz de la lámpara le hacía entornar los ojos y movió el flexo, abatiéndolo. Su cara quedó en penumbra—. Prescindes de Klein porque ya no te sirve.

El *Mandalay* enarcó las cejas y sonrió confuso.

—¿Te parece mal? Estos fachas no merecen compasión. ¿O ya no te acuerdas...? Y no vayas a creer que los suyos se han portado con él mejor que yo. Mira sus amigos del Consorcio cómo se lo quitan de encima, el propio delegado del Estado, y no digamos su familia... ¿Quién aguanta a ese borracho neurasténico?

—Tiene gracia verte como el hombre de paja de un pez gordo. —Jan sonrió, añadiendo—: Esto quiere decir que te estás convirtiendo en un industrial eficiente y respetable.

El *Mandalay* no mostró el menor recelo ni vacilación:

—Eso es lo que soy, Jan.

Su cara, con los ojos pequeños y muy juntos y la boca fruncida, parecía más alargada y banal: un rostro al que asomaba la costumbre de no gustar y de no pasar por inteligente, y, sin embargo, de estar conforme con ello.

—Y a propósito —añadió mirando su reloj—, si en algo te puedo ayudar, aquí me tienes. Olvidemos todo lo demás, yo también he cometido algunas pifias... A fin de cuentas, te debo mucho, Jan. De ti aprendí a desmarcarme de banderas y partidos y demás camelos. De todo.

–De todo no te has desmarcado –repuso él–. Sigues siendo un miserable tipejo, Raúl.

El *Mandalay* sonrió con talante apacible. Cogió un paquete de tabaco rubio, medio oculto entre las facturas esparcidas sobre la mesa, y lo ofreció a Jan. Éste rehusó.

–A pesar de todo me alegro de verte, coño –dijo el *Mandalay* después de encender el cigarrillo–. Todos tenemos bastante que reprocharnos, así que... ¿De verdad no quieres beber nada?

–No.

–Bien. –Hizo una pausa y añadió–: En cuanto a este pobre sarasa, ¿qué quieres que haga? A mí qué me importa si quiere matarse... Deberías ir pensando en qué te conviene. Antes de fin de mes te vas a quedar sin empleo. A Klein lo van a internar en una clínica, lo sé de buena tinta. Lo mandan a Suiza y su mujer vende la casa y se va con sus hijos, creo que a Santander. Te vas a encontrar en la calle cuando menos lo esperes.

–¿Y tú cómo lo sabes?

Se había desplazado un poco hacia el lado de la puerta y se volvió a mirarle.

–Estás en la inopia, Jan. Hace tiempo que todo está decidido. A tu amo le han hecho la cama. Y conste que yo no he tenido nada que ver...

–¿Te lo ha dicho el tal Gamero?

El *Mandalay* le miró receloso.

–¿Le conoces?

–¿Qué más sabes?

–Que la familia de Klein está considerando la conveniencia de declararlo incapacitado. Y no es para menos. Sufre eso que llaman demencia senil, que afecta a la memoria. Le van a quitar hasta la firma, antes que deje a la familia sin un duro... Si supieras el merdé que su mujer ha organizado con sus acciones de la empresa...

–¿Cómo lo van a incapacitar?

–Basta con que certifiquen dos siquiatras. He conocido a un médico, el que lleva el asunto, Gamero me lo presentó. –Mientras hablaba rodeó la mesa escritorio, sentándose en la silla–. Un tipo listo, que no se anda con rodeos.

–¿Qué te quería? –preguntó Jan.

El *Mandalay* bostezó y luego sonrió divertido.

–Un testimonio confidencial, eso dijo, sobre el señor Klein y sus devaneos de mariquita, sus amiguitos, sus dispendios en parrandas. Por supuesto, fui discreto. No me gusta dar esa clase de informes.

–Se lo diste.

–No vi ningún mal en ello. Al contrario, creo que es por su bien. Ya va siendo hora que lo encierren, este hombre es un irresponsable, no habría parado hasta arruinarse. –Cogió unos papeles de la mesa y añadió–: Me queda bastante trabajo, pero si quieres esperarme…

Jan le miró en silencio unos segundos, sin un parpadeo. Luego consultó su reloj.

–Adiós, Raúl. –Le volvió la espalda–. Pídeme un taxi por teléfono.

–Eso está hecho. –El *Mandalay* se recostó en la silla, viéndole ir hacia la puerta–. Procura que Klein no vuelva por aquí, al menos en unos días… Y tú espabila, créeme, que la bicoca se acaba. Haz como yo: si has sacado algún provecho, date por contento y a otra cosa. Insisto en que podría conseguirte trabajo…

–No te molestes –dijo él, y salió sin cerrar la puerta.

El *Mandalay* descolgó el teléfono y marcó un número.


### 3


Ya no había nadie en los reservados ni sonaba la música, las sillas estaban patas arriba sobre las mesas y apagadas casi todas las luces, excepto las de la barra. Se cruzó con el contable y la pelirroja y no respondió a su tímido saludo. Bajó a Klein del taburete, le puso el abrigo y lo sacó a la calle sujetándole por el sobaco. Esperó el taxi junto al bordillo de la acera, bajo una farola que hacía guiños, el brazo inerme del juez en los hombros y su respiración como un frenético papel de lija raspando su pecho; ya no llevaba el esparadrapo en la frente y Jan advirtió que la herida sangraba un poco cuando, a sus espaldas, el ruido de la puerta metálica bajando le hizo pensar que cerraban el Calipsso. Sólo al percibir las rápidas pisadas sobre las hojas y un premioso tintineo metálico, y pegada casi a la nuca la respiración ansiosa que precede al esfuerzo, comprendió que venían por él. Tuvo el tiempo justo de soltar a Klein, que se apoyó en el tronco del árbol, y revolverse apretando los puños. Detrás de la gruesa cadena con candado vislumbró los furiosos ojos morenos y el arete en la oreja orlada de rizos negros. Sintió la mordedura de la cadena en el hombro cuando paraba con el antebrazo el golpe de rodilla de Medina, y alcanzó a rozar con los nudillos un rabioso pómulo y luego aplicó la izquierda al vientre que tenía más cerca y escuchó el aullido, pero la cadena silbaba de nuevo en el aire y notó un fuego en la nuca y casi al mismo tiempo, al doblarse, otro rodillazo en el pecho. Desde el suelo vio a Klein con la espalda apoyada en el tronco del árbol, resbalando y tanteando los parpadeos de la farola como un ciego. No le tocaron. A él le patearon el vientre y el pecho. «Dale fuerte, joder», susurraba la lustrosa voz andaluza de Antoñito. Ni una patada en la cara, pensó: saben dónde hacerlo. Ocurrió en pocos segundos y no llegó a perder totalmente el sentido. Captó el destello de astucia en el ojo que bajaba sobre él, sintió las manos hurgando como ratas entre su ropa hasta dar con la espiga de oro y platino, «así aprenderás, matón de mierda», el ojo de azabache meditando un instante el efecto pasajero pero contundente de los golpes en el cuerpo, y seguidamente los dos alejándose hacia la esquina con paso vivo pero no corriendo, palmeándose la espalda, contentos, «el señor está servío».

Cuando se sintió capaz de ponerse en pie, empezó a caer una lluvia muy fina que no había de parar en dos días.


## 4


Virginia Klein oyó desde la cama el portazo en el dormitorio contiguo y después el roce inconfundible de las manos de su marido tanteando las paredes del pasillo, buscando apoyo y, seguramente, el interruptor de la luz. Esperó ver aparecer la franja luminosa bajo la puerta, como otras noches, si es que conseguía dar con el interruptor antes de precipitarse escaleras abajo hasta el vestíbulo... Alguna vez iba a ocurrir, pensó con tristeza.

Decidió levantarse y evitarle un nuevo descalabro, pero se limitó a encender la luz de la mesilla y a empuñar el aerosol, sin usarlo. «Quizá aún esté despierto –se dijo pensando en el guarda– y lo hará volver a la cama... después de consentirle tomar una copa.»

Una hora antes les oyó llegar, pero tampoco entonces se levantó, a pesar de que Augusto –que se había acostado pasadas las dos, luego de esperar inútilmente a Luis, haciéndole compañía a ella– le dijo que lo despertara cuando volvieran, cualquiera que fuese el estado de su marido. Pero ella adivinó desde la cama que llegaba peor que mal –los dos, creyó entender esta vez, a juzgar por el tiempo que el guarda empleó en ayudarle a subir las escaleras y meterle en su cuarto, donde oyó la voz trabada de Luis reclamando un nuevo vendaje para su frente y decidió que no valía la pena despertar al médico.

Ahora, sin embargo, dudaba acerca de si debía avisarle. Porque esta noche tal vez no era el deseo de hacerse con la botella lo que había sacado a Luis de la cama, pensó, ni tampoco el dolor o el insomnio, sino alguno de aquellos coletazos de la memoria, que decía Augusto: un sonámbulo en pos de sí mismo, de una obsesión remota o reciente, real o soñada, algo que para ti puede no significar nada pero que a él puede guiarle ciegamente hasta el borde de una cornisa... Virginia Klein recordó una noche que le vio así en casa de su madre, súbitamente abstraído, después de cenar: Isabel le arreglaba bromeando el nudo de la corbata y él se dio media vuelta como un autómata y se dirigió en línea recta al armario-librería atraído por una polvorienta botella que llevaba años allí, detrás del cristal, como dentro de un nicho, y la estuvo mirando interminablemente con una dolorosa intensidad, con una crispación rayana en el temblor; o aquel día que lo vio parado al borde de la pista de tenis invadida por la hierba, en el jardín abandonado del viejo chalet de Vallvidrera, poco antes de decidirse a venderlo, mirando obsesivamente a través de la rota y herrumbrosa alambrada el camino vecinal flanqueado de pinos y abetos, inmóvil como una estatua, como si esperara la inminente llegada de alguien por aquel camino... Sería una especie de retracción inconsciente de su más íntimo pasado, decían los médicos, o puede que nada, el vacío ahondándose en su interior, un flujo ensimismado de la sangre o el sereno convencimiento, tal vez –porque le tenían todos por un hombre sensible e inteligente– de vegetar sin esperanza en un mundo que ya conoció viejo y esclerótico y que seguía envejeciendo y degradándose al mismo ritmo que él...

Ciñéndose la bata, Virginia Klein terminó de bajar la escalera del vestíbulo y se dirigió al salón, cuya puerta estaba abierta. Desde el umbral vio al guarda sentado en la mecedora, de espaldas, aparentemente dormido y con la labor de punto resbalando sobre sus piernas, como si el sueño le hubiese sorprendido manejando las agujas. De pie ante él, descalzo, con el abrigo echado sobre los hombros desnudos –sólo llevaba puesto el pantalón del pijama–, Luis Klein le miraba torvamente, inerme, un poco inclinado hacia adelante, al borde otra vez del sueño o de la vigilia. Llevaba la frente vendada y sostenía un vaso con la mano derecha.

Advirtió la presencia de su mujer en el umbral y giró lentamente hacia ella sus ojos azules extraviados, pidiendo auxilio.

–¿Qué os habéis propuesto? Ya me está cansando este juego...

–Bueno, y ahora qué te pasa –dijo ella armándose de paciencia–. Vuelve a la cama, Luis, por favor. O tendré que despertar al señor Mon y que te lleve...

–No lo hagas –se interpuso él–. Déjale dormir, así está bien. –Sudaba copiosamente y su voz era un susurro–. Seguro que la idea ha sido del cabrón de Augusto, seguro, me lo figuré desde el principio... Pues dile que no ha servido de nada, porque siempre lo supe.

–¿Qué tonterías dices? ¿Qué te ocurre?

Su mujer se asustó al verle temblar. Le cogió del brazo.

–Suelta.

–¡Cálmate, por el amor de Dios...! ¿Por qué te has levantado? Habrás tenido una pesadilla...

–Esta vez no. Quieta, estoy bien.

–Luis, te lo suplico. –Le quitó el vaso de la mano y tiró suavemente de él, intentando llevárselo–. Avisaré a Augusto...

Los ojos de Klein estaban lúcidamente fijos en el vacío. Una pista de tenis roja y polvorienta, desfigurada y remota detrás del viento, dormía entre los harapos de su memoria...

–Lo primero que me llamó la atención fue la voz.

Lo supe desde el primer día… Díselo a este bobo y que lo incluya en el historial clínico de mis diabólicos *pashing-shots*. Nunca supo subir a la red, el prestigioso neurólogo.

–Sí, está bien –lo calmó ella–. Anda, vamos a dormir.

Había notado su aliento a alcohol, pero intuyó que eso era lo de menos. Lo sacó de allí y lo ayudó a subir la escalera. Manejaba un fardo convulso. Súbitamente, Klein se calló y dejó de temblar, pero su mirada azul prendida en el aire volvió a reclamar auxilio. Virginia se alarmó. Después de acostarlo en su cama fue a despertar al doctor Rey. Cuando entraron, Klein yacía de lado con los ojos muy abiertos.

–¿Qué pasa, hombre? –dijo el médico.

–Nada. Te he visto jugando al tenis con ella, hace veinticinco años. Eras un paquete, Rey. No dabas una.

Parecía tranquilo, algo amodorrado. Dijo que tenía sueño y que se fueran los dos al cuerno. No contestó a más preguntas. El médico inspeccionó la herida de su frente y le recetó un sedante.

# CAPÍTULO III

## 1

–Una mañana de abril del treinta y seis, domingo, iba yo con mi bicicleta a verle entrenarse en las afueras –empezó a contar el viejo Suau sentado muy tieso en la silla del comedor de Balbina y con la vista baja, amohinado, como si por una vez le impusieran la injusta y nada gratificante obligación de hablar sin rodeos–. Jesús Blay, su preparador, tenía en Vallvidrera una casita rodeada de pinos y había instalado un cuadrilátero al aire libre; yo solía ir porque me gustaba ver a Jan boxeando a la sombra o con sparring; entonces aún trabajaba para mí pintando paredes, y tú ni siquiera conocías a su hermano... Algunos domingos venía Palau con su macuto cargado de berenjenas y pimientos y encendía un fuego con ramas de pino y hacía escalivada, asaba kilos de chuletas, butifarra, arenques. Qué tío más salado el Palau, éste sí que entendía la vida... Bueno, pues aquel domingo, cuando llegué, no vi a Jan en el cuadrilátero, y Blay salió de la casa y me dijo que estaba corriendo por el bosque para rebajar peso. La culpa la tiene el carota de Palau, recuerdo que me dijo, espero que no se le ocurra venir a organizar otra comilona. Así que volví a montar en la bicicleta y enfilé el camino de la ladera que Jan solía recorrer, y donde se paraba de cuando en cuando para hacer ejercicios de respiración...

No muy lejos de allí, en una revuelta del camino y detrás de una ringlera de abetos, había un chalet con una pista de tenis protegida por una alambrada. Durante el invierno no había nadie, recordó Suau, salvo un par de mastines muy fieros, pero con la llegada del buen tiempo cada domingo se veían pasar coches y desde la casita de Blay se oían los gritos alegres y las risas de muchachas jugando al tenis... Cuando alcanzó la curva, vio a Jan parado al borde del camino con su mono azul de entrenamiento y su toalla liada al cuello; recostaba el hombro en la alambrada y conversaba tranquilamente con alguien al otro lado, un muchacho esbelto y de ojos azules enteramente vestido de blanco que apoyaba la mano en el respaldo de una silla plegable y esgrimía sonriendo una raqueta con el cordaje agujereado. Me fijé en él, añadió Suau afilando la voz, parodiando con sus ojitos astutos la misma curiosidad que debió sentir entonces, por su manera de hablarle a Jan y de mirarle a través del agujero de la raqueta, como si eso le divirtiera mucho... En la pista jugaban dos chicas, sin prestarles atención, y ellos estaban tan distraídos conversando que no me vieron hasta que llegué a su lado. Jan tenía un costado del mono sucio de tierra y se frotaba la muñeca izquierda, porque había empezado a dolerle. Más tarde, en lo de Blay, cuando el dolor le obligó a suspender el entrenamiento, nos contaría lo ocurrido: pasaba corriendo por allí y una de las señoritas lo llamó desde la alambrada para pedirle por favor que le alcanzara la pelota, que habían echado fuera colgándola en la rama de un abeto... Esta muchacha se llamaba Virginia Fisas.

Balbina, que le escuchaba sentada al otro lado de la mesa, asintió en silencio. Como si adivinara sus apresuradas deducciones, Suau la miró de refilón e hizo una pausa mientras volvía la cara hacia la puerta entornada del dormitorio, donde se oía la áspera risa de la Paqui y la armónica de Néstor. El viejo removió su café con la cucharilla y carraspeó malhumorado:

–Aunque estuviéramos hablando toda la noche, no sacaríamos nada en claro. No creas que sé mucho más que tú, de este asunto… Tu cuñado es de los de la cáscara amarga, Balbina, nunca dejó entrever sus intenciones.

–Pero si alguna vez confió en alguien, fue en usted.

–Hum… Nunca pronunció su nombre, y yo no lo supe hasta hace muy poco. Además, él siempre me previno: mutis, Suau, se trata de mi trabajo y de mi pellejo, aunque te parezca otra cosa, y de la seguridad personal de mis compañeros, así que mutis. Claro que eso *keep quiet* fue hace años, ahora él ya no anda con su gente queriendo liquidar a nadie, o lo que fuera lo que se había propuesto, que yo no lo sé, y supongo que si me oyera hablar de Vallvidrera pensaría que todo eso ya no son más que chafarderías de viejo…

De todos modos, reflexionó, sólo unos meses atrás, cuando salió de la cárcel y buscaba trabajo y se hablaba tanto de él, comentar esto por ahí habría sido tanto como denunciarle a la policía, debido a sus antecedentes:

–Porque antes ya había atentado contra la vida de este juez –añadió bajando la voz–, o se había propuesto hacerlo, y se sabía…

–¿Y qué pasó luego, en Vallvidrera?

Balbina se había acodado a la mesa, el mentón apoyado en las manos entrelazadas, y miraba al viejo con media sonrisa socarrona, despectiva, instándole a seguir hablando: ya le anticipaba el desencanto y la rechifla, además de ofrecerle su curiosidad. Poco antes, nada más verle entrar en el comedor preguntando por su nieta, le había indicado la mesa con el café ya servido y la copa de coñac, como si le esperara, y cuando le tuvo sentado le dijo con la voz meliflua: «¿Sabe usted que anoche parece que le pegaron, que casi le rompen el cuello...? ¿Qué está pasando, señor Suau? ¿Usted qué piensa de todo eso? ¿Adónde quiere ir a parar este hombre...?» Entonces el anciano pintor la había escrutado con malicia, mientras saboreaba el coñac: durante años no has querido oír hablar de él, pensó, le odiabas como sólo una meuca sabe odiar a un hombre, le habrías escupido en la cara...

—Eso era antes —dijo Balbina como si leyera en su pensamiento—. Ahora que este puñetero vive conmigo y con mi hijo es muy diferente... Bueno, no le quiero ningún mal. ¿Decía usted...? ¿Qué pasó en Vallvidrera?

Se dio cuenta que al viejo Suau le costaba lo suyo enfilar la historia: no conocía más que una parte y sobre todo temía agraviar a Jan; o era tal vez que, después de camuflar ciertos hechos durante años, ahora no sabía dar con ellos. Antes de proseguir, Suau se levantó a cerrar la puerta del dormitorio, donde Paquita se estaba probando una gabardina con capucha frente al espejo del armario. Néstor, a su lado, sostenía su muleta y ella apoyaba ocasionalmente la mano en su hombro. La muchacha había subido al piso después de cenar y a instancias de Balbina, que tenía apartadas para ella, como cada año al llegar el invierno, algunas prendas de ropa usada.

Cuando volvió a sentarse a la mesa, Suau miró lacrimosamente a Balbina durante unos segundos y dijo:

—Pues bien, el muy cabezota trepó al árbol y alcanzó la pelota, pero estando arriba quiso presumir ante aquellas señoritas y cayó malamente, torciéndose la mano. No lo sabía entonces, claro, pero jamás volvería a boxear... Entregó la pelota y entonces fue cuando el otro se acercaría a la alambrada con su raqueta agujereada a preguntarle si se había hecho daño y si necesitaba algo. Creo que ya había terminado la carrera de leyes y era militar, e hijo de militar... Así fue como se conocieron, hace casi veinticinco años.

»Dos años después, a principios del treinta y ocho –prosiguió al cabo de un rato, sin mirar a Balbina, tanteando la copa de coñac con la mano trémula–, Jan obtuvo la placa de policía por recomendación de Palau. Había vuelto del frente con metralla en el hombro, veintisiete años y una carrera deportiva definitivamente acabada. Ya no era el mismo –dijo Suau–, parecía sonado –y precisó–: como una vez que le vi horas después de recuperarse de un golpe fortuito en un entrenamiento: una mirada de mármol, un quedarse quieto, no sé... Entonces su padre ya se había hecho cargo del piso deshabitado en el 32 de la Rambla de Cataluña y él iba a dormir allí algunas noches. Por cierto, vale la pena recordar –sonrió animándose, recuperando aquel tono desenvuelto y anecdótico que había cultivado en el bar Trola y en la barbería– cómo y por qué tu suegro Sisco Julivert aceptó durante la guerra el encargo de cuidar y preservar del saqueo y la rapiña aquel piso de un ricacho antirrepublicano... El piso era un tercero, y en el segundo estaban las oficinas de *Nosaltres Sols,* militantes de Estat Català, a cuyas reuniones asistía Sisco Julivert como miembro destacado. El señor Fisas, que vivía solo en el tercero, porque había enviado a su mujer y a sus hijas a una finca en el campo, a causa de los bombardeos, tuvo una tarde la desdichada ocurrencia de ir a afeitarse a una barbería que entonces existía sobre el bar La Luna, en la esquina de la plaza Cataluña. Esta barbería estaba atendida por elementos de la CNT y solían frecuentarla milicianos de permiso, y como había un esmerado servicio de manicura, por raro que parezca en aquellos días, pues

373

cuanto más guarro iba uno más seguro se sentía, al ingenuo señor Fisas se le antojó pedirlo. Iba, como muchos entonces, vestido con ropas viejas, camuflado de obrero... Mira, esto sí que me habría gustado verlo, debió ser la rehostia, de troncharse de risa. Porque resulta que un joven faiero al que estaban afeitando empezó a fijarse atentamente en las pulcras manos y en las uñas del señor Fisas y le dijo: «¡Collons, las llevas muy limpias, tú! ¡Estas uñas tan pulidas y tan chulas sólo pueden ser de un podrido burgués...!» Algo así le dijo, y todos miraron al pobre hombre y él empezó a temblar y no paró hasta salir de la barbería...

»Al día siguiente, Fisas recibió la visita de los agentes del SIM. ¡Parece que, aterrado, se puso guantes...! Mientras le registraban el piso se escabulló escaleras abajo y llamó a la puerta de *Nosaltres Sols* pidiendo protección a la única persona que allí conocía, a Sisco Julivert. Explicó que unos hombres acababan de irrumpir en su casa y se lo querían llevar por hacerse la manicura. Bueno, después sería acusado de pertenecer a la «quinta columna», pero es otra historia... Casualmente, Jan estaba allí con su padre, y también Palau; aquello les pareció un atropello y subieron al piso de Fisas, y, según me contó Palau, acojonaron a los agentes y les echaron de allí a punta de pistola. Pero a lo que iba: Fisas se llevó un susto tan grande que ese mismo día decidió reunirse con su familia en el campo, y como temía que le saquearan el piso dejó las llaves a tu suegro y le propuso que se instalara allí con su familia, o al menos que lo ocupara alguien de confianza, hasta que todo volviera a la normalidad... Era lo único que podía hacer para salvar sus muebles. El piso era grande y lujoso; pero tus suegros, como seguramente ya sabes, no llegaron a ocuparlo.

»Durante el bombardeo de la noche del 17 de marzo —deletreó Suau la fecha con visible autocomplacencia—, hacia la una de la madrugada, y encontrándose lejos de su casa, Jan decidió pasar la noche en el piso de Fisas. Parece que estaba sentado en una butaca del salón, con las luces apagadas y una botella de coñac, cuando oyó caer una bomba en una calle próxima. Poco después oyó la llave en la cerradura y los pasos de alguien. Luis Klein Aymerich ya trabajaba entonces en los servicios de información franquistas, pero naturalmente Jan no lo sabía. Los dos debieron sorprenderse mucho al encontrarse allí... Aquel atlético muchacho de piel bronceada y con atuendo blanco que había conocido al borde de una pista de tenis, era ahora un ciudadano anónimo y desastrado, con barba de varios días, débil y hambriento. Su aspecto de hombre acosado alertaría a Jan desde un principio; traía una herida leve en la mano, causada por una esquirla de piedra o metralla cuando venía corriendo hacia aquí, a casa de Virginia, dijo, y Jan le curó a la luz de una vela sin preguntarle más, explicándole a su vez por qué se encontraba él allí. Klein le diría que se había quedado solo en la ciudad, que habían confiscado el piso de su madre y que había pensado acogerse a la hospitalidad de los padres de su novia; no sabía que estaban fuera de Barcelona. Quedaban bastantes cuestiones por resolver, pero Jan las pasó por alto... Mucho tiempo después, en las pocas ocasiones en que se refirió a esta noche, le gustaba recordar solamente lo mucho que se rieron tropezando a oscuras con el mobiliario, trajinando botellas de coñac de la despensa, probándose pijamas y batines de seda del dueño de la casa, completamente trompas, o sentados en el suelo del balcón frente al resplandor del bombardeo. En resumen, Klein se quedó allí unos días al cuidado de Jan, que le traía comida y le visitaba cada noche, hasta que, al parecer durante otra borrachera, Klein le contó la verdad: tenía que escapar a San Sebastián y esperaba a Virginia de un momento a otro. Y aquí viene lo más triste del asunto...

Jan podía haberlo entregado entonces, pero no lo hizo, y tampoco denunció a su prometida, a pesar de que Klein acabaría confesándolo todo: las veces que se había citado con ella en aquel piso, cómo ella le pasaba información y qué clase de información era ésta. Y luego una noche Virginia Fisas se presentó y habló con Klein a solas, sin sospechar que pudiera haber alguien más en su casa; de hecho, después de aquel primer y fugaz encuentro en Vallvidrera, ella no volvería a ver a Jan… Según todas las apariencias, esa noche Klein habría llegado a un acuerdo con Jan, y, sin referirse a él en ningún momento, advertiría a su novia del peligro que corrían los dos, convenciéndola para que abandonara la ciudad y se reunieran con sus padres. La chica se esfumó y unos días después lo hizo Klein.

»No volverían a verse hasta 1947. Luis Klein ya llevaba cinco años casado con Virginia y culminaba una brillante carrera como auditor de guerra iniciada durante los años más siniestros de la represión. Jan no podía de ningún modo ignorarlo porque él actuaba precisamente en los grupos más radicales de la resistencia. Cómo entablaron relación nuevamente, resulta bastante confuso; al parecer se debió a un equívoco con el apellido Klein después de un supuesto atentado contra el juez… Ocurrió que, sin que Jan lo supiera, porque estaba desconectado del grupo de Sendra y de Lage, éstos se habrían propuesto liquidar al juez, pero algo habría fallado y se confundieron, matando a su hermano, el doctor Klein. Jan se enteró de lo ocurrido y entabló contacto con Palau, que entonces bregaba en el grupo de Sendra. Palau siempre negó que aquella noche hubiesen salido para cazar al juez; según él, su intención era simplemente atracar un meublé de la Diagonal y de paso limpiarles la cartera a algunos clientes, y por supuesto allí no esperaban vérselas con ningún Klein, fuera médico o juez. No, fue una puta casualidad, un desdichado accidente, y no lo que dijeron los diarios al saberse que el muerto era el doctor Klein... Parece que, al salir del meublé, se vieron bloqueados por otro coche en el que iban un hombre y una mujer que ocultaba la cara detrás del bolso. El tipo se apeó y al comprender lo que ocurría se puso nervioso. Palau dice que el imbécil se abalanzó sobre el claxon para dar la alarma, y que entonces tuvieron que dispararle. La mujer sufrió un ataque de nervios acurrucada en el asiento, te acordarás que el suceso fue muy comentado, se dijo incluso que la rubia que acompañaba al doctor Klein al meublé era su cuñada... Sea como fuere, tal vez con ocasión del entierro del médico, Jan conseguiría localizar al juez, que entonces aún no vivía en la calle del Iris. Al mismo tiempo, según contaba el *Taylor* años después, cuando venía por aquí a ver a Margarita, Jan se anticipó a otro confuso complot contra Klein ofreciéndose voluntario para acabar con él de una vez y sin ayuda de nadie, es decir, tomando la iniciativa... Parece que el juez, después del escándalo del meublé, veraneaba solo en el chalet de su suegra en Vallvidrera, borracho casi todo el día. Jan no tuvo más que empujar la verja, como quien dice...

Balbina alcanzó la rebeca del sofá y se la echó sobre los hombros, se cruzó de brazos y suspiró. Ya suponía el resto: cuando Jan empujaba esa verja, su intención no era por supuesto atentar contra Klein, sino prevenirle... Luego, a mediados de octubre, cuando ultimaba su plan para asaltar las oficinas de la Eucort, llegó Luis para llevárselo. Pero ya era demasiado tarde. Ahora que lo pensaba, y le volvía a la boca la ceniza de aquellos días, ya era tarde para casi todo; no era posible que Jan, al cruzar aquella verja, confiara en salirse con la suya; en realidad, nunca debió creerse del todo que Klein estuviera dispuesto a abandonar su posición y su familia. Balbina pensaba en el juez como en un hombre acorralado que huía de sí mismo, incapaz por lo tanto de ofrecer afecto más allá de una relación furtiva. Lo mismo que Jan, probablemente: los dos estaban maleados por la misma adversidad, la misma intolerancia, la misma derrota. Jan lo sabía, pero cerró los ojos a la evidencia. Todo acabaría una noche en un callejón del Guinardó, frente a un almacén abandonado, viendo alejarse aquel coche bajo la lluvia...

Ya no escuchaba a Suau, si es que aún hablaba, y había vuelto un poco la cabeza hacia la puerta del dormitorio, que estaba cerrada, pero cuya manecilla acababa de moverse. Pensó en Néstor y en la muchacha, pero no hizo ningún comentario y encendió un cigarrillo con la vista baja. En cuanto al dinero que iba a llevarse, creyó oírle murmurar todavía al viejo Suau –o fue tal vez un comentario que se hizo a sí misma, aturdida–, también había que preguntarse por qué. Sí, por qué esa locura del último atraco, arriesgándolo todo; por qué no se conformaría con lo que pudiera llevarse el juez, suponiendo que se hubiese ido con él. Pero tal vez en su fuero interno sintió nuevamente la necesidad de jugarse el tipo para hacer real lo que no era más que un sueño, como había hecho siempre, como cuando se jugó por primera vez el porvenir aquel domingo de primavera que se encaramó a un abeto para alcanzar una pelota de tenis. Porque en cierto modo, Jan Julivert escaló aquel árbol lo mismo que un muchacho de esta barriada puede escalar un sueño...

# CAPÍTULO IV

## 1

Y ya después, conforme pasaba el tiempo y veíamos apagarse una tras otra aquellas chispeantes posibilidades en torno suyo, aquel acerado reflejo de una voluntad que ya no parecía atreverse a dar la cara –y que si la dio alguna vez, como se confirmaría más adelante, la dio enmascarada–, cuando ya estaba claro que no había vuelto para vérselas con nadie ni para rehacer su vida o enderezar la de su cuñada, Néstor empezó a referirse a él con una desdeñosa indiferencia, con un sarcasmo de adulto que se sacude el polvo de chiquilladas, desdiciéndose de tantas convicciones acuñadas desde niño a puñetazos, tantas expectativas heroicas que habían nutrido nuestras mejores aventis...

Se sabía ya, incluso, que no iba a poder ni siquiera conservar su birria de empleo en la torre de la calle del Iris, «no porque los señores tengan queja de él, al contrario –le oímos comentar a la criada un día que acompañamos a Néstor con su carretilla de reparto–, sino que al señor Klein lo van a ingresar en un sanatorio y la señora vende la finca y antes de Navidad ya se habrán ido todos... También yo me quedaré sin trabajo, sólo se llevan a la cocinera», añadió Elvira muy contrariada.

Durante la primera quincena de noviembre hizo mucho frío y los días eran grises. Al salir del trabajo íbamos al Trola a jugar al billar, pero una vez allí y con el taco en la mano, algo indefinible nos seguía atrayendo desde la calle, desde el corazón mismo del barrio que se replegaba, y lo único que hacíamos, atontados por el aburrimiento, era mirar la acera de enfrente a través de los cristales empañados por nuestro aliento. Guirnaldas deshilachadas y descoloridos restos de serpentinas pendían de los cables eléctricos frente a la barbería. Sobre la calzada ya no planeaban los pesados aviones de papel de Bibiloni –la última escuadrilla que le vimos fletar desde su balcón, el mismo radiante domingo que se lo llevaron de nuevo a Sant Boi con los locos, estaba hecha con papel de estaño y una impetuosa ráfaga de viento la remontó y se la llevó entera dando tumbos en dirección al Parque Güell, centelleando al sol por encima de los tejados– y tampoco podíamos entretenernos aporreando el saco de lona colgado en el taller de Suau porque alguien nos lo había rajado a navajazos y le salían las tripas, nunca supimos quién lo hizo... Y cada día a la misma hora, poco antes de oscurecer, a través de nuestro propio aliento emborronando el cristal como si incluso entonces, hacia el final de la historia, nos empeñáramos aún en no querer verle tal como era, tal como siempre quiso ser, Jan Julivert salía de su casa con la vieja gabardina marrón y la cartera bajo el sobaco y cruzaba la calle en diagonal viniendo hacia nosotros.

Fue una tarde como ésa, martes, cuando le vimos por última vez. Entró en el bar a comprar cigarrillos, pero no había –precisamente el señor Sicart acababa de mandar a Néstor al estanco de la plaza Rovira– y mientras esperaba se tomó una ginebra con agua en el mostrador. Alguien entró dejando la puerta abierta y entonces se oyó en la calle un insulto en la voz de Néstor, el timbre de una bicicleta y su estrépito metálico al chocar contra el suelo. Cuando salimos a ver, Néstor y el *Nene* ya se estaban zurrando de firme, pisoteando la bicicleta y los paquetes de tabaco esparcidos. Comprendimos en el acto que no iba a ser una pelea como las otras, y que duraría poco; el *Nene*, que parecía acorazado e invulnerable con su cazadora de cremallera cerrada hasta la nuez y sus guantes negros de motorista, esta vez devolvía los golpes con saña y marraba muy pocos. Dos asustadas mujeres esgrimiendo paraguas se habían parado a mirarles, y el barbero les increpaba, pero sin acercarse demasiado. Néstor ya sangraba por la nariz y estaba sonado, recibiendo una soberana paliza, pero nadie intervino, quizá porque allí mismo, parado en la puerta del bar con un palillo entre los dientes, estaba la persona más indicada para hacerlo. Pero Jan Julivert no se movió; observó con atención al desfondado Néstor y lo único que hizo fue consultar su reloj, luego miró el cielo encapotado y alzando las solapas de su gabardina volvió a entrar en el bar. En medio del arroyo, Néstor cazaba moscas todavía en pie y de verdad que daba pena verle encajar tantos golpes. Su mirada era espantosa y estaba sin resuello, desarbolado y con el pasmo pintado en el rostro. Tuvo una reacción de las suyas, a la desesperada, cuando ya alguien intervenía para separarlos, y logró colocar una serie muy vistosa aunque sin fuerza en el estómago del *Nene,* y entonces se tiró en tromba hacia adelante pero sus pies se enredaron en la bici caída contra el bordillo y recibió un tremendo golpe a la contra que le giró la cara –tremendo más por el loco impulso que llevaba él, que no por la precisión y la potencia del puño del *Nene*– y aquello fue el principio del fin.

Cuando el tabernero y alguien más volvieron a interponerse, ya todo había terminado. Su tío no le vio desplomarse porque se fue poco antes; le vimos tirar el palillo y recoger de la acera un paquete de Celtas cuyo importe ya había dejado en el mostrador –el gesto de sacarse la cartera del bolsillo trasero del pantalón, aquella lentitud, todavía nos fascinaba– y luego desapareció en la esquina de la calle Martí para ir a su trabajo.

Del follón en la calle, el primer sorprendido fue el *Nene*. Con una expresión de sonado risiblemente parecida a la de Néstor, ayudó al chico a levantarse y lo entró en el bar y luego montó en su bici y se fue calle arriba pedaleando de pie con la barbilla clavada en el pecho, fatigosamente y sin chulería.

Néstor tenía la cara como un mapa y sacudía la cabeza y decía oír en su interior un ruido de vidrios rotos. Cuando salió del lavabo tenía la nariz como una coliflor y ya no quiso hablarnos, y el señor Sicart le aplicó en la cara una toalla mojada y luego lo mandó a casa. Volvió una hora después cambiado de ropa, muy serio y bien peinado y con el carrillo izquierdo hinchado como si llevara un huevo en la boca. Sirvió carajillos y veteranos en la mesa del dominó de los mayores, como cada noche, y tuvo que aguantar sus coñas acerca del huevo que se le había subido a la boca; que si era el huevo izquierdo o el derecho… Lo estaba pasando mal y el tabernero también porque le estimaba, y cuando sonó el teléfono y Néstor anotó el encargo de la criada de los Klein, que dijo que tenían invitados y quería ahora mismo dos botellas de coñac del mejor y una caja de botellas de agua de Vichy, el señor Sicart vio el modo de librarle de aquel pitorreo enviándole a entregar el pedido.

Quisimos acompañarle como otras veces, ayudando a empujar la carretilla, pero él dijo que no.

–¡Chico, ¿qué tienes en la cara?! –dijo Elvira abriendo la verja–. ¿Te ha pasado un camión por encima?

–Vete a parir panteras, chavala. ¿Dónde está mi tío?

–Por ahí, no sé.

–¿Aún no habéis cenado?

–Nosotros no. –Se inclinó sobre la carretilla–. Dame una botella de agua, la están esperando…

Serían poco más de las diez y había empezado a chispear. El jardín sombrío olía a tierra mojada y las pantorrillas blancas y grávidas de Elvira le precedían delante de la carretilla, camino de la cocina. Todas las ventanas de la primera planta estaban iluminadas y había dos coches de invitados frente al garaje.

Su tío tampoco estaba en la cocina. Entró apresuradamente las botellas, evitando que la atareada Mercedes le viera la cara –pero aceptando furtivamente las sobras que la buena cocinera ya había dispuesto para él en una marmita, una ración de besugo al horno–, y se despidió corriendo para volver a empujar la carretilla a través del jardín. Descendiendo por el paseo de las acacias sentía en el rostro ardoroso el chisporroteo de la llovizna helada. Entonces vio a su tío esperándole de pie junto al banco de azulejos más próximo a la verja, las manos en la espalda y la gabardina echada sobre los hombros.

Tal vez, de no traerle un recado, pensaría Néstor más adelante, habría sido capaz de pasar ante él haciendo como que no lo veía; de hecho, su presencia allí al borde del sendero, una sombra furtiva entre las sombras, ya no parecía tener nada que ver con la iluminada torre ni con sus propias obligaciones de guarda nocturno, como si de algún modo ya le hubiesen echado a la calle y no tuviera aún dónde cobijarse. Entumecido, insomne, tozudo guardián de algo que ya no parecía estar allí, centinela de una cota de la memoria que nadie le iba a disputar, de una noche sin orillas cuya contraseña ya no tenía vigencia ni sentido para nadie salvo para él, persistía en su vigilante espera con la misma cautelosa determinación que le trajo por vez primera a este jardín. Encendió un cigarrillo y, a la luz de la llama, Néstor distinguió la bufanda azulgrana liada con descuido alrededor del cuello, y la fría, sosegada dureza de sus ojos, del mismo color de la ginebra barata que bebía, clavados en el flemón que le desfiguraba la cara.

—Ya veo que te ha ido mal.

—No es nada —dijo Néstor.

—Ven aquí, acércate.

—¡Que no es nada, hostia!

—No me levantes la voz. Ven aquí.

Néstor soltó la carretilla y se acercó a él chasqueando la lengua. Jan presionó suavemente con los dedos a ambos lados de la maltrecha nariz y Néstor no pudo reprimir un gesto de rechazo, que su tío achacó al dolor. Pero no era ese dolor.

—Con un poco de suerte y unos cuantos golpes más podrás presumir de nariz de púgil. Pero eso es lo único que sacarás... Esta noche te va a doler. Si te sale sangre, coge un palillo con algodón...

—Ya sé, ya sé —le interrumpió Néstor, notando que las lágrimas volvían a sus ojos—. Déjame.

—¿Te ha visto tu madre?

—Sí.

—¿Habéis hablado?

—Sí.

—¿Y qué piensas hacer?

Néstor se encogió de hombros y miró a un lado. Su tío dio una chupada lenta al cigarrillo y dijo:

—No vas a estar pegándote con él toda la vida. Así no resolverás nada.

—Ya veremos.

—¿Quieres fumar?

Néstor frotó las palmas de las manos en el pantalón.

–Bueno.

Mientras le ofrecía lumbre, Jan le miró con ojos inquisitivos. Luego se quitó la bufanda del cuello y la echó sobre sus hombros.

–Toma, ya está terminada.

Nunca, diría Néstor al recordarlo, le tuvo más cerca y más lejos a la vez. Le ardía la cara y la levantó recibiendo la llovizna casi insensible, una pelusilla helada que, cuando menos, pensó, disimularía las lágrimas. No sentía el cigarrillo en los labios y le picaba horriblemente la napia.

–Quiero irme a casa.

Pero no se movió. Volvió a secarse las manos en el pantalón y, después de pensarlo un momento, dijo entre dientes, en un velado tono de reproche:

–Oye una cosa… ¿Es verdad que tu favorito, en tu peso, fue Marcel Cerdan?

–Sí. Anda, vete, es tarde y hace frío…

–Tú me habías dicho que era Ray Sugar Robinson.

–Éste era el mejor. Pero a mí me gustaba Cerdan.

–¿Por qué no me lo dijiste?

Jan captó el resentimiento camuflado en su voz.

–Cerdan ya murió. Era un boxeador muy duro, con un estilo muy personal, pero con muchos defectos. –Miró fijamente al muchacho y añadió–: Que a mí me gustara, no quiere decir que fuera el mejor.

–¿Y es verdad –dijo Néstor bajando la vista– que tú podías haber sido el mejor y no lo fuiste por hacer el pavero subido a un árbol y romperte la muñeca…?

–¿Quién te ha dicho eso?

Se le apagó el cigarrillo entre los dedos mojados y lo tiró. Vio lágrimas en los ojos de Néstor y pensó un instante antes de añadir:

–De todos modos, creo que tampoco habría ganado. Entonces tenía una buena izquierda, es cierto –con un amago de sonrisa, cogió suavemente al chico por los hombros y le obligó a mirarle–, pero eso no basta para ser el mejor.

Néstor hizo un gesto esquivo y se libró de sus manos. Se acordó del teléfono y el recado, alegrándose de poder cambiar de tema:

–Cuando estaba en casa han llamado preguntando por ti.

–¿Quién era?

–No lo ha dicho. Que tú ya sabes; que te llamará mañana temprano, antes de las nueve, y que procures estar en casa… –Advirtió en los ojos gélidos un chispazo de alerta–. Sobre todo que estés de vuelta a casa a esta hora.

Goteaban en torno las ramas de las acacias pero el rumor de la llovizna era casi inaudible, como una sosegada transpiración de la noche. Tenues cortinas de agua espolvoreada ondulaban alejándose hacia la luz de la calle, rasgándose al dar en la verja. Luego de reflexionar un rato, Jan preguntó:

–¿A qué hora dijo?

–A las nueve. –Néstor se agachó a coger los brazos de la carretilla–. Me voy.

Su tío lo acompañó hasta la verja y al salir a la calle palmeó su espalda.

–¿Tu madre ha salido esta noche?

–Sí –gruñó él–. ¿Te extraña?

–Espera, hombre…

Néstor se volvió a mirarle sin soltar la carretilla. Siempre diría que no notó nada especial en su voz ni en su mirada y que tampoco le oyó decir nada que hiciera pensar en una despedida distinta a las demás; que lo único que hizo fue arroparle mejor con la bufanda que le había regalado, mirarle en silencio unos segundos y luego simular un flojo puñetazo en su barbilla, que no llegó siquiera a rozar porque él lo esquivó con un gesto, maldita sea, demasiado crispado y apresurado, demasiado insolidario, aun cuando lo justificara el escozor del rostro... Porque fue una vez más aquel otro escozor el que le hizo girarse y evitar un contacto que le confundía y le asqueaba, y que así se marchó, dejándole con la palabra y el cariñoso puño en el aire, y que nunca en la vida se lamentaría lo bastante.

## 3

Después de desayunar en la cocina sacó el Packard del garaje y esperó delante del porche con el motor en marcha. El día había amanecido exhausto y gris como los anteriores y el jardín lleno de broza soltaba un olor intenso y pútrido. El juez se retrasaba, tal vez aún seguía acostado, tal vez –pensó confusamente, sintiendo que a cada minuto que pasaba se iba vaciando su conciencia, como si alguien que ya se había ido de aquí pensara por él– ha sufrido otra recaída y ha anulado su visita a la clínica... Paró el motor, se apeó del coche y se recostó en el guardabarros. Desde la cocina le llegaba el zumbido del exprimidor de frutas que manejaba Mercedes, preparando el desayuno de la señora Klein y de su hija. Sin apartar la vista del porche, esperando ver aparecer la figura tambaleante de Klein, se desabotonó la gabardina y palpó el contenido de los bolsillos del traje marrón; llevaba encima exactamente lo mismo que la primera vez que entró en esta casa, cinco meses atrás, cuando en cierto modo la decisión ya estaba tomada: no haría nada por facilitar las cosas, pero tampoco haría nada por evitarlas.

En lugar del juez salió la criada con un cesto de ropa sucia y caminó hasta el coche.

–No se encuentra bien. Dice la señora que vaya un momento.

–¿Dónde está?

–En el vestíbulo.

Elvira se alejó hacia la puerta exterior de la cocina y él fue hacia el porche. En medio del amplio vestíbulo, bajo la luz verdosa que proyectaba el vitral, había media docena de grandes cajas de embalaje todavía sin cerrar conteniendo seguramente cuadros, y en el hueco debajo de la escalera, esperando ser empaquetados, jarrones y tallas policromadas de madera. Luis Klein estaba sentado en la caja más pequeña atándose el cordón del zapato con gestos desmañados y mirando el desorden a su alrededor:

–¿Por qué tanta prisa, Virginia?

Ella chasqueó la lengua, impaciente. Llevaba la cara sin pintar, un traje de gabardina color beige, de falda muy ceñida, y una blusa marrón de cuello alto. Estaba de pie frente a su marido, sosteniéndole el abrigo negro.

–Ninguna prisa, Luis. Pero quiero que todo esto salga cuanto antes y no tener que pensar más en ello. No sabes qué dos meses me esperan, la de trastos que hay en esta casa... ¿Te encuentras bien?

–Tengo sueño.

–Vuelve a la cama.

–Puñeta, no.

–Entonces, ve a recuperación. Luego te sentirás mucho mejor.

–Quiero quedarme para ver cómo empaquetas todo lo nuestro.

Tenía la voz ensimismada, débil. Virginia Klein suspiró y le echó el abrigo sobre los hombros. Al volverse vio al guarda y se acercó a él frotándose nerviosamente las manos.

–No sé, creo que hoy no está en condiciones de ir –dijo–. Van a llegar los de la agencia y tengo mucho que hacer, así que lo dejo en sus manos... Si puede llevárselo, mejor, aquí no hace más que estorbar.

*bein the way*

Jan miraba al juez y no contestó. Ella lo achacó a su sordera y, alzando un poco la voz, añadió:

–Decía que es mejor llevarlo a la clínica, señor Mon. Por lo menos allí se distrae. –Se volvió hacia su marido–: Luis, te están esperando. –Y dirigiéndose de nuevo al guarda–: Váyanse al pabellón a jugar al ajedrez, si lo prefiere, o llévelo a pasear, a él le da lo mismo… En realidad, no sabe lo que quiere.

De nuevo pensó que el guarda no la había oído, porque tardó bastante en responder:

–Sí, eso creo.

Jan se plantó delante de Klein y esperó. En tono afable, ella dijo:

–Si van a la clínica y le propone parar en un bar, acompáñele y tome algo con él. –Sonrió levemente al añadir–: Sé que otras veces lo han hecho, y una copa más o menos ya no va a perjudicarle. –Se quedó pensativa unos segundos, sonriendo todavía–. Ya le queda poco que aguantar, señor Mon. Sepa que le estoy muy agradecida por las molestias que se ha tomado con nosotros. Pero aún le necesitamos, ya lo ve usted… Ahora lléveselo y no tenga prisa en volver, este jaleo de la mudanza es lo que le pone enfermo, y a mí también –concluyó con un deje de disculpa en la voz.

Él asintió en silencio y ayudó al juez a incorporarse. Klein no parecía haberse enterado de nada y se dejó llevar hasta el coche. Jan lo sentó a su lado y cuando hacía girar la llave del contacto oyó su voz pastosa, extrañamente apagada: «Las gafas.» Virginia Klein les miraba desde el porche cruzada de brazos, pálida, los hombros estremecidos de frío. Jan sacó las gafas oscuras del bolsillo superior de la chaqueta del juez y se las puso.

–Ya veo –farfulló Klein con las mandíbulas trabadas–. Es la hora de la cerrosis, en este cochino bar, y nos ponen de patitis en la calle… Muy bonito. ¿Y adónde vamos ahora, Jan, adónde?

Minutos después, el Packard se deslizaba calle del Iris abajo, el lustroso morro cabeceando suavemente sobre los baches enfangados. Jan colgó un cigarrillo en sus labios, pulsó el mechero eléctrico en el tablero y miró al juez con el rabillo del ojo: parecía dormitar, las manos yertas en el regazo, el abrigo resbalando de sus hombros; sobre sus gafas oscuras, que acentuaban la macilenta rigidez de yeso del rostro, la brisa movía sus cabellos sin color como si fuera una paja inerme. No volvió a pronunciar una palabra, no bromeó con él esta mañana. Jan oyó el clic del mechero, lo sacó y encendió el cigarrillo mirando fuera a través del cristal. Al pie de los muros, a lo largo de la calle desierta, yacían ramas partidas de laurel y hojas de eucalipto, y de los altos desagües al nivel de los jardines rezumaba en la piedra mohosa un agua silenciosa y oscura. El Packard aminoró la marcha, giró en la esquina roma revestida de buganvillas y Jan vio entrar despacio a la izquierda del retrovisor el descampado de tierra roja y las humildes huertas y barracas al fondo de la hondonada, hacia Horta. Enfiló la calle enlodada al borde del terraplén, arrimándose al muro de piedra arenisca, y redujo la velocidad hasta casi pararse para sortear los baches. *potholes*

No esperaba que le saliera por detrás ni que fuera una furgoneta azul anunciando una marca de lejía en los costados. Oyó el ruido del motor y la vio adelantar y cruzarse en diagonal en medio de la calle, a unos veinte metros, asomando ya el hocico negro de la Thompson. Paró y quitó el contacto. No le dieron ninguna voz de alerta, o no la oyó; sí tiempo para saltar y ponerse a salvo, unos cinco segundos que se hicieron eternos y que él malgastó en dirigir una apacible mirada al juez, en bajar el cristal de la portezuela, sacar el codo y tirar el cigarrillo. Sintió el silencio clavado en la garganta como un puñal, pero no el miedo; tal vez esa inesperada ausencia del miedo –porque había contado con él, lo esperaba, llevaba muchos años tratándole, y hasta en presidio había llegado a echarle de menos– fue lo que le paralizó, asombrado, facilitando el fin. La primera ráfaga hizo saltar completamente el parabrisas como una cascada de nieve, y vio al juez ladearse suavemente hasta apoyar la cabeza ensangrentada en su hombro, las gafas rotas sobre la boca. Sintió su mano convulsa buscando la suya, con el pulso vertiginoso, y se la apretó mirándole; el estupor azul de sus ojos se quedó en una escarcha. Él había permanecido sentado en medio del estruendo, sin recibir ni un rasguño: sabía a quién le debía tal precisión y fue a su encuentro abriendo de un manotazo la puerta del coche y saltando fuera, en medio de un charco de fango, al tiempo que echaba la mano abierta y crispada hacia la trasera del pantalón apartando los faldones de la gabardina con un gesto veloz, un garabato exacto e inconfundible. Recibió una ráfaga en el pecho y otra en la cabeza y en los hombros, cuando ya caía de bruces en el barro.

Así había de ser, porque ese garabato fulgurante de su mano era lo único que aún podía tener sentido para ellos. Sólo que, una vez más, su intención enmascaraba otra; no se disponía a empuñar ninguna pistola, no iba a defenderse. Horas después, cuando se hicieron cargo de los cadáveres, su mano seguía apretando el pañuelo a cuadros planchado y limpio, perfectamente doblado.

Jan Julivert Mon fue enterrado en la fosa común de Montjuich el 17 de noviembre de 1959, una mañana soleada y fría, en presencia de Balbina, Néstor y el viejo Suau. Néstor llevaba liada al cuello la bufanda que su tío tejió para él.

Quince años después, en el verano del setenta y cinco, el taller de Suau fue derribado para construir una casa de pisos. Durante algunos días, al atardecer, el montón de cascotes y de astillados maderos y los muros renegridos, tiznados de pintura y todavía con jirones amarillentos de viejos carteles, fue escenario predilecto de correrías y juegos infantiles. Alrededor, la barriada remozaba su fisonomía con dudosos parches metálicos, fulgores de mármol falso y luces de neón: la calle ya era como un garaje atestado de coches, los edificios eran más altos y sin balcones, las aceras más angostas e inútiles, hacía ya mucho tiempo que Néstor y su madre se habían ido a vivir al barrio de Sants, el viejo Suau estaba acogido al asilo de ancianos de la calle San Salvador –andaría por los ochenta y cinco años– y su nieta trabajaba de telefonista en la clínica del Remedio y vivía al cuidado de las monjas por mediación del doctor Cabot.

Un caluroso domingo por la mañana pasaba por allí con mi hijo de seis años y me paré un momento al borde del solar lleno de escombros. Los rayos del sol rebotaban sobre fragmentos de vidrios esparcidos y animaban un polvo alcalino y estático, una reverberación que dañaba los ojos. El estrépito de techumbres y paredes que había precedido a este sosiego espejeante, a este sudor cansino de la luz, todavía flotaba en el ambiente lo mismo que nuestras voces en el rincón sombrío donde aprendimos a endurecer los puños, a interpretar el cartel roto de *El hijo de la furia* o el soleado muslo de Paquita entre guirnaldas de papel rizado y cromos de cine... Ocurrió que, sin darme cuenta, el chico se soltó de mi mano, adentrándose en el solar. Fui tras él y le encontré al fondo, meando tranquilamente en el patinillo de tierra oscura y amazacotada que tantas veces habíamos contemplado desde la ventana de la cocina; allí estuvo la tumba de un gato coronada de lirios azules y el rosal trepador entre cuyas raíces, se dijo, Jan Julivert había enterrado su pistola. Distinguí un resto del tronco del rosal entre los ladrillos, un muñón retorcido y seco, justo delante de los pies de mi chico, y tuve la tentación, por un breve instante, de apartarle de allí de un manotazo y que se fuera a mear a otra parte... Como si presintiera la injusta reprimenda, el chaval me dirigió por encima del hombro una mirada burlona y maliciosa, y siguió meando.

En efecto, qué sentido tenía, después de tantos años, qué podía haber allí salvo la tronchada raíz de la revancha, la herrumbre de nuestra antigua violencia juvenil. En el caso improbable de que Jan Julivert hubiese ocultado el arma bajo el rosal con la ciega determinación de volver a empuñarla un día, lo cierto es que cuando llegó ese día decidió no tocarla, y él sabría por qué. Seguramente, aquel supuesto huracán de venganzas que esperábamos llegaría con él, y sobre el que tanto se había fantaseado en el barrio, no escondía nada en realidad, todo lo más la ilusión contrariada del vencido, la cicatriz de un sueño, un sentimiento senil que había sobrevivido a los altos, heroicos ideales... Hombres de hierro, le oímos decir alguna vez al viejo Suau, forjados en tantas batallas, hoy llorando por los rincones de las tabernas. No podíamos entenderlo entonces, pero él había sobrepasado esa edad en que un hombre deja de sentir el deseo de ajustar cuentas con nadie, salvo tal vez consigo mismo. Durante bastantes años, hasta el umbral de la madurez, a nosotros nos gustó creer que el pistolero se equivocó en su decisión de retirarse, y que le mataron por eso; hoy ya no creemos en nada, nos están cocinando a todos en la olla podrida del olvido, porque el olvido es una estrategia del vivir, si bien algunos, por si acaso, aún mantenemos el dedo en el gatillo de la memoria… Pero si así fue, si ciertamente lo que él se propuso es que esa fantasmal pistola y los convulsos afanes que la empuñaron en su juventud acabaran aquí juntos, pudriéndose bajo la tierra, en lo que a mí respecta podían seguir pudriéndose.

—Ya estoy, papá.

—Bien. Esconde la pistolita y vámonos.

Impreso en Talleres Gráficos
LIBERDÚPLEX, S.L.U.
Pol. Ind. Torrentfondo
Ctra. Gelida BV-2249 Km. 7,4
08791 Sant Llorenç d'Hortons (Barcelona)